MOJE ŻYCIE WE FRANCJI

MOJE ŻYCIE WE FRANCJI

JULIA CHILD

współpraca Alex Prud'homme

przełożyła
Anna Sak

Wydawnictwo Literackie

Wydanie pierwsze

ISBN 978-83-08-04452-0

Dla Paula

W środku ja, obok mój brat John i siostrzyczka Dorothy

ZAMIAST PRZYSTAWKI,
CZYLI KILKA SŁÓW OD JULII

Jest to książka o największych miłościach mojego życia: moim mężu, Paulu Childzie, *la belle France* oraz rozlicznych przyjemnościach gotowania i jedzenia. Dla mnie to też coś nowego: tym razem zamiast przepisów kulinarnych zebrałam serię powiązanych ze sobą epizodów z mojej biografii, które wydarzyły się głównie w latach 1948–1954, gdy mieszkaliśmy razem w Paryżu i Marsylii, a także kilka późniejszych przygód z Prowansji. Lata spędzone we Francji należą do najlepszych w moim życiu. Był to dla mnie kluczowy okres przemiany, w którym odnalazłam swoje prawdziwe życiowe powołanie, doświadczyłam przebudzenia się zmysłów i tak świetnie się bawiłam, że prawie nie miałam czasu, by zatrzymać się i nabrać powietrza.

Życie nie przygotowało mnie na to, co miałam odkryć po przeprowadzce do Francji. Wychowałam się w zamożnej rodzinie z wyższej klasy średniej, w słonecznej i mało intelektualnej kalifornijskiej Pasadenie. Mój ojciec, John McWilliams, był konserwatywnym biznesmenem, który zarządzał dzierżawą rodzinnych nieruchomości; matka, Carolyn, nazywana przez nas Caro, była osobą bardzo serdeczną i towarzyską, ale jak większość jej koleżanek, nie spędzała w kuchni zbyt wiele czasu. Czasem w porywie kulinarnego natchnienia piekła kruche ciastka, pitrasiła jakieś danie z serem albo wędzonego dorsza, ale kucharką nie była. Ja też nie. Jako nastolatka nie wykazywałam żadnego zainteresowania kuchnią. Zawsze miałam zdrowy apetyt, zwłaszcza na pyszne mięsa, świeże kalifornijskie warzywa i owoce, ale nikt nie zachęcał mnie do gotowania, a sama tym bardziej nie widziałam w tej czynności sensu. Nasza rodzina zatrudniała grono kucharzy, którzy przyrządzali ogromne porcje typowej amerykańskiej strawy — tłuste, pieczone kurczaki z maślanym *purée* ziemniaczanym i szpinakiem w śmietanie, mocno poprzerastany tłuszczem befsztyk z polędwicy, nie pierwszej młodości, średnio wypieczony szary udziec jagnięcy (Francuzi gustują w słabo wypieczonym i różowym) — nieodmiennie w towarzystwie dwóch sosów: brązowego i miętowego. Pyszne, lecz mało wykwintne jedzenie.

Paul tymczasem wychował się w Bostonie, pod okiem matki — artystki, która mieszkała kiedyś w Paryżu i była znakomitą kucharką. Ten kulturalny, dziesięć lat ode mnie starszy dżentelmen w czasie drugiej wojny światowej, kiedy się poznaliśmy, miał już za sobą liczne podróże po świecie. Był elegantem i pięknie mówił po francusku, poza tym ubóstwiał wino i dobre jedzenie. Znał takie dania, jak *moules marinières*, ostrygi, *boeuf bourguignon*, wołowinę po burgundzku, i *canard à l'orange*, kaczkę w pomarańczach — które mojemu niewprawnemu uchu i językowi wydawały się szczy-

8

tem egzotyki. Miałam szczęście, że poślubiłam Paula. Był dla mnie natchnieniem. Jego entuzjazm dla wina i jedzenia pomógł ukształtować moje gusta, a wsparcie pozwoliło przetrwać trudne chwile. Bez Paula Childa mojej kariery by nie było.

Poznaliśmy się na Cejlonie i wzięliśmy ślub we wrześniu 1946. Przygotowując się do życia małżeńskiego, utrzymując się z niedużej pensji rządowej, postanowiłam nauczyć się gotować. Przed ślubem zapisałam się w Los Angeles na kurs kucharski dla przyszłych żon, prowadzony przez dwie Angielki, które nauczyły mnie przyrządzać dania w rodzaju naleśników. Pierwszy posiłek, który przygotowałam dla Paula, był jednak ciut ambitniejszy: móżdżek duszony w czerwonym winie! Nie wiem, dlaczego zdecydowałam się na to danie, poza tym że brzmiało egzotycznie i świetnie się nadawało do zrobienia wrażenia na mężu. Rzuciłam okiem na przepis i doszłam do wniosku, że nie jest trudny, ale w efekcie wyszła nijaka papka, na dodatek niezbyt smaczna. Mówiąc wprost, tamten obiad to była katastrofa. Paul miał ubaw po pachy. Upichciliśmy naprędce coś innego, lecz w głębi duszy byłam zła na siebie i jak nigdy zapragnęłam nauczyć się dobrze gotować.

Przez pierwszy wspólny rok mieszkaliśmy w Georgetown w Waszyngtonie, w małym białym domku na Olive Avenue. Paul urządzał wystawy dla Departamentu Stanu, a ja pracowałam w biurze. Wieczorami podchodziłam do kuchenki uzbrojona w potężne ambicje, z *Radością gotowania* albo magazynem „Gourmet" pod pachą i marnym zmysłem kulinarnym. Moje dania były satysfakcjonujące, ale ich przyrządzenie wymagało wielogodzinnych, morderczych wysiłków. Zazwyczaj kładłam coś na stół około dziesiątej wieczorem, połykałam parę kęsów i padałam na łóżko. Cierpliwość Paula nie miała granic, ale po latach przyznał w wywiadzie: „Jej pierwsze próby były nie do końca udane (…). Chciałem poślubić Julię, a to wymagało odwagi. Ufam, że nie zdradziłem moich zasad" (nie zdradził).

Zimą 1948 roku Paul dostał propozycję objęcia kierownictwa Wydziału Prezentacji Wizualnych Służb Informacyjnych Stanów Zjednoczonych (USIS) w Paryżu. Pojechaliśmy razem. Nigdy nie byłam w Europie, ale gdy tylko osiedliśmy w Paryżu, stało się jasne, że to łut szczęścia zaprowadził mnie do tego magicznego miasta, które w dalszym ciągu jest moim ukochanym miejscem na ziemi. Najpierw z wolna, potem z rosnącym zapałem, poświęciłam się nauce języka i zwyczajów mojego nowego kraju.

W Paryżu, a potem w Marsylii miałam pod ręką najlepsze na świecie jedzenie i entuzjastyczną publiczność w osobie mojego męża, więc wydawało się logiczne, że powinnam się nauczyć *la cuisine bourgeoise* — dobrej, tradycyjnej francuskiej kuchni domowej. Była dla mnie objawieniem. Zwyczajnie zakochałam się w tym boskim jedzeniu i cudownych szefach kuchni, a moje zaangażowanie rosło z każdym dniem.

Pracując nad niniejszą książką, ja i Alex Prud'homme mogliśmy godzinami snuć opowieści, wspominać i głośno myśleć. To wielki dar. Wiemy, że pamięć jest wybiórcza, dlatego nie dbaliśmy zanadto o encyklopedyczną dokładność, skupiliśmy się za to na niektórych większych i mniejszych epizodach, które po upływie półwiecza są ciągle żywe w mojej pamięci.

Alex urodził się w 1961 — w roku publikacji mojej pierwszej książki zatytułowanej *Doskonalenie się we francuskiej sztuce kulinarnej*, którą napisałam razem z Simone Beck i Louisette Bertholle. Nic więc dziwnego, że obydwoje podjęliśmy współpracę nad tym tomem, który opowiada między innymi historię pisania tamtej książki.

Pracę w ogromnej mierze ułatwiła nam gruba sterta rodzinnej korespondencji i zachowanych z tamtych dni kalendarzy, jak też zdjęć Paula, szkiców, wierszy i kartek walentynkowych. Paul i jego brat bliźniak Charlie, który był malarzem i mieszkał w hrabstwie Bucks w Pensylwanii, pisywali do siebie średnio raz w tygodniu. Paul podchodził do pisania listów niezwykle poważnie: rezerwował sobie na nie czas, starał się dokumentować w dziennikarskim stylu nasze życie codzienne i na ogół pisał trzy do sześciu stron na tydzień specjalnym wiecznym piórem, pięknym, zamaszystym pismem. Często wzbogacał list o malutkie szkice miejsc, które odwiedzaliśmy, bądź zdjęcia (niektóre z nich znalazły się w książce) albo minikolaże ze skrawków biletów lub wycinków z gazet. Moje listy liczyły z reguły jedną, dwie strony, były pisane na maszynie i pełne błędów ortograficznych, gramatycznych i wykrzykników; koncentrowałam się w nich na tym, co w danej chwili gotowałam, i na kipiących wokół nas ludzkich dramatach. Setki tych listów, napisanych na cienkim, bladoniebieskim albo białym papierze listowym, przetrwały lata w bardzo dobrym stanie.

Gdy je teraz czytam, zdarzenia w nich opisane wracają do mnie z wielką wyrazistością: komentarz Paula o jesiennym świetle iskrzącym się na ciemnej Sekwanie, jego codzienne bitwy z waszyngtońskimi biurokratami, zapach Montmartre'u o zmierzchu albo wieczór, gdy w Le Grand Véfour, cudownie staroświeckiej restauracji, zobaczyliśmy Colette z burzą rozwichrzonych włosów. W moich listach zachwycam się smakiem spróbowanej po raz pierwszy francuskiej kaczki pieczonej na otwartym ogniu, podniecam się ploteczkami, które usłyszałam od handlarki warzywami na bazarze przy rue de Bourgogne, wybrykami naszej kotki Minette albo perypetiami związanymi z wieloletnią pracą nad książkami kucharskimi. Niesamowite, że moja rodzina była na tyle przewidująca, żeby zachować te listy — jakby wiedzieli, że kiedyś usiądziemy razem z Aleksem i napiszemy tę książkę.

Pragnę podziękować wielu osobom i instytucjom, które pomogły nam w pracy nad nią, zwłaszcza mojej serdecznej przyjaciółce i długoletniej redaktorce w wydawnictwie Knopf, Judith Jones, która ma bystre oko i delikatną rękę. A także moim ukochanym francuskim „siostrom", Simone Beck i Louisette Bertholle, z którymi pracowałam, mojej siostrze Dorothy, pełnej entuzjazmu siostrzenicy Phili Cousins i jej bratu Samowi, mojej nieocenionej asystentce Stephanie Hersh i prawnikowi Billowi Truslowowi. Dziękuję także Schlesinger

Library przy Radcliffe Institute, która udzieliła łaskawego schronienia większej części moich papierów i fotografii Paula, Muzeum Historii Amerykańskiej przy Smithsonian Institute, które było na tyle życzliwe, aby udostępnić zwiedzającym eksponaty związane z moją karierą, w tym całą moją kuchnię z naszego domu w Cambridge w stanie Massachusetts, publicznej bostońskiej stacji telewizyjnej WGBH oraz mojej Alma Mater, Smith College, jak również wielu bliskim i znajomym, którzy wsparli nas wspomnieniami, zdjęciami, miłym towarzystwem i dobrą strawą w trakcie opracowywania tego tomu.

Jakież to szczęście i radość, że mogłam mieszkać z Paulem we Francji, a teraz napisać o tym z Aleksem. Mam nadzieję, że książka ta przyniesie Wam taką samą radość w lekturze, jaką przyniosło nam jej pisanie — *bon appétit*!

Julia Child
Montecito, Kalifornia
sierpień 2004

CZĘŚĆ PIERWSZA

ROZDZIAŁ PIERWSZY
La belle France

I. WYPRAWA ZA MORZE

O piątej czterdzieści pięć podnieśliśmy się z ciepłej koi i wyjrzeliśmy przez bulaj w naszej kabinie na pokładzie SS „America". Żadne z nas nie spało tej nocy zbyt dobrze, częściowo z powodu pogody, częściowo z emocji. Przetarliśmy oczy i zerknęliśmy spod zmrużonych powiek w okienko. Na zewnątrz unosiła się mgła, ale przez ciemnoniebieski świt i wirujące, mroczne powietrze udało się nam dostrzec rzędy migoczących światełek wzdłuż linii brzegowej. Była środa, 3 listopada 1948 roku. Dobiliśmy do Hawru we Francji.

Nigdy przedtem nie byłam w Europie i nie wiedziałam, czego się spodziewać. Byliśmy na morzu od tygodnia, który strasznie się nam dłużył. Miałam wielką ochotę postawić wreszcie stopę na *terra firma*. Gdy tylko pożegnaliśmy się z rodziną w mieniącym się kolorami jesieni Nowym Jorku, „America" pożeglowała wprost w paszczę północnoatlantyckiego sztormu. Ogromny statek kołysał się i szarpał pośród fal wielkich jak budynki, a my słyszeliśmy nieustające odgłosy chłostania, trzaskania, szczękania, dygotania, chwiania się i pojękiwania. Wzdłuż korytarzy rozciągnięto liny sztormowe. W górę... w górę... w górę... ogromny li-

17

niowiec unosił się, zastygał na moment u szczytu, po czym opadał niżej... niżej... niżej..., ześlizgiwał się coraz bardziej, aż dziób zapadał się w dolinę fali z wielkim, przyprawiającym o dreszcze łoskotem. Bolały nas mięśnie, byliśmy zmęczeni, a po pokładzie walały się rozbite naczynia. Większość pasażerów i niektórzy członkowie załogi byli chorobliwie bladzi. Całe szczęście, że Paul i ja byliśmy dobrymi marynarzami i mieliśmy żołądki jak z żelaza: pewnego ranka znaleźliśmy się w gronie pięciorga pasażerów, którzy stawili się na śniadaniu.

Jak dotąd spędziłam na morzu dość krótki czas, w czasie drugiej wojny światowej, w drodze do Azji i z powrotem, i nigdy nie przeżyłam podobnego sztormu. Paul z kolei miał już za sobą każdą możliwą pogodę. Na początku lat dwudziestych, ponieważ nie stać go było na studia, popłynął z USA do Panamy na tankowcu, załapał się także na rejs niewielkim promem z Marsylii do Afryki, przemierzył Morze Śródziemne oraz Atlantyk w drodze z Triestu do Nowego Jorku, wreszcie dołączył do załogi szkunera płynącego z Nowej Szkocji do Ameryki Południowej. Podczas drugiej wojny światowej służył krótko na okręcie wojennym, pływającym po Morzu Chińskim. Doświadczył trąb wodnych, burz z piorunami, a także tego, co określał mianem „pierwotnej przemocy natury". Paul niekiedy bywał *macho*, a niekiedy cichym, upartym molem książkowym. Miewał okropne zawroty głowy, a jednak należał do tych, którzy przy huraganowym wietrze wspinają się na szczyt olinowania statku. Na pokładzie targanego sztormem SS „America" ja byłam spokojna, a on swoim zwyczajem martwił się za nas oboje.

Płynęliśmy do Francji, bo Paul został zatrudniony jako kierownik biura wystawowego Służb Informacyjnych Stanów Zjednoczonych (USIS) przy ambasadzie amerykańskiej w Paryżu. Miał promować za pośrednictwem sztuk plastycznych dobre relacje francusko--amerykańskie. Było to coś w rodzaju pracy kulturalno-propagandowej, do której świetnie się nadawał. Paul mieszkał i pracował we Francji w latach dwudziestych, mówił piękną francuszczyzną i uwielbiał tamtejsze jedzenie i wino. Paryż był jego ukochanym miastem na świecie. Gdy więc rząd amerykański zaproponował mu tam posadę, skwapliwie skorzystał z okazji. Ja towarzyszyłam mu właściwie jako dodatkowy bagaż.

Zgodziliśmy się, że podróż ta to swego rodzaju papierek lakmusowy naszego związku: jeśli będziemy umieli wyciągnąć z chaosu różnych przypadkowych zdarzeń, które nieuchronnie spotkają nas w drodze, to co najlepsze, z pewnością potrafimy przeżeglować razem przez resztę życia. Jak dotąd szło nam nieźle.

Poznaliśmy się na Cejlonie latem 1944 roku. Oboje zostaliśmy tam oddelegowani przez Biuro Służb Strategicznych (OSS), poprzednika CIA. Paul, jako artysta, dostał zadanie stworzenia wystroju kwater, w których generał Mountbatten miał przeglądać dane wywiadowcze przesyłane mu przez naszych agentów działających w terenie. Ja byłam szefową Archiwum i zajmowałam się między innymi przetwarzaniem raportów tychże agentów oraz innych ściśle tajnych dokumentów. Pod koniec wojny Paula i mnie przeniesiono do Kunming w Chinach, gdzie pracowaliśmy dla generała Wedemeyera i kontynuowaliśmy nasz romans przy pysznym chińskim jedzeniu.

Chociaż poznaliśmy się poza krajem, nie uważaliśmy tego wojennego czasu spędzonego w Azji za prawdziwy pobyt i mieszkanie za granicą: pracowaliśmy siedem dni w tygodniu, sypialiśmy w wieloosobowych kwaterach i musieliśmy być na każde zawołanie dowództwa.

Skończyła się wojna. Wzięliśmy ślub w roku 1946, przez dwa lata mieszkaliśmy w Waszyngtonie, D.C., a teraz przenosiliśmy się do Paryża. Od dnia wesela, 1 września 1946 roku, nie mieliśmy okazji przeżyć miesiąca miodowego z prawdziwego zdarzenia. Może kilka lat pobytu we Francji zrekompensuje nam to karygodne niedopatrzenie. Na moje oko był to dobry plan.

Zerkając przez bulaj na skrzące się światełka Hawru, uświadomiłam sobie, że nie mam pojęcia, na co patrzę. Francja była dla mnie mglistą abstrakcją, krajem, który istniał od dawna w mojej wyobraźni, ale nie miał realnych kształtów. I choć nie mogłam się doczekać, kiedy zejdę na brzeg, miałam powody, by być odrobinę podejrzliwa.

W Pasadenie, w Kalifornii, gdzie się wychowywałam, Francja nie cieszyła się zbyt dobrą opinią. Mój ojciec, wysoki, małomówny „Big John" McWilliams, lubił mawiać, że wszyscy Europejczycy, a zwłaszcza Francuzi, są „ciemni" i „brudni", choć nigdy nie był w Europie i nie znał ani jednego Francuza. Sama poznałam kilka Francuzek, a właściwie tylko dwie zbzikowane nauczycielki, stare panny. Mimo lat poświęconych tak zwanej pamięciowej nauce francuskiego, nie umiałam w tym języku powiedzieć ani zrozumieć nawet jednego słowa. Poza tym, za sprawą artykułów w „Vogue" i hollywoodzkich filmów, skłonna byłam sądzić, że Francja to kraj elegantów, gdzie wszystkie kobiety są filigranowymi i wytwornie ufryzowanymi złośliwymi stworzeniami, a wszyscy mężczyźni dandysami à la Adolphe Menjou, którzy raz po raz podkręcają wąsa, podszczypują dziewczęta i spiskują przeciwko amerykańskim prostaczkom.

Byłam dużą, mierzącą metr osiemdziesiąt siedem centymetrów wzrostu, trzydziestosześcioletnią, wygadaną i niezbyt poważną Amerykanką. Z okienka mojej kajuty Francja wyglądała jak ogromny znak zapytania.

„America" weszła powoli do zatoki. Zobaczyliśmy olbrzymie żurawie portowe, sterty cegieł, puste miejsca po bombardowaniach oraz inne pozostałości wojny w postaci rdzewiejących, na wpół zatopionych kadłubów. Gdy holowniki ciągnęły nas w stronę przystani, zerknęłam przez reling na tłum zgromadzony na nadbrzeżu. Mój wzrok zatrzymał się na krzepkim, szorstkim z wyglądu mężczyźnie o ogorzałej twarzy, ze sterczącym z kącika ust sfatygowanym, tlącym się papierosem. Wywijał energicznie potężnymi rękami i krzyczał do kogoś. Był tragarzem. Śmiał się i targał czyjeś bagaże niczym zadowolony niedźwiedź, zupełnie nie zwracając uwagi na otoczenie. Jego pękaty brzuch i grube ramiona okrywał kombinezon w charakterystycznym granatowym kolorze, bardzo zresztą gustownym, w dodatku cechowała go ujmująca prostota, która sprawiła, że mój niepokój osłabł.

— No proszę. A więc TO TAK wygląda prawdziwy Francuz — powiedziałam do siebie w duchu. — Wcale niepodobny do Adolphe'a Menjou. Jakie to szczęście, że są w tym kraju ludzie z krwi i kości!

O siódmej rano byliśmy już z Paulem na stałym lądzie, a nasze bagaże przeszły odprawę celną. Przez następne dwie godziny siedzieliśmy w porcie, paląc papierosy i ziewając, z kołnierzami postawionymi dla ochrony przed deszczem. W końcu żuraw portowy wyciągnął z objęć statku nasze duże błękitne kombi marki Buick, które pieszczotliwie nazywaliśmy „Blue Flash". Buick zakołysał się na pasach asekuracyjnych, opadł na nabrzeże i sprężyście wylądował. Natychmiast obstąpiła go grupka *mécaniciens* w czarnych beretach, białych fartuchach i wielkich gumowych kaloszach. Napełnili Flasha esencją, czyli olejem i wodą, przymocowali tablice rejestracyjne korpusu dyplomatycznego i upchnęli w nim wszystkie czternaście walizek oraz pół tuzina kufrów i koców, oczywiście zupełnie nie tak jak trzeba. Paul wręczył im napiwki, a potem poprzekładał walizki tak, żebyśmy widzieli tylną szybę. Był bardzo wymagający w kwestii układania bagaży i, trzeba przyznać, bardzo w tym zmyślny, jak mistrz puzzli.

Gdy kończył je upychać, deszcz osłabł, a z szarego przestworu nad naszymi głowami zaczęły przezierać wstęgi błękitu. Usiedliśmy na przednich siedzeniach i skierowaliśmy szeroki rżący pysk naszego wierzchowca na południowy wschód, w stronę Paryża.

II. SOLE MEUNIÈRE

Nie pytajcie dlaczego, ale normandzki krajobraz wydał mi się kwintesencją francuskości. Prawdziwe widoki, odgłosy i zapachy tego miejsca były nieporównywalnie bardziej konkretne i interesujące niż najlepszy montaż filmowy albo poświęcony Francji dwustronicowy fotoreportaż. Każde miasteczko miało swój wyrazisty charakter, choć niektóre z nich, takie jak Yvetot, były wciąż jeszcze poranione ziejącymi lejami po bombach i zwojami drutów kolczastych. Po drodze widzieliśmy nieliczne samochody, za to ulicami poruszały się setki rowerzystów, staruszkowie na wiekowych wózkach konnych, odziane w czerń kobiety i mali chłopcy w drewniakach. Słupy telefoniczne różniły się od amerykańskich wielkością i kształtem. Na polach trwały intensywne prace. Nie było billboardów, a mijane przez nas co jakiś czas tynkowane, białoróżowe wille, do których wiodły wytworne, wysadzane drzewami alejki, wyglądały zabawnie i urokliwie. Całkiem niespodziewanie zapachy ziemi i dymu, krzywizny krajobrazu i jasna zieleń pól kapusty przywiodły nam obojgu na myśl Chiny.

Zrobione przez Paula zdjęcia francuskiej wsi

La belle France! Niepostrzeżenie dla samej siebie zaczęłam się zakochiwać!

O dwunastej trzydzieści Flash śmigał już ulicami Rouen. Minęliśmy zabytkową, piękną miejską wieżę zegarową, a potem słynną katedrę, wciąż jeszcze noszącą wojenne blizny, ale nadal olśniewającą swoimi witrażami. Zatrzymaliśmy się na la Place du Vieux Marché — placu, gdzie wydano Joannę d'Arc na pastwę płomieni. Przewodnik Michelina skierował nas do Restaurant La Couronne, którą urządzono w średniowiecznym drewnianym domostwie z 1345 roku. Paul kroczył śmiało naprzód, ciesząc się na myśl o tym, co go czeka. Ja zostałam trochę z tyłu. Bałam się, że nie wyglądam dość szykownie, że nie będę umiała wyrazić, o co mi chodzi, a kelnerzy będą kręcić swoimi długimi, galijskimi nosami na jankeskich turystów.

Wnętrze było przytulne, a sympatycznie staroświecka jadalnia utrzymana w tonacji biało-brązowej, nie nazbyt surowa ani zbyt wystawna. W ścianę wbudowano olbrzymi kominek z obrotowym rożnem, na którym piekło się coś, co wydzielało iście niebiańskie aromaty. Przywitał nas *maître d'hôtel*, szczupły, ciemnowłosy mężczyzna w średnim wieku, poruszający się z pewnym łagodnym dostojeństwem. Paul odezwał się pierwszy, *maître d'hôtel* odparł coś familiarnym tonem, jak do starego przyjaciela, a następnie zaprowadził nas do stolika tuż obok kominka. Oprócz nas byli w restauracji sami Francuzi. Zauważyłam, że są traktowani z dokładnie taką samą kurtuazją jak my. Nikt nie przewracał oczami na nasz widok ani nie zadzierał nosa. Personel wręcz wydawał się cieszyć z naszej wizyty.

Gdy usiedliśmy, usłyszałam, jak dwóch biznesmenów przy sąsiednim stoliku zadaje kelnerowi, starszemu, dystyngowanemu mężczyźnie, pytania, a ten, gestykulując z kartą dań w dłoni, wyczerpująco na nie odpowiada.

— O czym oni mówią? — zapytałam Paula.

— Kelner opowiada im o daniu, które zamówili — odszepnął. — Z jakiej hodowli pochodzi kurczak, jak zostanie przyrządzony, jakie mogą zamówić do niego przystawki i które wina będą do niego najlepiej pasowały.

— Wina? — zdziwiłam się. — W porze lunchu? — Nigdy przedtem właściwie nie piłam wina poza kalifornijskim burgundem za dolara dziewiętnaście, a już na pewno nie w środku dnia.

We Francji, jak wyjaśnił mi Paul, dobrą kuchnię uważa się za coś w rodzaju połączenia narodowego sportu i wielkiej sztuki, a wino podaje się zawsze do lunchu i obiadu. „Sekret tkwi w umiarze" — dodał.

Raptem jadalnia wypełniła się cudownie przemieszanymi zapachami, które wydawały mi się znajome, choć nie umiałam ich nazwać. Pierwszy z nich był trochę cebulowy.

— Szalotki — podpowiedział Paul — smażone w niewielkiej ilości świeżego masła („Co to są szalotki?" — zapytałam zakłopotana. „Zobaczysz" — odparł). Potem z kuchni doleciał ciepły, winny aromat, zapewne pysznego sosu, który zagęszczano na piecu przez odparowanie. Po nim powiew czegoś cierpkiego: sałata, którą mieszano w wielkiej, ceramicznej misie z cytryną, octem winnym, oliwą oraz paroma szczyptami soli i świeżo zmielonego pieprzu. Aż zaburczało mi w brzuchu.

Nie mogłam nie zauważyć, z jaką dyskretną radością poruszali się kelnerzy: jak gdyby ich jedyną misją życiową było sprawiać, aby klienci czuli się swobodnie i pod dobrą opieką. Jeden z nich bezszelestnie znalazł się przy moim łokciu. Paul wsadził nos w kartę i z szybkością karabinu maszynowego zaczął mu zadawać pytania po francusku. Kelnera wyraźnie cieszyła konwersacja z moim mężem. Ależ chciałam móc śledzić przebieg tej rozmowy! Uśmiechałam się, kiwałam głową bez zrozumienia i przynajmniej próbowałam chłonąć wszystko, co działo się dokoła.

Zaczęliśmy od pół tuzina ostryg w połówkach muszli. Byłam przyzwyczajona do mdłych ostryg z Waszyngtonu i Massachusetts, które nigdy nie wzbudzały mojego zachwytu. *Portugaises* na moim talerzu miały jednak rewelacyjny morski smak i delikatną konsystencję, która wydała mi się czymś zupełnie nowym i zdumiewającym. Ostrygi podano z kromkami *pain de seigle*, białego pieczywa żytniego i kawałkiem niesolonego masła. Paul wytłumaczył mi, że — podobnie jak w przypadku wina — Francuzi mają „*crus*" masła: regionalne jego odmiany o charakterystycznych smakach. *Beurre de Charentes* to pełnotłuste masło polecane szczególnie do wypieku ciast i w ogóle w gotowaniu; *beurre d'Isigny* to delikatne, lekkie masło stołowe. Nasze kromki żytniego chleba posmarowaliśmy właśnie pysznym *isigny*.

Rouen słynie z potraw z kaczki, ale po konsultacji z kelnerem Paul zdecydował się zamówić *sole meunière*. Przywędrowała do nas w całości: duża, płaska sola, doskonale zarumieniona w skwierczącym sosie maślanym i oprószona zieloną pietruszką. Kelner ostrożnie postawił przed nami talerz, odstąpił o krok i życzył nam *Bon appétit!*

Przymknęłam oczy i wciągnęłam wonie unoszące się nad talerzem. Potem nabiłam kawałeczek ryby na widelec, uniosłam go do ust i spróbowałam. Przeżuwałam wolno: mięso soli było delikatne i miało lekki, lecz wyraźny posmak oceanu, który wspaniale komponował się z przyrumienionym masłem. Połknęłam swój pierwszy kęs. Istna rozkosz.

W Pasadenie jadaliśmy czasem na piątkowy obiad pieczoną makrelę, kuleczki z dorsza w sosie jajecznym, gotowanego łososia z okazji 4 lipca, a niekiedy, na biwaku w górach Sierra Nevada, pstrąga smażonego na patelni. Ale w La Couronne zasmakowałam ryby, a także kulinarnego kunsztu wyższego rzędu niż kiedykolwiek przedtem.

Przy posiłku ochoczo opróżniliśmy butelkę Pouilly--Fumé, cudownie rześkiego białego wina z doliny Loary. Jeszcze jedno objawienie!

Następnie przyszła kolej na *salade verte* (zieloną sałatę) doprawioną lekko kwaskowatym sosem winegret. No i spróbowałam mojej pierwszej prawdziwej bagietki — chrupiąca, rumiana skórka, a pod nią lekko gumowate, bladożółte wnętrze o dość luźnej konsystencji, z delikatnie pszenicznym, drożdżowym posmakiem i zapachem. Mniam, mniam!

Posiłek dopełniliśmy niespiesznym deserem z *fromage blanc* (białego sera), i zakończyliśmy mocną, ciemną *café filtre*. Kelner postawił przed nami filiżankę przykrytą metalowym pojemniczkiem ze zmieloną kawą i wrzątkiem. Niecierpliwi amatorzy małej czarnej, z napięciem śledziliśmy, jak woda powoli przesącza się do filiżanki. Niezła zabawa, a kawa naprawdę znakomita.

Paul zapłacił i wdał się w pogawędkę z kierownikiem sali, któremu zwierzył się, iż nie może się doczekać, kiedy wreszcie, pierwszy raz od osiemnastu lat, zawita do Paryża. *Maître d'hôtel* uśmiechnął się i nabazgrał coś na odwrocie wizytówki.

— *Tiens,* proszę — powiedział, wręczając mi ją. Jak mi wyjaśnił (za pośrednictwem Paula), rodzina Dorinów, której własnością była La Couronne, miała też restaurację w Paryżu, La Truite. Na wizytówce skreślił nam naprędce liścik polecający.

— *M e r s e j, m o n s i u r!* — powiedziałam w przypływie odwagi, z akcentem, który nawet mnie samej wydał się tragiczny. Kelner skinął jakby nigdy nic i odszedł przywitać nowych gości.

Wyszliśmy lekkim krokiem wprost na olśniewające słońce i chłodne powietrze. Nasz pierwszy lunch we Francji okazał się doskonały pod każdym względem. Był to najbardziej ekscytujący posiłek w moim życiu.

Wskoczyliśmy do Flasha, aby kontynuować podróż do Paryża autostradą zbudowaną przez amerykański Korpus Wojsk Inżynieryjnych. Jej podwójne pasma po obu stronach pasa trawy, dobrze zaprojektowane estakady i tunele przypomniały mi autostradę Hutchinson River Parkway prowadzącą do Nowego Jorku. To wrażenie zniknęło, kiedy zapadł zmierzch, a w polu naszego widzenia pojawiła się niemożliwa do pomylenia z czymkolwiek innym sylwetka wieży Eiffla, obrysowana migającymi czerwonymi światełkami.

Paryż!

O zmroku wjechaliśmy do miasta przez Porte de Saint-Cloud. Poruszanie się po nim wydawało się dość dziwnym i ryzykownym przedsięwzięciem. Uliczne latarnie były przyciemnione, a paryżanie, z jakiegoś sobie tylko wiadomego powodu (czyżby nawyk z czasów wojny?), jeździli wyłącznie na światłach postojowych. Prawie nie sposób było dostrzec pieszych czy znaków drogowych, a niezliczone samochody poruszały się w żółwim tempie. Inaczej niż w Chinach czy Indiach, gdzie także jeździło się na światłach postojowych, paryżanie błyskali zwykłymi reflektorami, ilekroć się im zdawało, że widzą coś na drodze.

Przejechaliśmy na drugą stronę Pont Royal, w górę rue du Bac, potem prawie do Boulevard Saint-Germain. Wreszcie zatrzymaliśmy się przy rue Montalembert 7, przed fasadą Hôtel Pont Royal, wyczerpani, ale zachwyceni.

Paul wyładował nasze bagaże i odjechał w mglisty mrok w poszukiwaniu garażu, który ponoć znajdował się pięć minut drogi stąd. Uprzedzono nas, że zostawianie auta na noc na ulicy jest dość ryzykowne. Nasze kombi, znacznie masywniejsze od miejscowych citroënów i peugeotów, rzucało się w oczy, więc Paulowi zależało na tym, aby znaleźć bezpieczny kąt dla naszego *autobus américain*, jak nazywali go *garagistes*. Wnosząc walizki do pokoju, zauważyłam, że hotel zdaje się kołysać z boku na bok jak „America": jeszcze nie poczułam gruntu pod nogami.

Minęła godzina. Paula wciąż ani śladu. Byłam głodna i coraz bardziej zaniepokojona. Wreszcie wrócił. Cały zaaferowany.

— Istny koszmar! — powiedział. — Pojechałem w górę zamiast w dół Boulevard Raspail, potem wróciłem na Saint-Germain, sądząc, że to Raspail, a jeszcze później utknąłem na jednokierunkowej. Więc zaparkowałem i poszedłem pieszo. W końcu znalazłem garaż, ale za to nie mogłem znaleźć samochodu — wydawało mi się, że zostawiłem go na Raspail, a znalazł się na Saint-Germain! Nikt nie wiedział, gdzie jest garaż ani hotel. W końcu odstawiłem auto do garażu, a sam powędrowałem do hotelu i do ciebie... Chodźmy coś zjeść!

Poszliśmy do bistra przy Saint-Germain, gdzie jedzenie było w porządku, choć bez porównania z tym w La Couronne (odtąd oceniałam każdą jadłodajnię podług tej miary). Dodatkowym rozczarowaniem były wypełniające je tłumy turystów. Przyjechałam do Paryża zaledwie przed paroma godzinami, a utyskiwałam jak jego rdzenna mieszkanka!

Patrzę na Paryż z balkonu hotelu Pont Royal

Praca Paula w USIS polegała na „informowaniu narodu francuskiego przy użyciu środków wizualnych o tych aspektach życia w Ameryce, które rząd [Stanów Zjednoczonych] uzna za ważne". Przyświecała jej idea budowania atmosfery dobrej woli między naszymi narodami, wzmacniania poczucia, że Ameryka jest silną i godną zaufania sojuszniczką, a Plan Marshalla został opracowany po to, aby pomóc Francji stanąć na własnych nogach (bez mówienia Paryżowi, jak ma prowadzić własną politykę). Chodziło również o to, aby dać do zrozumienia, iż pazernej Rosji nie można ufać. Proste, prawda?

Pierwszego dnia pracy Paul odkrył, że biuro wystawowe USIS od wielu miesięcy nie miało kierownika i panował w nim bałagan. Paul miał nadzorować personel złożony z ośmiu osób, samych Francuzów — pięciu fotografów, dwóch artystów i jednej sekretarki — którzy byli zniechęceni, przepracowani, niedostatecznie wynagradzani, targani małostkową zazdrością, a także ograniczeni brakiem podstawowych materiałów. Brakowało kliszy fotograficznej, papieru, wywoływacza, żarówek błyskowych, a nawet tak podstawowych rzeczy jak nożyczki, atrament i taborety. Albo budżet! — oświetlenie w biurze wysiadało trzy, cztery razy na dzień. Nie było porządnych segregatorów ani regałów, toteż większość z pięćdziesięciu tysięcy odbitek fotograficznych i negatywów leżało poupychanych w sfatygowanych szarych kopertach albo w starych pudłach na podłodze.

Tymczasem ECA, ministerstwo do spraw współpracy gospodarczej, które zarządzało Planem Marshalla, wysyłało do biura rozkazy w formie wielkich, bezmyślnych zlepków słów: Przygotować kilkaset sztuk materiałów wystawowych na targi handlowe w Lyonie! Przedstawić się wszystkim lokalnym politykom i dziennikarzom! Wysłać plakaty do Marsylii, Bordeaux i Strasburga! Zachowywać się ujmująco na koktajlu u ambasadora dla trzystu VIP-ów! Urządzić jakieś przedstawienie dla amerykańskiego klubu kobiecego! I tak dalej. Paul znosił w czasie wojny dużo gorsze rzeczy, ale i tak się wściekał, bo warunki pracy były „absurdalne, idiotyczne, żałosne i nie do opisania!".

Wędrowałam po mieście, gubiłam się i odnajdywałam. Wdałam się w przydługą, choć nie do końca zrozumiałą, rozmowę z gościem z warsztatu na temat opóźnienia zapłonu Flasha w celu ograniczenia „stuku". Poszłam do wielkiego domu towarowego i kupiłam parę kapci. W butiku nabyłam szykowny kapelusz z zielonym piórkiem. Radziłam sobie *assez bien* (wcale dobrze).

Odebrałam z ambasady amerykańskiej nasze książeczki żywnościowe, kwity płacowe, bony do kantyny, talony podróżne, formularze urlopowe, *cartes d'identité* oraz wizytówki. Pani ambasador Caffrey nie kryła, że jej zdaniem pracownicy ambasady lekceważą protokół dyplomatyczny, i nalegała, aby tacy jak my (osobnicy na samym dole dyplomatycznej hierarchii) zostawiali wizytówki każdemu o równorzędnej albo wyższej randze. Znaczyło to, że musiałam rozdać ponad dwieście wizytówek Paula i przeszło sto własnych. Ufff!

5 listopada wielki nagłówek na pierwszej stronie „International Herald Tribune" obwieścił, że prezydentem USA został Harry S. Truman, który w ostatniej chwili pokonał w wyborach Thomasa Deweya. Jako oddani zwolennicy Demokratów, byliśmy z Paulem w szampańskim nastroju. Mój ojciec, „Big John" McWilliams, sympatyk Republikanów o zatwardziale konserwatywnych poglądach, wpadł w trwogę.

Tata był pod wieloma względami cudownym człowiekiem, ale różnice światopoglądowe doprowadzały nas do spięć, za których sprawą na rodzinnych spotkaniach ja czułam się niekomfortowo, a Paul pogrążał w smutku. Moja matka, Caro, która zmarła wskutek nadciśnienia, a także moja obecna macocha, Philadelphia McWilliams, znana jako Phila, były apolityczne, ale w trosce o domową harmonię godziły się ze wszystkim, co mówił tata. Mój brat John, średni z rodzeństwa, miał umiarkowanie republikańskie poglądy, zaś moja młodsza siostra Dorothy była jeszcze bardziej lewicowa niż ja. Liberalne zapatrywania córek były wielką bolączką ojca. Tatko liczył, że poślubię republikańskiego bankiera i zostanę w Pasadenie, by tam żyć zgodnie z tradycją. Gdybym spełniła jego wolę, wzorem kilkorga moich przyjaciół zapewne popadłabym w alkoholizm. Poślubiłam za to Paula Childa, malarza, fotografika, poetę i dyplomatę średniego szczebla, który zabrał mnie do brudnej, budzącej grozę Francji. Byłam w siódmym niebie!

Czytając o zwycięstwie wyborczym Trumana, wyobrażałam sobie ponury mrok, jaki zaległ nad Pasadeną: ojcu musiało się to wydawać Końcem Jemu Znanego Świata. *Eh bien, tant pis*, jak mawiało się u nas w Paryżu. Trudno, nie szkodzi.

* * *

Paryż pachniał dymem, jakby powoli się spalał, a kiedy kichałeś, na chusteczce zostawała flegma z sadzą. Miasto zasnuła w ostatnim czasie jedna z najgęstszych mgieł odnotowanych w historii. Mgły były tak nieprzeniknione — jak donosiły gazety — że odwoływano starty samolotów, a transatlantyckie parowce od wielu dni stały w porcie. Każda napotkana osoba miała w zanadrzu jakiś „mgielny dramat". Niektórzy do tego stopnia bali się zabłądzić, że nocowali w samochodach, inni o mały włos nie runęli w nurt Sekwany, zdarzało się, że ktoś jechał godzinami w złym kierunku, aby znaleźć się na przystanku metra na obrzeżach miasta. Ludzie zostawiali samochody i wracali do domu pociągiem, ale wychodząc ze stacji metra, gubili drogę, nawet idąc pieszo. Mgła zakradała się wszędzie, także do budynków. Widok obłoków we własnym domu był zgoła niepokojący i dawał dziwne poczucie, że się dusisz.

Ale w naszą pierwszą sobotę w Paryżu powitało nas rankiem olśniewające, jasnobłękitne niebo. Wrażenie było zachwycające — jakby podniosła się kurtyna, a naszym oczom ukazał się stos klejnotów. Paul nie mógł się doczekać, kiedy oprowadzi mnie po mieście.

Zaczęliśmy od kafejki Deux Magots, gdzie zamówiliśmy *café complet*, zestaw śniadaniowy. Paul z zadowoleniem stwierdził, że od czasu jego ostatniej wizyty w 1928 roku nic się tu nie zmieniło. Krzesła wciąż były obciągnięte pomarańczowym pluszem, mosiężne kinkiety ciągle niewypolerowane, a kelnerzy ci sami. Kłębki kurzu w zakamarkach chyba zresztą też. Siedzieliśmy na zewnątrz, w wiklinowych fotelach, przeżuwaliśmy croissanty i patrzyliśmy, jak promienie porannego słońca ślizgają się po kominach. Raptem kawiarnię opanował tłumek kamerzystów, dźwiękowców, rekwizytorów oraz aktorów, wśród nich Burgess (Buzz) Meredith i Franchot Tone, ubrani i ucharakteryzowani (a właściwie ubrudzeni) na obdartych „artystów z Lewego Brzegu". Paul, który pracował niegdyś jako pomocnik kelnera/malarz scenografii w Hollywood, zamienił z Meredithem parę słów o jego nowym filmie i o tym, że ludzie z przemysłu filmowego to wszędzie ten sam, przyjazny typ ludzki, czy to w Paryżu, w Londynie czy w Los Angeles.

Poszliśmy w górę ulicy. Paul — mężczyzna średniej postury, z wąsami i w okularach, w trenczu, berecie i butach na grubych podeszwach — szedł przodem i czujnie się rozglądał. Na ramieniu zawieszony miał oczywiście swój nieodłączny aparat Graflex. Szłam za nim z szeroko otwartymi oczami, przymkniętymi (przeważnie) ustami i łomoczącym sercem.

Na placu Saint-Sulpice goście weselni w czarnych strojach cmokali się przy fontannie w oba policzki. Budynek, w którym przed dwudziestu laty mieszkała matka Paula, nic się nie zmienił. Zerkając na balkon, Paul zauważył zrobioną jeszcze przez nią skrzynkę na kwiaty, w której teraz rosły nagietki. Z rogu zniknął jednak ulubiony stary budynek. Nieco dalej, w miejscu, gdzie niegdyś mieszkali brat bliźniak Paula, Charlie, i jego żona Fredericka, znana jako Freddie, było teraz tylko gruzowisko (czyżby spadła tutaj bomba?). Tuż obok teatru, przy Place de l'Odéon zauważyliśmy niewielką marmurową tabliczkę z inskrypcją: „Pamięci Jeana Baresa, który poległ w tym miejscu w obronie ojczyzny 10 czerwca 1944". Po mieście rozsianych było wiele podobnych smutnych pamiątek.

Przeszliśmy Sekwanę i zielone Tuilerie, i dalej, zimnymi i wilgotnymi uliczkami, które zalatywały gnijącym jedzeniem, spalonym drewnem, ściekami, starym gipsem i ludzkim potem. Potem w górę, aż do Montmartre'u i Sacré-Cœur, skąd roztaczał się widok na całe miasto, następnie z powrotem w dół, przez Sekwanę i rue Bonaparte, na lunch do cudownej starej restauracji o nazwie Michaud.

Paryskie restauracje bardzo różniły się od amerykańskich jadłodajni. To niezła frajda, wejść do małego bistra i znaleźć na krześle kota, pudelka wylegującego się pod stolikiem albo wyglądającego z damskiej torebki, a w kącie ćwierkające ptaszki. Ogromnie podobały mi się skorupiaki ustawione na zewnątrz lokalu. Zamawiałam coraz odważniej. *Moules marinières* były dla mnie kulinarną nowością; małże serwowane tak jak tutaj były pozbawione przytrzymującej je w skorupce nici, a wyborny smak ich mięsa przerósł moje oczekiwania. Były też i inne niespodzianki, jak na przykład wielkie, smakowite gruszki hodowane w samym Paryżu, tak soczyste, że można je było kroić łyżeczką. I te winogrona! W Ameryce zupełnie nie robiły na mnie wrażenia, a te paryskie były wyśmienite, o delikatnym, ulotnym, słodkim ambrozyjskim smaku, któremu nie sposób się było oprzeć.

Postanowiliśmy, że w czasie wycieczek po mieście będziemy próbować każdej kuchni, od wyrafinowanej aż po „tanie jadło". Ogólnie rzecz biorąc, im drożej wyglądał lokal, tym mniej chętnie nas tam przyjmowano, może dlatego, iż dało się wyczuć, że liczymy się z każdym groszem. Przewodnik Michelina w czerwonej okładce stał się naszą biblią. Ustaliliśmy, że najbardziej odpowiadają nam restauracje, którym jego autorzy

Paryż w obiektywie Paula

przyznawali po dwa skrzyżowane widelce, oznaczające średnią jakość i takąż kategorię cenową. Posiłek dla dwóch osób w lokalu tego typu kosztował nas około pięciu dolarów, łącznie z butelką *vin ordinaire*.

O Michaud, które stało się na jakiś czas naszym ulubionym miejscem, Paul dowiedział się przez znajomych z ambasady. Znajdowało się dwa kroki od rue du Bac, tam, gdzie rue de l'Université skręca w rue Jacob. Była to przytulna dwuwidelcowa knajpka z niezobowiązującą atmosferą. Właścicielka, nazywana po prostu *madame*, miała gdzieś metr trzydzieści wzrostu, schludną, drobną francuską figurę, rude włosy i była po galijsku oszczędna. Kelner odbierał zamówienie i zanosił je do kwatery głównej *madame* przy barze. *Madame* zerkała na bilecik, nurkowała w głąb chłodni i wyłaniała się z niej z dokładnie wyporcjowanymi składnikami twojego posiłku — mięsem, rybą albo jajami — kładła je na talerzu, po czym posyłała do kuchni do przyrządzenia. Rozlewała wino do karafek. Rozmieniała banknoty przy kasie. Kiedy kończył się cukier, dreptała na górę po brązowe tekturowe pudełko, a potem odmierzała dokładną ilość do słoika, żeby nie uronić ani kryształka.

Madame może miała węża w kieszeni, ale nie brakowało jej subtelnego uroku. Wieczorem zawsze wymieniało się z nią trzykrotnie uścisk dłoni: po wejściu, następnie w trakcie posiłku, kiedy podchodziła do stolika, i przy wyjściu. Bardzo lubiła przysiąść się z filiżanką kawy na rozmowę albo przyłączyć do świętowania z lampką szampana, ale nigdy nie narzucała nam swojego towarzystwa. Wszyscy kelnerzy w Michaud mieli mniej więcej po sześćdziesiąt lat i poruszali się z tym samym przyjemnym, acz pełnym rezerwy wdziękiem co ona. Klientela zdawała się złożona z paryżan z *quartier* oraz mieszanego towarzystwa obcokrajowców, którzy przypadkiem odkryli to cudowne miejsce i zachowali je dla siebie.

Tego popołudnia Paul zamówił *rognons sautés au beurre*, duszone nerki, z rukwią wodną i smażonymi kartoflami. Pokus było co niemiara, ale w końcu uległam raz jeszcze *sole meunière*. Po prostu wciąż nie mogłam się nadziwić, jak wyborna może być chrupiąca, jeszcze skwiercząca morska sola. Wraz z karafką *vin compris* (wliczonego w cenę) oraz kawałkiem idealnie miękkiego brie, cały lunch kosztował nas 970 franków, czyli w przeliczeniu 3,15 dolara.

Wysokość *l'addition*, rachunku, zależała od tego, jaki stosowało się przelicznik walutowy. Jako pracownikom ambasady, wolno nam było wymieniać dolary na franki wyłącznie po kursie oficjalnym, to jest 313 franków za dolara. Na czarnym rynku za dolara dostawało się jednak 450 franków, czyli ponad trzydzieści trzy procent więcej. Nie pogardzilibyśmy dodatkową gotówką, ale było to nielegalne, a nie chcieliśmy dla paru *sou* narażać własnej godności ani stanowiska.

Po dalszej wędrówce zjedliśmy bardzo przeciętny obiad, ale wieczór zakończył się optymistycznym akcentem w postaci deseru w Brasserie Lipp. Tak samo jak Paul miałam wrażenie, że unoszę się nad ziemią. Dyskutowaliśmy o stereotypie grubiańskiego Francuza: Paul stwierdził, że w latach dwudziestych osiemdziesiąt procent paryżan było „uciążliwych", a dwadzieścia procent „uroczych"; teraz proporcje się odwróciły — osiemdziesiąt procent było uroczych, a niesympatycznych tylko dwadzieścia. Podejrzewał, że to zapewne jedno z następstw wojny, ale mogło to także wynikać ze zmiany jego spojrzenia na życie.

— Nie jestem taki zgorzkniały jak kiedyś — przyznał. — To dzięki tobie.

Koniec końców doszliśmy do wniosku, że małżeństwo i upływ czasu wyraźnie nam służą. Najbardziej ze wszystkich rzeczy o młodzieńczy zawrót głowy przyprawiał nas Paryż.

„Szminka na moim pępku i muzyka w powietrzu — to właśnie Paryż, synu! — napisał Paul do swojego brata bliźniaka, Charliego. — Cóż za zachwycające miasto! Jakie *grenouilles à la provençale*, żaby po prowansalsku. Cóż za Châteauneuf-du-Pape, jakie białe pudle i białe kominy, jacy czarujący kelnerzy, *poules de luxe*, kobiety lekkich obyczajów, *maîtres d'hôtel*, jakież ogrody, mosty i ulice! Jakże fascynujące gromadki przed stolikiem w kawiarni, jakże uroczo staroświeckie, schowane przed wzrokiem postronnych dziedzińce ze studniami i posągami. Te woniejące czosnkiem oddechy! Te nogi w jedwabnych pończochach! Te umalowane rzęsy! Te elektryczne wyłączniki i spłuczki klozetowe na łańcuchu, które nigdy nie działają! *Holà! Dites donc! Bouillabaisse! Au revoir!*".

III. RU DE LU

— Łatwo dojść do przekonania, że skoro nie przynoszą ci ostryg, gdy zamawiasz piwo, to znasz obcy język — powiedział sentencjonalnie Paul. Ale po obejrzeniu filmu o klaunie, który śmiał się przez łzy, a może na odwrót (licho wie), nawet on wpadł w osłupienie.

— Tyle z moich sławnych zdolności językowych — biadolił.

Przynajmniej umiał się porozumieć! Mój francuski z kolei zdawał się tylko pogarszać z każdym dniem pobytu w Paryżu. Miałam już za sobą początkowe zdumienie tym, że ludzie w ogóle rozumieli, co do nich mówię. Teraz nie znosiłam mojego prostackiego akcentu, ubogiej frazeologii, niezdolności do komunikowania się na żadnym poziomie poza najbardziej podstawowym. Od moich francuskich „u" gorsze były tylko moje francuskie „o".

Uświadomiłam to sobie podczas Święta Dziękczynienia, kiedy poszliśmy na przyjęcie koktajlowe do Paula i Hadley Mowrerów. Paul miał swoją rubrykę w „New York Post" i prowadził audycje dla Głosu Ameryki. Hadley była eks-żoną Ernesta Hemingwaya. Paul poznał ją w Paryżu w latach dwudziestych. Hadley była niezwykle ciepłą kobietą bez wielkich intelektualnych ambicji, matką Jacka Hemingwaya, który w czasie wojny służył w Biurze Służb Strategicznych (OSS) i nosił przydomek „Bumby". Na przyjęciu u Mowrerów ponad połowę gości stanowili Francuzi, lecz ja nie umiałam powiedzieć im prawie nic interesującego.

Jestem dość rozmowna i ta komunikacyjna niepełnosprawność potwornie mnie frustrowała. Kiedy tamtego wieczoru wróciliśmy do hotelu, oświadczyłam: „Dość tego! Nauczę się mówić w tym języku, choćby nie wiem co!".

Kilka dni później zapisałam się na zajęcia w szkole Berlitza: dwie godziny prywatnych lekcji trzy razy w tygodniu plus praca w domu. Paul, który uwielbiał zabawy językowe, wymyślał dla mnie zdania, które pomagały w ćwiczeniu wymowy: aby nauczyć mnie wibrującego francuskiego „r" i długiego „u", kazał mi w kółko powtarzać: *„Le serrurier sur la rue de Rivoli"* („Ślusarz na rue de Rivoli").

Znalazłam mieszkanie do wynajęcia: duże, położone w centrum miasta i trochę dziwne. Składały się na nie dwa piętra starego czteropiętrowego *hôtel particulier*, luksusowej willi przy rue de l'Université 81. Był to klasyczny paryski gmach z szarą cementową fasadą, ogromnymi drzwiami frontowymi o wysokości koło dwóch i pół metra, niewielkim dziedzińcem i otwartą od góry windą kabinową. Znajdował się w Siódmej Dzielnicy, na lewym brzegu, w idealnej lokalizacji: jedną przecznicę od Sekwany, między Zgromadzeniem Narodowym i siedzibą Ministerstwa Obrony. Gabinet Paula w ambasadzie USA był tuż za rzeką. Dzień i noc dzwony pobliskiego kościoła Sainte-Clothilde wybijały godzinę; uwielbiałam słuchać tych perlistych dźwięków.

4 grudnia przeprowadziliśmy się z Hôtel Pont Royal na rue de l'Université 81. Na pierwszym piętrze miesz-

kała nasza gospodyni, dystyngowana *madame* Perrier. Miała siedemdziesiąt osiem lat, siwe włosy i żywe francuskie rysy, była chuda i ubierała się na czarno, a na szyi nosiła czarny naszyjnik obrożę. Mieszkała z córką, *madame* du Couédic, zięciem, Hervé du Couédikiem, oraz dwojgiem wnucząt. Małe mieszkanko na parterze zajmowała konsjerżka, która wydała mi się nieszczęśliwą starą megierą.

Madame Perrier była bardzo kulturalną kobietą, introligatorką amatorką i fotograficzką, wdową po generale z pierwszej wojny światowej. Straciła też, i to w ciągu zaledwie trzech miesięcy, syna i córkę, a jednak lśniła niczym stare, wypolerowane srebro. Było ogromnie przyjemnie patrzeć na kogoś tak dojrzałego i łagodnego, a zarazem tak żywiołowego i promiennego jak ona. *Madame* Perrier stała się dla mnie wzorem tego, jak chciałabym wyglądać na stare lata. Jej córka, *madame* du Couédic, wyglądała jak typowa francuska szlachcianka: miała szczupłą sylwetkę, ciemne włosy i nieco oficjalny sposób bycia. Jej mąż był również sympatyczny, ale miał w sobie pewien formalny chłód. Był znanym producentem farb. Zaznajamialiśmy się powoli, a potem, bez szumnych deklaracji, zostaliśmy serdecznymi przyjaciółmi.

Dostaliśmy do dyspozycji drugie i trzecie piętro. Z windy wchodziło się do dużego, ciemnego salonu na drugim piętrze. *Madame* Perrier miała dziewiętnastowieczny gust, a salon, urządzony w stylu Ludwika XVI, sprawiał lekko absurdalne wrażenie: miał wysoki sufit, popielate ściany, cztery warstwy pozłacanych sztukaterii, drewniane boazerie, brzydkie gobeliny, grube zasłony i jedno okno, elektryczne imitacje kinkietów, zepsute kontakty i słabe oświetlenie. Czasem wystarczyło włączyć żelazko, a przepalał się bezpiecznik, co doprowadzało mnie do furii. Przynajmniej rozmiar salonu był w sam raz. Jego wystrój poprawił się nieco, kiedy pozbyliśmy się większości krzeseł i stołów.

W sąsiednim pokoju urządziliśmy sypialnię. Jej ściany pokrywała zielona tkanina i tyle talerzy, tabliczek, płaskorzeźb i Bóg wie czego jeszcze, że wyglądała jak wnętrze świeżego ciasta ze śliwkami. Usunęliśmy większość ozdób ściennych, jak również innych gratów w postaci krzeseł, stolików, narożników oraz puf, i zmagazynowaliśmy je w pustym pokoju na górze, który nazwaliśmy *oubliette*, lochem, względnie zapominalnią. Aby nie urazić *madame* Perrier, Paul z typową dla siebie pasją organizatora narysował diagram ukazujący dokładne położenie każdego eksponatu, abyśmy — gdy nadejdzie pora wyjazdu — umieli odtworzyć wystrój mieszkania.

Kuchnia znajdowała się na trzecim piętrze i była połączona z salonem windą kuchenną, która od czasu do czasu działała. Pomieszczenie było duże, przestronne i widne, z rzędem okien po jednej stronie i ogromnym piecem (wyglądającym, jakby miał ze trzy metry), który w pół roku spalał pięć ton węgla. Na szczycie tego monstrum stała malutka, dwupalnikowa kuchenka gazowa z wysokim na dziesięć centymetrów piekarnikiem, który nadawał się najwyżej do podgrzewania ta-

lerzy i zapiekania tostów. Poza tym był jeszcze prawie półmetrowy, płytki ceramiczny zlew bez ciepłej wody (jak się przekonaliśmy, w zimie nie dało się go używać, ponieważ rury, które biegły po zewnętrznej stronie budynku, zamarzały).

Budynek nie miał centralnego ogrzewania, był więc zimny i wilgotny jak grób Łazarza. Nawet w domu nasze oddechy zamieniały się w obłoki pary, dlatego, jak przystało na prawdziwych paryżan, zamontowaliśmy w salonie brzydki pękaty piecyk i zabarykadowaliśmy się tam na zimę. Dokładaliśmy do tego przeklętego piecyka przez cały dzień, a on dawał w zamian słabe ciepło i ostry smród spalin. Ładna była z nas para: Paul siedział w swojej chińskiej zimowej kurtce między brzuchatym piecykiem a lampą z czterdziestopięciowatową żarówką i czytał. Ja, przyodziana w uroczy ocieplany płaszcz, kilka warstw długiej bielizny oraz ogromne czerwone, skórzane buty, tkwiłam przy pozłacanym stoliku i zesztywniałymi palcami usiłowałam pisać listy na maszynie. Ach, ten paryski *glamour*!

Nie przeszkadzało mi życie w prymitywnych warunkach z Charliem i Freddie Childami w ich chatce w lasach Maine, ale nie widziałam sensu żyć jeszcze b a r d z i e j prymitywnie, mieszkając w „kulturalnej stolicy świata". Dlatego postarałam się o prowizoryczny system ogrzewania wody (to znaczy kocioł z wodą ustawiony na piecu gazowym), suszarki do naczyń i zamykane kosze na śmieci. Potem rozwiesiłam na kuchennej ścianie schludny rządek naczyń kuchennych, między innymi mój otwieracz do puszek „Daisy" i magnetyczny wieszak na noże, dzięki którym poczułam się jak w domu.

Zbitka słowna „rue de l'Université 81" okazała się trochę zbyt dużym wyzwaniem dla naszych narządów mowy, więc nasz nowy dom szybko stał się „Ru de Lu", albo po prostu „81".

W Ru de Lu czekała na nas *femme de ménage*, służąca, o imieniu Frieda. Była to około dwudziestodwuletnia wiejska dziewczyna, dość sponiewierana przez życie;

miała nieślubną dziewięcioletnią córkę, którą ulokowała na wsi. Frieda mieszkała na czwartym piętrze Ru de Lu, w zastraszająco prymitywnych warunkach. Nie miała łazienki ani ciepłej wody, więc odstąpiłam jej kącik w naszej łazience na trzecim piętrze.

Nie przywykłam do posiadania pomocy domowej, a współpraca z Friedą wymagała pewnych ustępstw z obu stron. Frieda gotowała przyzwoitą zupę, ale nie była wykwalifikowaną kucharką. Miała za to irytujący nawyk rzucania sztućców na stół z okropnym łoskotem. Któregoś wieczoru usiadłam z nią przed obiadem i spróbowałam wytłumaczyć swoją nieudolną francuszczyzną, jak nakrywa się do stołu, zwrócić uwagę na to, że talerze podaje się z lewej strony oraz że Frieda powinna trochę się postarać, aby należycie wypełniać swoje obowiązki. Miałam dobre intencje, ale ledwo zdążyłam cokolwiek powiedzieć, Frieda zaczęła chlipać, łkać i pociągać nosem, a potem pognała na górę, mrucząc pod nosem jakieś tragiczne francuskie kwestie. Poszłam za nią i spróbowałam jeszcze raz. Korzystając z odświeżonego w Berlitzu trybu łączącego, wyjaśniłam, że chcę, aby cieszyła się życiem, pracowała dobrze, lecz nie za ciężko, i tak dalej. To poskutkowało kolejnymi szlochami, łzami i bezradnymi spojrzeniami. Po kilku nieudanych próbach w końcu nawiązałyśmy nić porozumienia.

Wedle francuskiego prawa pracodawca miał obowiązek płacić za swojego pracownika ubezpieczenie społeczne, co kosztowało nas średnio sześć do dziewięciu dolarów na trzy miesiące. Opłacaliśmy również ubezpieczenie zdrowotne Friedy. Uważaliśmy ten system za sprawiedliwy i cieszyliśmy się, że możemy jej pomóc. Wciąż jednak nie wyzbyłam się mocno mieszanych uczuć w kwestii posiadania służby, po części dlatego, że — jak się przekonałam — zakupy i prowadzenie domu sprawiały mi przyjemność.

Gdy przyszła mi ochota na urządzanie naszego gniazdka, poszłam na Le Bazar de l'Hôtel de Ville, znany jako „le B.H.V.", wielkie targowisko z niezliczonymi straganami, oferującymi rozmaite tanie towary. Samo obejście go i zorientowanie się w jego układzie zajęło mi dwie godziny. Potem zrobiłam zakupy: kupiłam wiaderka, miednice, miotły, mydelniczkę, lejek, gniazdka, kabel, żarówki i kosze na śmieci. Załadowałam łupy do bagażnika Flasha, zawiozłam do 81, a potem wróciłam na le B.H.V. po następne rzeczy. Kupiłam nawet nowy piecyk kuchenny za dziewięćdziesiąt dolarów. Z kolejnej wyprawy przywiozłam patelnię, trzy duże naczynia żaroodporne i kwiatek w doniczce.

Paryż ciągle jeszcze dochodził do siebie po wojnie. Nasze racje kawy kończyły się zbyt szybko, kosmetyki były drogie, a przyzwoita oliwa prawie nie do zdobycia. Nie mieliśmy lodówki, więc jak większość paryżan chłodziliśmy mleko, wystawiając butelki za okno. Na szczęście przywieźliśmy ze sobą ze Stanów talerze, srebra, bieliznę pościelową, koce i popielniczki, mogliśmy też kupować amerykańskie towary w sklepie garnizonowym przy ambasadzie.

Rozpisałam budżet i natychmiast wpadłam w przygnębienie. Pensja Paula wynosiła 95 dolarów na tydzień. Kiedy rozdzieliłam nasze stałe wydatki do osobnych kopert (4 dolary na papierosy, 9 na naprawę auta i gaz, 10 na ubezpieczenie, gazety, cele dobroczynne i tak dalej), na ubrania, wycieczki i rozrywki zostało nam około 15 dolarów. Niewiele. Próbowaliśmy żyć jak cywilizowani ludzie z pensji rządowej, ale było to zwyczajnie niemożliwe. Miałam trochę rodzinnych oszczędności, które przynosiły skromny dochód, ale nie chcieliśmy ich wydawać.

*   *   *

Pierwsza wystawa Paula dla USIS — seria fotografii i map oraz tekst o berlińskim „moście powietrznym" — znalazła się w witrynie biura linii lotniczych TWA na Polach Elizejskich. Przechodnie oglądali ją z zainteresowaniem. Paul tymczasem powoli odnajdywał drogę w labiryntach dyplomatycznej biurokracji, uważając, aby nie nastąpić komuś na odcisk albo na piętę Achillesa.

Jego francuski personel rozrósł się do dziesięciu osób, które — wedle wszelkich danych — uwielbiały „M'sieur Szilda". Za to amerykańscy koledzy nie mogli się zdecydować, co myśleć o moim mężu. Paul był znakomitym kuratorem, szczycił się dobrze wykonaną pracą i rozumiał znaczenie budowania wiarygodnych „kanałów komunikacyjnych" („kanały, kanały" — mruczał do siebie), ale nie miał wielkich aspiracji. Dla tych, którym zależało na wspinaczce po szczeblach kariery, ogromnie ważne były lunche i utrzymywanie kontaktów towarzyskich z właściwymi ludźmi; Paul często jadał kanapki sam ze swoim aparatem fotograficznym nad brzegiem Sekwany albo wracał do domu, żeby zjeść ze mną resztki z wczorajszego obiadu — rosół, kiełbaski, śledzia i ciepły chleb — a potem uciąć sobie krótką drzemkę. Ten zwyczaj zapewne nie służył jego karierze zawodowej, ale nie w tym rzecz. Rozkoszowaliśmy się wspólnym życiem w Paryżu.

Paul miał jednak aspiracje, jeśli chodziło o malowanie i fotografowanie, którymi zajmował się wieczorami i w weekendy, ale nawet one miały bardziej estetyczny niż komercyjny charakter. Lubił fizyczny aspekt rzeczywistości, miał czarny pas w judo, uwielbiał wiązać skomplikowane węzły i rzeźbić w drewnie. Naturalnie, byłby zachwycony, gdyby spotkał się z uznaniem jako Ważny Artysta, ale nie malował ani nie fotografował dla sławy czy bogactwa: przyjemność z aktu tworzenia, „rzecz sama w sobie", była dla niego wystarczającą nagrodą.

Wobec braku rąk do pracy i kliszy fotograficznej, a także szeregu niedotrzymanych przez Departament Stanu obietnic, Paul musiał odwołać planowany na początek zimy urlop i objąć zastępstwo w ambasadzie. Ja tymczasem zgłosiłam się na ochotnika do stworzenia systemu katalogowania pięćdziesięciu tysięcy „osieroconych" fotografii USIS-u. W czasie wojny wykonywałam podobną pracę przy tworzeniu kartotek, ale teraz to była prawdziwa mordęga. Nie tylko dlatego, że opracowanie odsyłaczy do wszystkich odbitek graniczyło z niemożliwością; także dlatego, że starałam się zaprojektować system przyjazny dla użytkowników,

czyli w tym wypadku Francuzów. Odwiedziłam pięć dużych archiwów fotografii, w nadziei że podpatrzę w nich standardową metodę katalogowania, ale odkryłam jedynie, że tego rodzaju standard po prostu nie istniał. Katalogowanie zdjęć na ogół zostawiano we Francji paniom, które robiły to od trzydziestu lat i umiały rozpoznać każdą odbitkę po zapachu albo sama już nie wiem po czym.

Nasz domowy krąg nie byłby kompletny, gdyby nie zaadoptowała nas pewna młoda dama, której daliśmy na imię Minette (koteczka). Ta sprytna, wesoła, brązowo-kremowa mała panienka była zapewne kocim mieszańcem, może nawet udomowionym dachowcem. W Pasadenie mieliśmy szczenięta, a mimo to nigdy zbytnio nie przepadałam za zwierzętami. Paul i Charlie jednak lubili koty i byli wielkimi miłośnikami swojego briarda, cudownie wełnistego, śliniącego się francuskiego owczarka, któremu nadali dumne miano „Najszlachetniejszej Rasy na Świecie" (w Waszyngtonie też mieliśmy takiego; wabił się Maquis i zginął tragicznie, krztusząc się skarpetką).

„Mini" wkrótce stała się ważną częścią naszego życia. Lubiła siedzieć Paulowi na kolanach przy obiedzie i zgarniać łapą kąski z jego talerza, kiedy myślała, że nikt nie widzi. Spędzała mnóstwo czasu na zabawie obwiązaną sznurkiem brukselką albo na zaglądaniu pod kaloryfery z badawczo postawionym ogonem. Co jakiś czas dumnie ofiarowywała nam mysz. Była pierwszym kotem w moim życiu i zupełnie podbiła moje serce. Niebawem zaczęłam zauważać koty w całym mieście: te czające się w zaułkach, te wygrzewające się na murkach albo spoglądające na człowieka z okien. To były takie intrygujące, niezależne stworzenia. W myślach zaczęłam identyfikować je z Paryżem.

IV. ALI-BAB

Bardzo chcieliśmy poznawać Francuzów, ale nie było to takie łatwe, jak mogłoby się wydawać. Paryż roił się od Amerykanów, przeważnie młodych, a ci lubili zbijać się w wielkie gromady imigrantów. Znaliśmy całkiem sporo tych Jankesów i nawet dość ich lubiliśmy, ale z czasem przekonałam się, że stają się dla mnie coraz mniej interesujący — tak samo jak, bez wątpienia, ja dla nich. Na przykład dwie panie z Los Angeles, mieszkające niedaleko nas na Lewym Brzegu, które ongiś uważałam za „po prostu cudowne", a które w ciągu kilku miesięcy stopniowo zniknęły z mojego życia. Nie wynikało to ze świadomej próby odcięcia się od przeszłości — taka była po prostu naturalna kolej rzeczy.

Przed wyjazdem ze Stanów dostaliśmy mnóstwo listów polecających do znajomych znajomych, których „musimy poznać". Mieliśmy jednak tyle innych zajęć i emocji, że minęło sporo czasu, zanim sobie o nich przypomnieliśmy. Poza tym ciągle nie mieliśmy telefonu.

O tym, jak bardzo jesteśmy uzależnieni od czegoś tak pospolitego jak telefon, przypominamy sobie dopiero wtedy, gdy nam go zabraknie. Po przeprowadzce pod 81 złożyliśmy podanie o telefon. Zaczęło się czekanie. Najpierw ktoś przyszedł sprawdzić, czy rzeczywiście mieszkamy tam, gdzie mieszkamy. Potem odwiedziło nas dwóch mężczyzn, którzy mieli przeprowadzić „rozeznanie". Potem przyszedł jeszcze ktoś, aby się upewnić, czy n a p r a w d ę chcemy mieć telefon. Całe te korowody były bardzo francuskie i dosyć mnie śmieszyły, zwłaszcza kiedy przypominałam sobie, jak szybko coś takiego można załatwić w Stanach. Tymczasem wciąż telefonowałam z poczty, PTT (*Postes, Télégraphes et Téléphones*), gdzie były tylko dwa automaty telefoniczne i gdzie za jednym razem można było kupić tylko jeden żeton. Wykonanie trzyminutowego telefonu było okupione kilkugodzinnym oczekiwaniem, ale sprawiało mi pewną przyjemność, bo miałam okazję ćwiczyć francuski z dwiema paniami za kontuarem. Były ciekawe, jak żyje się w Ameryce, i przekazywały mi lokalne ploteczki o tym, co kto robił w czasie wojny, emocjonowały się zastraszającym tempem, w jakim szerzy się *la grippe*, i informowały, gdzie w naszym *quartier* można znaleźć najlepsze ceny.

Gdy wreszcie zabraliśmy się do obdzwaniania „krewnych i znajomych Królika", jedną z pierwszych par, jakie poznaliśmy, byli Hélène i Jurgis Baltrusaitis. On był milkliwym, wpatrzonym we własne wnętrze litewskim historykiem sztuki, który niedawno wrócił z rocznego urlopu naukowego w Yale i Uniwersytecie Nowojorskim. Hélène, dla odmiany pełna entuzjazmu ekstrawertyczka, była pasierbicą Henriego Foçillona, sławnego historyka sztuki i niegdysiejszego mentora Jurgisa. Mieli czternastoletniego syna o imieniu Jean, który pasjami żuł amerykańską gumę, co poważnie niepokoiło jego rodziców. Polubiliśmy się od razu, szczególnie z drogą Hélène, należącą do osób, które lubią czerpać z życia pełnymi garściami. Dla Jurgisa niedziela była okazją do pogrążenia się w książkach, Hélène natomiast nie mogła się doczekać, kiedy urządzimy z Paulem wspólny wypad za miasto.

Którejś grudniowej niedzieli pojechaliśmy we trójkę do lasu Fontainebleau. Szare chmury rozstąpiły się, niebo zrobiło się błękitne, a powietrze rześkie i chłodne, wyjrzało jaskrawe słońce. Po jakiejś godzinie wędrowania rozpakowaliśmy piknikowy kosz z mnóstwem kiełbasek, jajek na twardo, bagietek, ciasteczek i butelką mozelskiego wina. Jedliśmy, wylegując się na szarych, poszarpanych skałach obrośniętych szmaragdowym mchem. Poza kraczącymi wronami w koronach buków byliśmy jedynymi żywymi istotami w tym zaczarowanym miejscu. W drodze powrotnej zatrzymaliśmy się w małym miasteczku Étampes. W kawiarni, tuż obok dwunastowiecznego kościoła, grupka miejscowych o rumianych od wina twarzach i zachrypniętych gło-

sach świętowała jakąś okazję żywiołowym śpiewem. Cudowna scena.

Im dłużej byłam we Francji, tym silniejszym i bardziej ekstatycznym uczuciem ją darzyłam. Naturalnie, tęskniłam za rodziną, czasem też za niektórymi kosmetykami i naprawdę dobrą kawą. Stany wydawały się jednak miejscem coraz bardziej odległym i jakby wyjętym ze snu

Państwo Baltrusaitis albo Baltrusowie, jak ich nazywaliśmy, przedstawili nas członkom *le groupe Foçillon*: piętnastu czy dwudziestu historykom sztuki, z których wielu było w przeszłości uczniami ojczyma Hélène. Spotykali się oni raz w tygodniu u Baltrusów na winie, jakiejś przekąsce oraz pełnych pasji dysputach, powiedzmy o tym, czy jakiś pseudotransept został zbudowany p r z e d rokiem 1133 czy może później. Regularnymi bywalcami tych spotkań byli między innymi Louis Grodecki, szalenie zawzięty Polak, oraz Verdier, gładki i dowcipny Francuz (obydwaj stale toczyli boje o co bardziej tajemne aspekty średniowiecza), krzepki Jean Asche, niegdysiejszy bohater ruchu oporu, w czasie wojny pojmany i zesłany przez hitlerowców do Buchenwaldu (jego żona, Thérèse, została moją serdeczną przyjaciółką), a także Bony, wykładowca uniwersytecki. Było to towarzyskie, pełne intelektualnego wigoru i bardzo francuskie grono dokładnie takich przyjaciół, jakich mieliśmy z Paulem nadzieję znaleźć, a jakich nigdy w życiu nie odkrylibyśmy sami.

Wśród tych zasłużonych historyków sztuki Paul był jedynym czynnym artystą. W latach dwudziestych, podczas pracy przy oknach kościoła amerykańskiego w Paryżu, nauczył się tworzyć witraże. Cierpiał na okropne zawroty głowy, a mimo to zmuszał się do wspinania wysoko pod sklepienie, by móc pracować nad najtrudniejszymi oknami, czym zdobył sobie przydomek „Tarzan Apsydy". W geście wdzięczności dla *le groupe Foçillon* Paul zaprojektował medalion ze szkła witrażowego o średnicy około dwudziestu pięciu centymetrów, ukazujący każdego z członków grupy w symbolicznych pozach. Ten dość oryginalny gest pozwolił nam szybko wkupić się w łaski tego niecodziennego grona.

W otoczeniu boskiego jedzenia, tylu wspaniałych restauracji i domowej kuchni — jak również przychylnej widowni w osobie mego męża — zaczęłam coraz częściej gotować. Późnym popołudniem wędrowałam wzdłuż nabrzeża od Chambre des Députés do Notre Dame, zaglądałam do sklepików i wypytywałam o wszystko handlarzy. Przynosiłam do domu ostrygi i butelki Montlouis-Perle de la Touraine, a potem zaszywałam się w mojej *cuisine* na trzecim piętrze i pogwizdując przy piecu, próbowałam swoich sił w ambitnych przepisach, na przykład na cielęcinę z rzepą w specjalnym sosie.

Musiałam się jednak jeszcze wiele nauczyć, i to nie tylko o gotowaniu, lecz także o zakupach, jedzeniu i tych wszystkich nowych (przynajmniej dla mnie) potrawach. Byłam spragniona głębszej wiedzy.

Na początku dostarczała mi jej Hélène, moja lokalna przewodniczka oraz językowy guru. Hélène była niesłychanie kompetentną pedagożką, toteż niebawem podchwyciłam jej francuski slang i zaczęłam spoglądać na Paryż jej oczyma. Hélène nie interesowała się zbytnio gotowaniem, ale uwielbiała dobre jedzenie i dużo wiedziała o paryskich restauracjach. Któregoś dnia pożyczyła mi ogromną, staroświecką książkę kucharską autorstwa słynnego mistrza kuchni o pseudonimie Ali -Bab[1]. Była to k s i ą ż k a z prawdziwego zdarzenia: wielka jak słownik, wydrukowana na grubym papierze, ważąca chyba ze cztery kilo. Była napisana starodawną francuszczyzną, w księgarniach od dawna nie można jej było dostać, ale wypełniały ją najbardziej smakowite przepisy, jakie kiedykolwiek czytałam. Poza tym była bardzo zabawna, opatrzona na marginesie drobnymi uwagami na temat kuchni innych krajów, a także apendyksem wyjaśniającym, dlaczego smakosze często bywają otyli. Nawet w słoneczne dni wylegiwałam się w łóżku i czytałam Ali-Baba „tak namiętnie i nabożnie jak czternastoletni chłopiec powieści detektywistyczne", jak (trafnie) zauważył Paul.

Pilnie doskonaliłam swój francuski i z każdym dniem czytałam odrobinę lepiej, dzięki czemu byłam w stanie powiedzieć już trochę więcej. Z początku moje „konwersacje" na targu ograniczały się w zasadzie do wskazywania palcem oraz infantylnych pochrząkiwań: „*Bon! Ça! Bon!*", ale teraz, kiedy szłam do L'Oliviera, sklepiku przy rue de Rivoli, pełnego glinianych dzbanów z oliwkami i butelek oliwy, potrafiłam

---

[1] Właśc. Henri Babinski, młodszy brat wybitnego polskiego neurologa Józefa Babińskiego (wszystkie przypisy pochodzą od tłumaczki).

już z jowialnym panem oliwkarzem przeprowadzić dłuższą rozmowę.

Coraz śmielej próbowałam też nowych smaków. Na przykład ślimaki: nigdy przedtem nie przyszłoby mi do głowy zjeść ś l i m a k a, ale — rety! — te delikatne *escargots*, skąpane w maśle czosnkowym, okazały się jednym z moich najwspanialszych odkryć! A trufle, sprzedawane w puszkach, miały tak apetyczny, piżmowy smak i tak pachniały ziemią, że szybko stały się moją obsesją.

Zakupy robiłam na najbliższym targu przy la rue de Bourgogne, dwa kroki od 81. Moją ulubioną handlarką była sprzedawczyni warzyw, znana jako Marie des Quatre Saisons, ponieważ na jej wózku zawsze można było znaleźć najświeższe wiktuały, charakterystyczne dla danej pory roku. Marie była uroczą staruszką, krągłą i dziarską, miała twarz pooraną zmarszczkami i ekspresyjne, skrzące się oczy. Znała się na wszystkich i na wszystkim i szybko dostrzegła we mnie pojętną uczennicę. Kilka razy w tygodniu kupowałam u niej grzyby, rzepy albo cukinie; nauczyła mnie wszystkiego, co trzeba wiedzieć o szalotkach, a także tego, po czym poznać dobrego kartofla. Z wielką przyjemnością instruowała mnie, które warzywa są najsmaczniejsze o danej porze roku oraz jak właściwie je przyrządzić. Opowiadała mi też o doświadczeniach wojennych tego-a-tego, informowała, gdzie można naprawić pasek od zegarka albo jaka będzie jutro pogoda. Te nieformalne rozmowy bardzo pomogły mojej znajomości francuskiego i dały poczucie, że jestem częścią lokalnej społeczności.

Mieliśmy doskonałą *crémerie*, znajdującą się na placu, przez który przechodziliśmy w drodze na rue de Bourgogne. Ten maleńki, wąski sklepik z nabiałem, który mógł pomieścić najwyżej pięciu czy sześciu klientów, cieszył się takim powodzeniem, że kolejka często wychodziła aż na ulicę. Właścicielka była krzepką kobietką o zaróżowionych policzkach i upiętych wysoko gęstych blond włosach. Urzędowała za ladą sprawnie i z radością. Na szerokiej, drewnianej półce za jej plecami wznosił się ogromny kopiec świeżo ubitego, słodkiego, bladożółtego masła, gotowego do pokrojenia na kawałki zgodnie z życzeniami klientów. Obok tego kopczyka stała wielka bańka z mlekiem, które potem rozlewano do butelek, a na bocznych kontuarach sery — pudełka camemberta, duże kawały cantala i gomółki brie w różnych stadiach dojrzewania — niektóre świeżutkie i jeszcze niemal twarde, inne tak miękkie, że prawie się rozpływały.

Wedle niepisanej zasady należało grzecznie poczekać na swoją kolej, a następnie jasno i zwięźle wyrazić życzenia. *Madame* była ekspertką w ocenianiu stopnia dojrzałości sera. Jeśli prosiłeś o camemberta, unosiła brew i pytała, kiedy chcesz go serwować: czy masz zamiar zjeść go dzisiaj na obiad, na jutrzejszą kolację, a może dopiero za kilka dni? Po usłyszeniu odpowiedzi otwierała kilka pudełek, uważnie naciskała kciukiem każdy z serów, wąchała je dokładnie i — *voilà!* — wręczała ci ten najodpowiedniejszy. Nie mogłam się nadziwić jej umiejętności szacowania świeżości sera z dokładnością co do godziny i nieraz prosiłam o niego nawet wtedy, gdy nie był mi potrzebny, tylko po to, by móc obserwować ją w akcji. Nigdy mi się nie zdarzyło złapać jej na pomyłce.

Cała okolica robiła tam zakupy, więc poznałam wszystkich stałych bywalców. Jedną z klientek była skromnie ubrana służąca, która brała ze sobą do towarzystwa dumnego, napuszonego czarnego pudla swoich chlebodawców. Widywałam ją regularnie. Zawsze miała na sobie bezkształtne, szare albo brązowe ubrania. Któregoś dnia zauważyłam, że przyszła bez pudla, wystrojona w nowy, dobrze skrojony czarny kostium. Widać było, jak wzrok wszystkich w kolejce wędruje w jej stronę. Gdy tylko *madame* dostrzegła tę nową strojną toaletę, przywołała służącą na początek kolejki i obsłużyła ją z wielką kurtuazją. Nowa jaśnie pani przeszła obok i dostojnym krokiem, z delikatnym uśmiechem Mony Lizy, opuściła sklep, a ja zapytałam sąsiadkę z kolejki, czym ta pani zasłużyła sobie na takie specjalne traktowanie.

— Dostała nową pracę — wyjaśniła z wymownym spojrzeniem. — Pracuje teraz dla *la comtesse*. Zauważyła pani, jak była dziś ubrana? Teraz to ona sama jest *comtesse!*

Roześmiałam się i podeszłam do *madame*, aby złożyć zamówienie. To tyle na temat rewolucji francuskiej!

W połowie grudnia lekka zamieć przyprószyła śniegiem uliczny bruk, a mnie i Paula zdumiał niemal całkowity brak świątecznej komercji na ulicach Paryża. Czasem widywało się mężczyznę wlokącego drzewko świerkowe przez plac Zgody, gałązkę ostrokrzewu nad bramą albo dzieciaki stojące rządkiem przed witryną domu towarowego, wpatrzone w ruchome figurki. Ale w porównaniu z prostackim bożonarodzeniowym jarmarkiem, jaki odbywał się w Waszyngtonie czy Los Angeles, Paryż był oazą spokoju i malowniczości.

Pierwszy dzień Świąt spędziliśmy z Mowrerami. Byli ode mnie sporo starsi i mądrzejsi, a ja widziałam w nich na poły rodzicielskie autorytety. Żyli w ostatnim czasie wielką nowiną: Bumby Hemingway zaręczył się z rosłą dziewczyną z Idaho, niejaką Byrą „Puck" Whitlock.

Paryż świetnie nadawał się do spacerów. Nie było wielkiego ruchu, a trasę z placu Zgody na szczyt Montmartre'u można było z łatwością pokonać w pół godziny. Nosiliśmy ze sobą mapę — książeczkę w formacie kieszonkowym, w brązowej okładce, która nazywała się *Paris par Arrondissement*, i nieraz rozmyślnie zbaczaliśmy z utartych szlaków. Paul, szalony fotografik, zawsze miał przewieszony przez ramię swój niezawodny aparat, a w kieszeni mały szkicownik. Odkryłam, że śledząc oko artysty, można w wielu, z pozoru zwyczajnych scenach dostrzec niespodziewane cuda. Paul uwielbiał fotografować detale architektoniczne, scenki w kawiarniach, rozwieszone pranie, przekupki na targu, a także artystów na bulwarach Sekwany. Moim zadaniem było osłaniać swoją wysoką sylwetką i długim ramieniem obiektyw aparatu przed słońcem, podczas gdy on starannie komponował ujęcie i naciskał spust migawki.

W trakcie naszych włóczęg odkryliśmy La Truite, restaurację, którą prowadzili kuzyni Dorinów, tych z La Couronne w Rouen. La Truite była przytulną knajpką tuż przy Faubourg Saint-Honoré, za ambasadą amerykańską. Szefem kuchni był Marcel Dorin, dżentelmen w starym stylu. Asystował mu jego syn. Przyrządzali wspaniałego kurczaka pieczonego nad rozżarzonym rusztem elektrycznym; kelner co kilka minut obracał go i polewał sokami, które skapywały do rondelka wypełnionego piekącymi się kartoflami i grzybami. Były to wyśmienite, tłuste okazy z Bresse o wyrazistym smaku — wystarczył jeden kęs, bym uświadomiła sobie, że dawno temu zapomniałam, jak smakuje p r a w d z i w y kurczak! Największą chlubą La Truite była jednak *sole à la normande*, poemat z ugotowanego na parze i przyprawionego fileta z soli z wianuszkiem ostryg i małży, w cudownym sosie z wina, śmietanki i masła, z wyciętymi w fantazyjne wzory kapeluszami grzybów na wierzchu. „Upojne" — takie słowo przychodziło mi na myśl. Nigdy bym nie przypuszczała, że rybę można traktować z taką powagą, a jej smak może być tak niebiański.

Któregoś chłodnego popołudnia, tuż przed Nowym Rokiem, zrobiliśmy sobie spacer do parku Buttes-Chaumont. Stanęliśmy na szczycie wzgórza, obok greckiej świątyńki, i odwróciliśmy się, aby spojrzeć na Sacré-Cœur na Montmartrze, której sylwetka odcinała się na tle licznych warstw mgły w promieniach zachodzącego słońca. Ogrzaliśmy się przy kawie w malutkim bistro i gapiliśmy się przez brudne szyby na miasto. Z tyłu, na wysokości głowy Paula, spał na stercie ksiąg rachunkowych tłusty, biały kot. Obok mnie położył się duży, bardzo wielorasowy pies, który wydał z siebie wielkie „hau", po czym zapadł w głęboki sen. Dwie małe małpki pałaszowały orzeszki i prowadziły zaciekłe zapasy na składanym krzesełku, piszcząc i hałasując. Przy sąsiednim stoliku grali w kości trzej chłopcy. Starszy mężczyzna pisał list. Niechlujna blondynka plotkowała przy barze z mężczyzną w berecie i okularach w rogowej oprawie. Przydreptał do nich pulchny, biały pies w zielonym golfiku, a blondynka zagruchała: „Ah, qu'il est joli, le p'tit chou" („Ach, jaki on ładny, moje maleństwo").

V. PROWANSJA

„Mam głęboką potrzebę i obowiązek pokazać ci resztę Francji" — oznajmił któregoś dnia Paul. I tak oto, pod koniec lutego 1949 roku, on, Hélène i ja wyjechaliśmy z zimnego, szarego Paryża na południe, do jasnego i ciepłego Cannes.

Lunch w Poully, cztery godziny drogi od Paryża, nadał ton naszej wycieczce. Paul napisał wcześniej do *monsieur* Pierrata, poważanego szefa kuchni, z prośbą, aby przygotował dla nas „jakiś wyśmienity posiłek". *Monsieur* spełnił jego życzenie. Przeszło trzy godziny zajęło nam rozprawianie się z przyrządzonymi przez Pierrata terynami, pasztetami, *saucissons*, kiełbasami, wędzoną szynką, rybą w *sauce américaine, coq-sang*, kurczakiem „we krwi", *salade verte, fromages, crêpes flambées*, płonącymi naleśnikami oraz cudownym winem

Pouilly-Fumé rocznik 1942. Zakończyliśmy (a zarazem wykończyliśmy się) treściwym, kremowym deserem śliwkowym, przy którym wesoły szef kuchni przysiadł się do nas. Był to nadzwyczajny posiłek. Gdy dobiegał końca, ogarnęła nas fala miękkiej, ciepłej, niegasnącej rozkoszy.

Przenocowaliśmy w Vienne. Byliśmy wciąż jeszcze tak syci po lunchu u *monsieur* Pierrata, że przed snem zdołaliśmy przełknąć tylko lekką kolację. Nasze ciała mruczały z zadowolenia. Nawet Flash jakby pomrukiwał.

— Niewiarygodne! Zachwycające! — wykrzykiwaliśmy chórem nazajutrz, gdy jedna po drugiej odsłaniały się naszym oczom boskie panoramy. Każde pole było jak eksplozja wonnych, kolorowych bugenwilli, żarnowca, mimoz albo stokrotek. Znad Morza Śródziemnego zawiewała ciepła, słona bryza. Wzdłuż wybrzeża ciągnęły się poszarpane, skaliste klify, a gdzieś w tle majaczyły okryte śniegiem szczyty Alp. Powietrze było rześkie, a niebo świetliste. Wszystko tak piękne i pachnące, że niemal obezwładniło moje zmysły.

Hélène była wesoła jak szczygieł i zabawiała nas ciekawostkami z historii sztuki. Paul, obwieszony aparatami, dużym i małym, oraz polową lunetą, wyglądał jak archetyp amerykańskiego turysty, który beztrosko pstryka fotki na lewo i prawo. Jak nie piękny zamek na szczycie wzgórza, to pasma prześwietlonej słońcem mgły osiadające w dole, w sadach pośród grusz. Jak nie wspaniały, czternastowieczny kamienny most, to głęboka dolina z migoczącym jak rtęć, żwawo pomykającym strumykiem. Jedliśmy *nougat de Montélimar*. Wdychaliśmy zapach szałwii. Flash śmigał pod mostem w Awinionie, a my śpiewaliśmy *Sur le Pont d'Avignon*. Siedzieliśmy na zboczu niedaleko Aix, popijając Pouilly. W Miramar, razem z Mowrerami, z którymi tam się spotkaliśmy, zebraliśmy naręcza mimoz, a wieczorem oglądaliśmy światła Cannes mrugające po drugiej stronie ciemniejącej wody.

Było to moje pierwsze spotkanie ze słynnym Lazurowym Wybrzeżem, miejscem, które od dawna było bliskie sercu Paula. Poruszyło mnie ono do głębi, częściowo dlatego że przywodziło na myśl południową Kalifornię, częściowo z powodu jego niepowtarzalnej, szorstkawej witalności.

Podróżując, zrobiliśmy pętlę. Do Paryża wracaliśmy przez góry, więc sceneria uległa drastycznej zmianie. Grasse, cieplarnia wypełniona kwiatami, ustąpiło miejsca wielkim, nagim wapiennym grzbietom, podobnym do stwardniałych ciągutek, i wzburzonym rzekom, którym topniejące śniegi lodowca nadały jasny odcień akwamaryny. Na zboczach przycupnęły malutkie miasteczka, zbudowane z wietrzejącego od setek lat tutejszego kamienia. Po kawie i aperitifach w Castellane, w przepastnej górskiej dolinie, wydostaliśmy się z powrotem na roziskrzone, zimne powietrze i ciepłe słońce. Przecinając alpejskie przełęcze, zanurzaliśmy się w świecie wiecznie zielonych roślin i śniegu, w krainie miasteczek schowanych w górskich szczelinach jak kępki barwinka. Pod Grenoble wjechaliśmy w złowieszczy obłok lodowatej mgły i zatrzymaliśmy się na noc w hoteliku w Les Abrets.

Nazajutrz rano, w czasie przejazdu przez Burgundię, Mowrerowie poczuli się zmęczeni naszym ślimaczym tempem i ruszyli z kopyta do Paryża, a my dalej cieszyliśmy się niespieszną podróżą. Mijaliśmy rozsiane w dolinach miasteczka, których nazwy brzmiały jak muzyka karylionu: Montrachet, Pommard, Vougeot, Volnay, Mersault, Nuits-Saint-Georges, Beaune. Zakonnice, wino, śliczne dziedzińce — było tam do zobaczenia tyle nadzwyczajnych rzeczy, że przed końcem dnia kipieliśmy wrażeniami. O dwudziestej trzydzieści zameldowaliśmy się z powrotem przy Ru de Lu, gdzie rozładowaliśmy naręcza mimoz.

Do Paryża zawitała wiosna. W parku przy Île de la Cité świeżo zazielenione trawniki zaroiły się od wózków z niemowlakami, czułych babć i zaaferowanych niań. Wzdłuż brzegu rzeki stały powiązane burta przy burcie barki, których takielunek zdobiły schnące białe prześcieradła i skarpetki. Kobiety wygrzewały się na słońcu lub szyły różową bieliznę, rybacy machali nogami w wodzie i przegryzali mule. Minette dostała ataku „wiosennej gorączki": wypadała jak błyskawica przez okno na dach i wydawała z siebie jękliwe odgłosy, śmigała po schodach to w dół, to w górę, skakała mi na kolana, by za moment z nich zeskoczyć, wreszcie siadała na dywaniku i zawodziła dalej. Weterynarz poinformował mnie, że nasza kotka nie jest wcale mieszańcem, lecz rzadką odmianą hiszpańskiego kota

nazywanego *le tricolaire*, co mnie niebywale ucieszyło.
Kiedy zaczęła podskubywać nasze bukiety mimoz, nazwaliśmy ją Minette Mimoza McWilliams Child.

Na początku kwietnia przyjechała do nas moja młodsza siostra. Dorothy miała metr dziewięćdziesiąt centymetrów wzrostu (trzy więcej ode mnie) i znana była w rodzinie jako Dort, bo takie przezwisko nadaliśmy jej w dzieciństwie. Dort-the-Wort — inaczej Wortezja, mnie natomiast nazywano Julią-Pulią, albo, w mniej sympatycznych sytuacjach, Julką-Srulką (Johnowi, naszemu bratu, się upiekło: nigdy nie miał

71

przezwiska). Dort właśnie ukończyła Bennington, była niezamężna i nie miała bladego pojęcia, co chce robić w życiu, więc namówiłam ją, aby pomieszkała z nami w Paryżu, oczywiście za darmo. Była to propozycja, która rozgrzałaby serce każdej pełnokrwistej amerykańskiej dziewczyny. Dort bez namysłu wsiadła na najbliższy statek.

Niezrażona niedoskonałościami swojego francuskiego, zrobiła wielką furorę już pierwszego dnia pod 81, kiedy to dla zabawy chwyciła za telefon i zaczęła obdzwaniać sklepy: „Bong-żuuur! — trąbiła. — *Quelle heure êtes-vous fermé?*... O której państwo zamykają?... Mejr-siii!".

Dort była o pięć lat młodsza ode mnie i o piętnaście od Paula. Nie byłyśmy sobie zbyt bliskie i, jeśli mam być szczera, kiedy przyjechała, miałam wrażenie, że Hélène Baltru znam lepiej od niej. Im dłużej jednak z nami mieszkała, tym mocniejsza łączyła nas więź.

Paryż z miejsca pokochał tę towarzyską „wysoką amerykańską dziewczynę", która dla komunikacji międzyludzkiej zdolna była zrobić wszystko. Jej wysiłki przynosiły niekiedy komiczne efekty. Raz poszła sobie przystrzyc włosy; siadając na fotelu, zapytała fryzjera uroczym głosikiem: *Monsieur, voulez-vous couper mes chevaux avant ou après le champignon?* Fryzjer popatrzył na nią pytająco, a panie pod suszarkami parsknęły śmiechem. Dort z całą powagą usiłowała zapytać: „Czy obetnie mi pan włosy przed myciem, czy potem?", ale wyszło: „Czy obetnie mi pan konie przed grzybem, czy po nim?".

Dort kupiła sobie za tysiąc sto dolarów szykownego małego citroena. Autko było czarne, miało cztery fotele i iście miniaturowy silnik. Dort je ubóstwiała, poza tym, że dwa dni po jego nabyciu doszło do zwarcia instalacji, i to o osiemnastej, w godzinie szczytu, w dodatku na środku placu Zgody, w efekcie czego Dort zablokowała ruch w centrum miasta. Gdy wreszcie dotarła do domu, rozpłakała się ze złości, a my musieliśmy ją uspokajać i zapewniać, że nic takiego się nie stało. Nasi *garagistes* rzucili okiem na samochód i już niedługo Dort śmigała po mieście w poszukiwaniu pracy, a potem balowała do późnej nocy z młodymi amerykańskimi przyjaciółmi.

25 czerwca Bumby Hemingway poślubił „Puck" Whitlock.

Dwudziestopięcioletni Bumby był niski, miał krępą, dobrze umięśnioną sylwetkę, sztywne blond włosy i czerstwą cerę osoby lubiącej spędzać czas na powietrzu. W czasie wojny działał dla OSS i skakał ze spadochronem za linie wroga, aby organizować tam grupy agentów. Niemcy kilkakrotnie brali go do niewoli, ale za każdym razem uciekał. Teraz pracował w Berlinie dla amerykańskiego wywiadu wojskowego. Wesele odbyło się w Paryżu, ponieważ Bumby dostał zbyt krótki urlop, żeby zdążyć polecieć do domu. Poza tym mieszkali tam jego matka i ojczym. No i był to P a r y ż.

Puck była wysoką, ciemnowłosą, szczupłą, ale silną, atrakcyjną dziewczyną z Idaho. Kiedyś pracowała dla United Airlines. Jej pierwszy mąż, podpułkownik Whitlock, pilot, zginął w akcji nad Niemcami. Puck i Bumby poznali się w Sun Valley w Idaho w 1946 roku i od tamtej pory Bumby już nie dał jej spokoju. Nie znali w Paryżu prawie nikogo, zostałam więc starościną, a Paul i Dort wskazywali weselnym gościom miejsca przy stołach.

Ślub odbył się w kościele amerykańskim przy rue de Berri, tym samym, w którym Paul zyskał sobie sławę Tarzana Apsydy. Uroczystości przewodniczył Joseph Wilson Cochran, Amerykanin, który w tym samym miejscu, w kwietniu 1926 roku, połączył węzłem małżeńskim Charliego i Freddie. Ceremonia była bezpretensjonalna i pozbawiona patosu, dokładnie taka, jacy byli Mowrerowie. Na przyjęciu stawił się całkiem spory tłumek, w którym znalazła się pisarka Alice B. Toklas — dziwne stworzenie w muślinowej sukni i wielkim kapeluszu z opadającym rondem, a także Sylvia Beach, właścicielka sławnej księgarni Shakespeare & Co (papa Hemingway nie przyjechał). Na cudownie przejrzystym, błękitnym niebie unosiły się strzępiaste chmurki, krajobraz miał odcień jasnej zieleni i żółci, a w ogrodach Tuileries kwitły róże. Pod wieczór byłam jak truskawka albo wiśnia zmacerowana w szampanie, brandy, monbazillaku, montrachecie i calvadosie, udekorowana ździebełkami trawy.

VI. LE GRAND VÉFOUR

Gdy Frieda, nasza uczuciowa *femme de ménage*, zatrudniła się jako konsjerżka w innej kamienicy, Marie des Quatre Saisons pomogła nam znaleźć kogoś na jej miejsce. Nowa dziewczyna, Coquette, przeganiała kłębki kurzu i polerowała nam złocenia na pół etatu, od ósmej do jedenastej każdego ranka. „Na serio" pracowała u księcia i księżnej, mieszkających tuż za rogiem.

Coquette była nadzwyczaj urocza, ale trochę szurnięta, i między sobą nazywaliśmy ją „Ku-Ku" Coquette. Podobnie jak Frieda pochodziła z prostej rodziny i — jak należało się spodziewać — była zafascynowana olśniewającą parą książęcą. *La princesse*, poinformowała mnie z zapartym tchem, nie jest jakąś tam księżną, a „podwójną księżną", i to w dodatku angielską! Książę, Phillipe de B. (jego nazwisko wymawiało się „boj") miał swój *château* i był synem uznanego naukowca. Mieli cztery pekińczyki, które, jak twierdziła Ku-Ku, były tak wyjątkowe i urzekające, że na dobrą sprawę niewiele różniły się od ludzi. „Och, *madame!*" — wzdychała, książę i jego żona byli w jej oczach tacy szlachetni, tacy szykowni, tak na wskroś paryscy i zrośnięci z barwnym kawiarnianym towarzystwem. Tyle że nigdy nie wyprowadzali psów na spacer, pieski sikały więc w mieszkaniu, które cuchnęło jak *poubelle*, kubeł na śmieci. Co w takiej sytuacji robiła księżna? Ano, brała, co tylko znalazło się pod ręką — którąś z koszul księcia, serwetkę, koszulę nocną albo nawet jedną ze swoich jedwabnych sukien — i wycierała mokre plamy.

W sierpniu księżna z psami wyjechała na wakacje do Normandii, a książę został sam w Paryżu. Nie oznaczało to niczego dobrego, książę był bowiem *un peu difficile"*, trochę uciążliwy. Ku-Ku gotowała mu pyszne lunche, lecz ten całe przedpołudnia spędzał w kawiarniach, popijając aperitify ze swoimi koleżkami, i wracał do domu dopiero o trzeciej po południu. Narzekał na ceny ziemniaków. Nie chciał zapłacić należnych czterystu franków kobiecie, która zreperowała mu płaszcz. A gdy nareszcie zwinął manatki i pojechał do swojego *château*, przez zaniedbanie nie zapłacił ubezpieczenia Ku-Ku ani nie wypłacił jej zaległych dwóch tysięcy franków pensji. Ku-Ku była potwornie zażenowana, ale to przecież k s i ą ż ę. Co mogła zrobić?

Nie trzeba było długo czekać, aby cała okolica dowiedziała się o dylemacie Ku-Ku. I wtedy wyszła na jaw okrutna prawda: książę i księżna mieli długi na całej rue de Bourgogne! *Alors*, wszyscy, od sprzedawczyni warzyw aż po handlarza podrobami, zapałali do nich nienawiścią i na wzmiankę o nich ze zgrozą wznosili ręce ku niebu.

Gdy książę i księżna powrócili z *vacances*, sytuacja bynajmniej się nie poprawiła. Gdy tylko książę uciułał trochę pieniędzy, przepuszczał wszystko na wyścigi konne i aperitify. Księżna „kupowała" suknię w najlepszym domu mody, zakładała ją na jakąś wielką okazję, po czym oddawała do sklepu, żądając zwrotu gotówki. Co za *scandale*!

Ku-Ku w końcu straciła cierpliwość i zbuntowała się. Doradziła księciu, że skoro nie ma pieniędzy na ziemniaki ani na wypłatę pensji, to powinien sprzedać tytuł, a może i *château*, to wtedy zwiąże koniec z końcem. Książę ją zignorował, a kiedy i jego żona potraktowała ją wyjątkowo niedelikatnie, Ku-Ku oznajmiła, że odchodzi z pracy. Oczywiście, nie zrobiła tego; koniec końców dla ludzi bardzo liczyło się to, że pracuje dla arystokracji, nawet jeśli tych dwoje jej przedstawicieli było kutwami i wałkoniami. Na dodatek zalegali jej całkiem sporą sumę pieniędzy, którą przynajmniej częściowo miała nadzieję odzyskać. Wszystko to było dla mnie szalenie fascynujące.

Któregoś dnia, w czasie zwiedzania parku Palais--Royal, zajrzeliśmy w okna pięknej restauracji w starym stylu, wciśniętej w zaułek na końcu łukowo sklepionej kolumnady. Złocone ornamenty, freski na suficie, kryształy i lustra, strojne dywany i szlachetne tkaniny w sali jadalnej olśniewały. Miejsce nazywało się Le Grand Véfour: tak oto niechcący trafiliśmy do jednej z najsłynniejszych starych paryskich restauracji, istniejącej od połowy osiemnastego stulecia. Maître d'hôtel zauważył nasze zainteresowanie i gestem zaprosił nas do środka. Zbliżała się pora lunchu i choć nie przywykliśmy do takiej wytworności, spojrzeliśmy po sobie — a czemu by nie?

Nie było jeszcze zbyt wielu klientów, więc posadzono nas na pięknej półkolistej wyściełanej ławie. Kierownik sali rozłożył przed nami menu, a potem podszedł do nas sommelier, onieśmielający, acz życzliwy, na oko pięćdziesięcioletni specjalista od bordeaux. Skinął głową i przedstawił się jako Monsieur Hénocq. Restauracja zaczęła się wypełniać, a my w ciągu dwóch kolejnych godzin spożyliśmy leniwy, sięgający ideału, uroczysty lunch. Posiłek zaczął się od muszli z przegrzebkami i grzybami, przybranymi wytwornym, winnym sosem śmietanowym. Potem delektowaliśmy się daniem z kaczki i deską serów, a na koniec wykwintnym deserem i kawą. Wstaliśmy od stołu, promieniejąc szczęściem, uściskaliśmy wszystkim dłonie i niemal ze łzami w oczach obiecaliśmy przyjść znowu.

Po wyjściu pozostało ze mną przede wszystkim wspomnienie uprzejmości, z jaką nas przyjęto, i poczucia błogostanu, jakiego doznałam, siedząc w tych przepięknych wnętrzach. Byliśmy dwojgiem młodych, skromnie sytuowanych ludzi, a potraktowano nas z największą serdecznością, jakbyśmy byli gośćmi honorowymi. Obsługa była sprawna i dyskretna, a jedzenie imponujące. Sporo nas kosztowało, ale jak to ujął Paul: „wszystko tam tak cię hipnotyzuje, że z wdzięcznością płacisz rachunek".

Wracaliśmy do Véfour mniej więcej co miesiąc, zwłaszcza gdy nauczyłam się, jak dawać się tam zapraszać majętnym i dobrze poinformowanym przyjaciołom. Ja byłam przystojną i towarzyską kobietą, a Paul tak świetnie orientował się w winie i jedzeniu, że *monsieur* Hénocq i kelnerzy w Véfour zawsze traktowali nas po królewsku. To właśnie tam po raz pierwszy zobaczyliśmy na własne oczy wielką damę Colette. Słynna powieściopisarka mieszkała w apartamencie w Palais-Royal, a w Véfour trzymano dla niej specjalne miejsce na wyściełanej ławie w głębi sali jadalnej. Colette była niską kobietą o wyrazistym, niemal ostrym obliczu i nieujarzmionych, splątanych siwych włosach. Gdy z królewskim dostojeństwem kroczyła przez jadalnię, unikała naszego wzroku, ale obserwowała, co inni mają na talerzach, i wykrzywiała wargi.

VII. *LA MORTE-SAISON*

W gazetach pisano, że lato roku 1949 przyniosło najgorszą *sécheresse*, suszę, od 1909. W łożyskach rzek zostały tylko kamyki, pola były spalone na złoto, a trawa chrzęściła pod butami. Na drzewach schły liście, niszczały zbiory warzyw, winogrona dogorywały na krzakach. Brakowało wody do napędzania hydroelektrowni, a ludzie zaczynali się obawiać wzrostu cen żywności w zimie. O klimatyzacji można było zapomnieć.

W weekendy wszyscy wybywali z miasta na piknik i szukali ochłody w swoich ulubionych, ustronnych miejscach. Wiele par korzystało z tandemów — mężczyźni siadali z przodu, kobiety z tyłu; zwykle ubrani byli w jednakowe kostiumy, na przykład niebieskie szorty, czerwone podkoszulki i białe kapelusze. Pedałowali jak szaleni wzdłuż autostrad, czasem z niemowlakiem w koszyczku przyczepionym do kierownicy albo z psiakiem wiercącym się w pudełku na tylnym błotniku.

Czwartego lipca w ambasadzie amerykańskiej odbyło się przyjęcie dla kilku tysięcy gości. Przyszli na nie chyba wszyscy Amerykanie mieszkający w Paryżu. Wszyscy mówili jeden przez drugiego. Zaskoczyło nas spotkanie z pięcioma osobami, o których nie wiedzieliśmy, że przebywają w mieście; dwoje z nich,

Wyglądam przez okno Ru de Lu

nasi starzy przyjaciele, Alice i Dick, zachowywali się dość dziwnie. Czułam, że Alice traktuje nas z pewnym lekceważeniem, ale nie umiałam dociec, z jakiego powodu. Może była nieszczęśliwa. Dopiero po dłuższej chwili znienacka wyrzuciła z siebie, jak bardzo nie cierpi tych wstrętnych, podłych, pazernych, wyrachowanych i nieprzyjaznych Francuzów. Wyznała, że nie może doczekać się wyjazdu z Francji, i ma nadzieję więcej tu nie wrócić.

Słowa Alice wciąż jeszcze dźwięczały mi w uszach, gdy następnego ranka, w drodze na targ, złapałam gumę, stłukłam butelkę na mleko i zapomniałam koszyka na truskawki. Wszyscy, których spotkałam po drodze, byli jednak pomocni i życzliwi, a miła staruszka sprzedająca ryby podarowała mi nawet rybią głowę dla Minette. Alice zbiła mnie z pantałyku i zdenerwowała. Kiedyś uważałam ją za dobrą i sympatyczną przyjaciółkę, ale teraz po prostu jej nie rozumiałam. W odróżnieniu od niej, ilekroć wyglądałam przez okno, czułam, jak unosi mnie fala szczęścia. Doszłam do wniosku, że w rzeczywistości muszę b y ć Francuzką, tylko nikt nigdy mnie o tym fakcie nie poinformował. Uwielbiałam tutejszych ludzi, jedzenie, krajobraz, cywilizowaną atmosferę i swobodne tempo życia.

* * *

Sierpień był w Paryżu znany jako *la morte-saison*, martwy sezon, ponieważ wszyscy, którzy mogli opuścić swe stanowiska pracy, robili to jak najprędzej. Miasto całkowicie pustoszało, a wielkie hordy migrowały w stronę gór albo wybrzeża, oczywiście nie bez korków na drogach i wypadków. Nasze ulubione restauracje, sklepik z nabiałem, rzeźnik, kwiaciarka, gazeciarka i sprzątacze — wszyscy na trzy tygodnie zniknęli. Któregoś popołudnia poszłam do sklepu z winami Nicolasa i odkryłam, że pozostał w nim tylko dostawca. Doglądał sklepu, a w wolnych chwilach ćwiczył głos, w nadziei, że otrzyma wymarzoną rolę w operze. Obok niego siedziała stara konsjerżka, która dwadzieścia pięć lat temu była krawcową jednego z wielkich kreatorów mody na placu Vendôme. Wspominali złote czasy Racine'a, Moliera i Opéra Comique. Wspaniale było natrafić na tych dwoje. Wydawało się, że w Paryżu można rozmawiać o literaturze klasycznej, architekturze albo wielkiej muzyce z każdym, od śmieciarza po mera miasta.

15 sierpnia skończyłam trzydzieści siedem lat. Paul kupił mi *Larousse gastronomique*, książkowe cudo: 1087 stron istnego szaleństwa kulinarnego, z tysiącami rycin, szesnastoma kolorowymi wkładkami z ilustracjami, mnóstwem definicji, przepisów, informacji, opowieści i gastronomicznego *know-how*. Pożerałam ją jeszcze szybciej i bardziej zapamiętale niż stronice Ali-Baba.

Wiedziałam już, że kuchnia francuska to moje przeznaczenie. Nie mogłam wyjść ze zdumienia, jak niewiarygodnie pyszne potrafi być francuskie jedzenie. Moi przyjaciele, zarówno Amerykanie, jak i Francuzi, uważali mnie za trochę stukniętą: gotowanie w żadnym razie nie było typowym hobby klasy średniej. Nie rozumieli, jak to wszystko, czyli zakupy, gotowanie i samodzielne podawanie do stołu może sprawiać mi przyjemność. A jednak! Paul namawiał mnie, bym oddawała się swojej pasji i nie zwracała na nich uwagi.

Od pewnego już czasu na poważnie gotowałam w Ru de Lu, ale czegoś mi brakowało. Czytanie przepisów w *Larousse gastronomique*, przy którym aż ciekła mi ślinka, pogawędki z Marie des Quatre Saisons albo smakowanie dań w cudownych restauracjach Paryża już mi nie wystarczało. Chciałam zakasać rękawy i zagłębić się we francuskiej sztuce kulinarnej. Tylko jak?

Z ciekawości zajrzałam do L'École du Cordon Bleu, sławnej paryskiej szkoły kucharskiej. Profesjonaliści uczyli tam tradycyjnej kuchni francuskiej pilnych studentów z całego świata. Któregoś popołudnia wybrałam się na pokazową lekcję — i kompletnie oszalałam.

Następne zajęcia zaczynały się w październiku. Zapisałam się na sześciotygodniowy intensywny kurs i już oblizywałam się na myśl o wspaniałym dniu jego inauguracji.

ROZDZIAŁ DRUGI
Le Cordon Bleu

I. SZEF BUGNARD

We wtorek 4 października 1949 roku o godzinie dziewiątej rano stawiłam się w École du Cordon Bleu. Miałam katar i lekkiego pietra. I dopiero w tym momencie odkryłam, że zamiast na sześciotygodniowy intensywny kurs, zapisałam się na całą *année scolaire*, rok szkolny. Dwusemestralny kurs kosztował 450 dolarów, a to już było poważnym wydatkiem. Po długich dyskusjach zgodziliśmy się jednak z Paulem, że jest mi to do szczęścia koniecznie potrzebne i że powinnam wziąć w kursie udział.

Moja pierwsza lekcja odbyła się w zalanej słońcem kuchni na najwyższym piętrze budynku. Moimi koleżankami z klasy były Angielka i Francuzka mniej więcej w moim wieku. Żadna z nich nigdy przedtem nie gotowała (ku memu wielkiemu zdziwieniu przekonałam się, że wiele Francuzek bynajmniej nie gotuje lepiej ode mnie, niektóre nie mają o kuchni bladego pojęcia, choć większość jest ekspertkami w kwestii jedzenia w restauracjach). Ten kurs „dla kur domowych" stał na tak podstawowym poziomie, że po dwóch dniach wiedziałam, że to zupełnie nie dla mnie.

Uczę się kroić kurczaka pod okiem Bugnarda

Usiadłam z *madame* Elizabeth Brassart, niską, chudą i raczej nieprzyjemną właścicielką szkoły (przejęła kierownictwo od Marthe Distel, która prowadziła ją przez pięćdziesiąt lat), i wytłumaczyłam, że spodziewałam się bardziej wymagającego programu. Omówiłyśmy mój poziom wiedzy na temat gotowania i zajęcia z *haute cuisine*, profesjonalnej kuchni dla koneserów, oraz *moyenne cuisine*, kuchni mniej wyszukanej. *Madame* jasno dała do zrozumienia, że mnie nie lubi, podobnie zresztą jak wszystkich Amerykanów: „Oni nie umieją gotować!" — oznajmiła, jakby przedstawicielka tego narodu nie siedziała właśnie przed nią. Tak czy owak *madame* Brassart zawyrokowała, że moja wiedza nie jest dość zaawansowana na *haute cuisine* — sześciotygodniowy kurs dla ekspertów — ale odpowiedni będzie dla mnie roczny kurs dla „zawodowych restauratorów", który szczęśliwym trafem akurat się rozpoczął. Zajęcia prowadził mistrz kuchni Max Bugnard, praktykujący profesjonalista z wieloletnim doświadczeniem.

— *Oui!* — zakrzyknęłam bez najmniejszego wahania.

Wtedy właśnie poczułam dojmującą tęsknotę za moją szwagierką, Freddie Child. W Waszyngtonie stałyśmy się sobie tak bliskie, że gdy ludzie mówili: „O, idą bliźniaki!", mieli na myśli mnie i Freddie, a nie Paula i Charliego. Freddie była świetną kucharką o niezwykłej intuicji i nieraz, żeby nastraszyć naszych mężów, żartowałyśmy, że otworzymy restaurację o nazwie „Pani Child & Pani Child z Cordon Bleu".

Potajemnie myślałam o tym dość serio i nawet próbowałam ją namówić, aby przyłączyła się do mnie w Cordon Bleu, ale Freddie nie mogła zostawić męża i trojga dzieci w Pensylwanii. *Eh bien*, miałam więc zostać sama.

Jak się okazało, klasa restauratorów liczyła jedenastu byłych żołnierzy armii USA, którzy studiowali gotowanie w ramach przywilejów edukacyjnych przyznanych po wojnie weteranom. Nigdy się nie dowiedziałam, czy *madame* Brassart przypisała mnie do ich grupy dla draki, czy po prostu dlatego, żeby wyciągnąć dodatkowych parę dolarów, ale gdy weszłam do klasy, poczułam się, jakbym wtargnęła do klubu przeznaczonego tylko dla facetów. Na szczęście większą część wojny spędziłam w środowisku zdominowanym przez mężczyzn, więc nie dałam się zbić z pantałyku.

Ta jedenastka to byli rzeczywiście wojskowi w każdym calu, typy rodem z klasyki filmów wojennych: mili, szczerzy, twardzi, konkretni faceci. Niektórzy pracowali w czasie wojny jako kucharze wojskowi albo na stoiskach z hot-dogami w Stanach, inni mieli ojców piekarzy i rzeźników. Wyglądali na takich, co to poważnie chcą się nauczyć gotować, ale podchodzili do tematu niczym studenci szkoły handlowej. Mieli mnóstwo pomysłów na stworzenie pól treningowych do gry w golfa z towarzyszącymi im restauracjami, zajazdów czy innych prywatnych przedsięwzięć handlowych w jakimś przyjemnym miejscu na ojczystej ziemi. Po kilku dniach spędzonych razem w kuchni zrobiła się z nas wesoła kompania, chociaż na moje chłodne oko, nie było w niej ani jednego artysty.

Inaczej niż gospodynie domowe, które gotowały w skąpanej w słońcu klasie na górze, restauratorzy spotykali się w suterenie Cordon Bleu. Kuchnia była pomieszczeniem średniej wielkości, a jej wyposażenie stanowiły dwa długie stoły kuchenne, trzy kuchenki, każda z czterema palnikami, sześć małych piecyków elektrycznych pod jedną ścianą i lodówka pod drugą. Gdy przebywało tam dwanaścioro uczniów i nauczyciel, w sali robiło się tłoczno i gorąco.

Na szczęście nasz profesor, mistrz Bugnard, wynagradzał nam to wszystko z nawiązką. Istny skarb! Bugnard był mężczyzną pod osiemdziesiątkę, pulchnym i raczej niskiego wzrostu, noszącym okulary w okrągłych oprawkach i sumiaste wąsy. Większą część życia spędził *dans le métier*, w zawodzie: zaczynał jako chłopiec w należącej do jego rodziny wiejskiej restauracji, zaliczał kolejne szczeble w rozmaitych dobrych restauracjach w Paryżu, pracował w kambuzach transatlantyckich parowców i przez trzy lata doskonalił technikę pod kierunkiem wielkiego Escoffiera w Londynie. Przed drugą wojną światową miał w Brukseli własną restaurację, Le Petit Vatel. Stracił ją w czasie wojny, ale za to został zwerbowany przez *madame* Brassart do Cordon Bleu, i niewątpliwie ogromnie sobie cenił rolę tamtejszej *éminence grise*, szarej eminencji. Któż zresztą by nią gardził? Posada ta pozwalała mu na pracę w regularnych porach i spędzanie dni na uczeniu kursantów, chłonących każde jego słowo i gest.

Codziennie musieliśmy przyswajać sobie mnóstwo nowych wiadomości, dlatego na początku mieliśmy w głowach lekki mętlik. Cała nasza dwunastka jednocześnie kroiła warzywa, mieszała w garnkach i zadawała pytania. Większość chłopaków nie nadążała za Bugnardem, który wyrzucał z siebie słowa w tempie karabinu maszynowego, a ja cieszyłam się, że zanim zaczęłam gotować, zdążyłam poduczyć się języka. Mimo to i tak musiałam nadstawiać ucha i pamiętać o zadawaniu pytań, nawet głupich, kiedy czegoś nie rozumiałam. Ale też nigdy nie byłam jedyną osobą, która nie wiedziała, o co chodzi.

Najpierw Bugnard postanowił nauczyć nas podstaw. Zaczęliśmy od przyrządzania baz do sosów. Później, aby w trakcie jednej sesji zademonstrować kilka technik, Bugnard gotował pełny posiłek, od przystawki do deseru. Uczyliśmy się więc, dajmy na to, właściwego przygotowywania *crudités*, surowych warzyw, potrawki z cielęciny z zeszkloną cebulą i *salade verte* oraz kilku rodzajów *crêpes Suzette*, naleśniki z sosem pomarańczowym. Wszystko, co ugotowaliśmy, było zjadane w szkole na lunch albo sprzedawane.

Mimo natłoku obowiązków Bugnard był niezwykle uprzejmy, poza tym miał naturalny, a zarazem nienarzucający się talent gwiazdorski i niestrudzenie wszystko nam objaśniał. Wpajał zasady staranności — robienia wszystkiego „jak należy". Objaśniał nam przepis krok po kroku, dzięki czemu stawał się on prosty. Robił to arbitralnie, aczkolwiek dyskretnie, nalegając, byśmy gruntownie analizowali konsystencję i smak: „Ale jak s m a k u j e, *madame Szild?*".

— Kto zrobi dzisiaj *oeufs brouillés?* — zapytał któregoś ranka.

Chłopaki milczały, więc zgłosiłam się na ochotnika do smażenia jajecznicy. Bugnard patrzył uważnie, jak roztrzepuję jajka z dodatkiem śmietanki, porządnie rozgrzewam patelnię i rzucam na nią kawałeczek masła, które skwierczy i rumienieje.

— *Non!* — zakrzyknął ze zgrozą, zanim zdążyłam wylać mieszankę na patelnię. — Zupełnie nie tak!

Chłopaki wytrzeszczyły oczy.

Uśmiechnięty Bugnard rozbił dwa jajka i dodał szczyptę soli i pieprzu.

— O, właśnie tak — oznajmił, łagodnie mieszając widelcem żółtko z białkiem. — Nie za mocno.

Rozprowadził masło po dnie i bokach patelni, a następnie powoli przelał na nią jajka. Trzymał patelnię na wolnym ogniu i uważnie się w nią wpatrywał. Nie działo się nic. Po trzech długich minutach jajka zaczęły się ścinać. Szybko mieszając widelcem, na przemian zdejmując patelnię z ognia i stawiając ją na palniku, Bugnard delikatnie zagarnął masę jajeczną na środek patelni. „Muszą być trochę rzadkie, to bardzo ważne" — pouczył nas.

— T e r a z śmietana i masło — powiedział, unosząc brwi i patrząc na mnie. — To przerwie smażenie, widzisz?

Pokiwałam głową, a on wyłożył jajecznicę na talerz, oprószył ją zieloną pietruszką i obwieścił:

— *Voilà!*

Jego jajecznica była zawsze doskonała, i chociaż zapewne robił ją w życiu z pięć tysięcy razy, każdy pokaz napawał go wielką dumą i dawał radość. Bugnard nalegał, aby uważać, uczyć się prawidłowej techniki, i cieszyć się gotowaniem: „Właśnie, *madame* Szild, to ma być *fun*! — mawiał. — Zabawa!".

Była to dla mnie nadzwyczajna lekcja. Żadne danie, nawet pospolita jajecznica, nie było poniżej jego godności.

— Nigdy nie zapomina się żadnej pięknej rzeczy, którą się zrobiło — powtarzał. — Nawet kiedy już ją zjesz, ona n a z a w s z e zostanie ci w pamięci.

Zachwycił mnie entuzjazm i pieczołowitość Bugnarda. Zaczęłam je sobie przyswajać. Jako jedyna kobieta w klasie, dbałam o to, aby przy „chłopakach" zachowywać pozory słodyczy i dobrego humoru, ale w środku byłam zdystansowana i skupiona na pochłanianiu jak największej ilości wiedzy.

Po kilku tygodniach kursu opracowałam ścisły harmonogram dnia.

Co rano wyskakiwałam z łóżka o 6.30, ochlapywałam opuchniętą od snu twarz wodą, ubierałam się szybko w półmroku i wypijałam puszkę soku pomidorowego. O 6.50, gdy Paul zaczynał się budzić, byłam już za drzwiami. Szłam do garażu, mijając siedem przecznic, wskakiwałam do Blue Flasha i z warkotem mknęłam na Faubourg Saint-Honoré. Znajdowałam miejsce na parkingu i kupowałam dwie gazety, jedną francuską i jedną amerykańską. Następnie zachodziłam do jakiejś przytulnej kawiarenki, aby napić się *café-au-lait* i schrupać świeżego, gorącego croissanta, jednym okiem czytając gazetę, a drugim obserwując uliczne życie.

O 7.20 pokonywałam na piechotę dwie przecznice dzielące mnie od szkoły i wkładałam „uniform": workowatą podomkę i niebieski fartuch kucharski z założoną za pasek czystą ściereczką. Następnie wybierałam ostry jak żyletka nóż do warzyw i zaczynałam obierać cebulę, cały czas gawędząc z chłopakami.

O 7.30 przychodził Bugnard i wszyscy uwijaliśmy się przy gotowaniu do 9.30. Potem następowała rozmowa i sprzątanie. Zajęcia kończyły się około 9.45, a ja robiłam szybkie zakupy i śmigałam do domu. Tam wracałam do gotowania, próbując swoich sił w stosunkowo prostych potrawach, takich jak tarty serowe, *co-*

quilles Saint-Jacques, duszone przegrzebki i inne tego typu dania. O 12.30 Paul wpadał na lunch. Przy jedzeniu wymienialiśmy się najświeższymi nowinami. Paul czasem ucinał sobie krótką drzemkę, ale najczęściej pędził z powrotem na drugą stronę Sekwany, aby zażegnać jakiś niecierpiący zwłoki spór w ambasadzie.

O 14.30 rozpoczynały się w Cordon Bleu zajęcia pokazowe. Gościnnie występujący szef kuchni, przy wsparciu dwóch praktykantów, przyrządzał i objaśniał nam recepturę z reguły trzech, czterech dań. Demonstrował na przykład, jak zrobić *soufflé au fromage*, suflet serowy, jak udekorować *galantine de volaille*, galantynę, przygotować *épinards à la crème*, szpinak w śmietanie i uwieńczyć całość *charlotte au pommes*, szarlotką. Nasi goście byli bardzo rzeczowi i nie tracili czasu na „rozgrzewanie" publiczności. Zaczynali punktualnie o 14.30, podawali składniki, odmierzali proporcje i zabierali się do pracy, tłumacząc każdy krok. Kończyliśmy równo o 17.00.

Pokazy odbywały się w wielkim kwadratowym pomieszczeniu. Na dobrze oświetlonej scenie znajdowała się zaaranżowana kuchnia, a naprzeciwko stały ławki, na których siedzieli kursanci. Było to jak klinika, gdzie studenci siedzą na amfiteatralnie rozmieszczonych krzesłach, podczas gdy słynny chirurg — lub też, jak w naszym przypadku, mistrz kuchni — demonstruje na scenie, jak amputować nogę albo przyrządzić sos śmietanowy. W ten sposób w krótkim czasie przekazywano nam dużo informacji, poza tym w trakcie pokazu kucharze odpowiadali na nasze pytania. Te popołudniowe sesje były otwarte dla każdego, kto zechciał wysupłać trzysta franków, tak więc oprócz kursantów Cordon Bleu, na widowni siedziały gospodynie domowe, młodzi adepci sztuki kulinarnej, starsi panowie, przybłędy z ulicy i od czasu do czasu jeden czy dwóch smakoszy.

Uczyliśmy się, jak robić dania wszelkiego rodzaju — *perdreaux en chartreuse*, kuropatwy pieczone w formie, w garnirze ze smakowitej kapusty, fasoli i pokrojonej w zapałkę marchewki i rzepy, *boeuf bourguignon*, wołowinę po burgundzku, rybki *en lorgnette*, usuwasz ości, zwijasz rybę w rulonik od ogona do głowy i smażysz całość w głębokim, mocno rozgrzanym tłuszczu, lody czekoladowe (przygotowywane z żółtek jaj) oraz lukier (rozpuszczony cukier ubijasz z żółtkami jaj, a następnie z podgrzanym masłem i aromatycznymi dodatkami, dzięki czemu polewa uzyskuje cudowną konsystencję).

Wszyscy prowadzący pokazy byli znakomici, ale dwóch wyróżniało się szczególnie.

Pierre Mangelatte, szef kuchni Restaurant des Artistes na rue Lepic, z kunsztem i uczuciem prezentował dania *cuisine traditionnelle*: przyrządzał tarty, *sole meunière*, solę w sosie maślanym, *pâté en croûte*, pasztet w cieście, pstrąga w galarecie, *ratatouille, boeuf en daube*, duszoną wołowinę, i tak dalej. Jego przepisy były przejrzyste i łatwe do zrozumienia. Sporo notowałam, a kiedy później wypróbowywałam je w domu, okazywały się łatwe do odtworzenia.

Drugą gwiazdą był Claude Thilmont, niegdysiejszy cukiernik z Café de Paris, który terminował u wielkiej *madame* Saint-Ange, autorki fundamentalnej dla każdej francuskiej gospodyni książki *La bonne cuisine de Madame E. Saint-Ange*. Z wielkim namaszczeniem i charakterystyczną dla cukiernika dbałością o szczegóły Thilmont pokazywał, jak przygotować ciasto francuskie i ciasto na paszteciki, jak upiec brioszki i croissanty. Jego najbardziej popisowym daniem były jednak desery — cudowne tarty owocowe, torty oraz przyjmowane przez widzów z największym entuzjazmem *charlotte Malakoff*.

Cordon Bleu było prawdziwym rajem dla smakoszy. Ponieważ podstawy gotowania opanowałam już wcześniej sama, zajęcia te pełniły funkcję katalizatora dla nowych pomysłów, a moje umiejętności szybko wzrosły. Wcześniej często dodawałam do moich dań zbyt dużo ziół i przypraw. Teraz uczyłam się francuskiej tradycji wydobywania z jedzenia pełnych, esencjonalnych smaków — na przykład tego, jak sprawić, żeby pieczony kurczak rzeczywiście smakował j a k k u r c z a k.

Nauczyłam się glazurować marchewkę i cebulę, piekąc równocześnie gołębia i wykorzystywać skoncentrowane soki z warzyw do wzmacniania smaku gołębiego mięsa i na odwrót. Był to dla mnie kulinarny przełom. Popołudniowy pokaz robienia *boeuf bourguignon*, wołowiny po burgundzku, tak mnie zainspirował, że pomaszerowałam prosto do domu i zrobiłam, nie chwaląc się, najpyszniejsze danie tego rodzaju, jakie kiedykolwiek jadłam.

Nie wszystko jednak wyglądało tak pięknie. *Madame* Brassart wpisała zbyt wielu uczniów na jeden kurs i Bugnard nie mógł poświęcać każdemu z nas dość uwagi, której tak bardzo było mi trzeba. Nieraz miałam ochotę zadać jakieś istotne pytanie albo podzielić się jakimś subtelniejszym spostrzeżeniem, ale po prostu nie potrafiłam ich z siebie wydusić. W rezultacie pracowałam jeszcze pilniej.

Zawsze odpowiadało mi życie istoty beztroskiej jak motyl, wypełnione zabawą i w miarę możności wolne od zmartwień. W Cordon Bleu, na targach i w restauracjach Paryża nagle odkryłam, że gotowanie to temat bogaty, złożony i niezwykle fascynujący. Można chyba powiedzieć, że zakochałam się w kuchni francuskiej — jej smakach, recepturach, historii, rozlicznych odmianach, rygorystycznej dyscyplinie, kreatywności, wspaniałych ludziach, sprzętach, rytuałach.

Nigdy w życiu nie traktowałam czegoś lub kogoś tak poważnie (prócz męża i kota) i za każdym razem z wielkim żalem wychodziłam z kuchni!

Jaka zabawa! Jakie objawienie! Jakiż to byłby dramat, gdyby w Ru de Lu pracował dobry kucharz! Jak fantastycznie odnaleźć wreszcie swoje życiowe powołanie.

„Julie zrobiła prawdziwe postępy — napisał Paul do Charliego. — Tak między nami, nie wierzyłem, że to kiedyś nastąpi, ale stało się! Jej kuchnia jest teraz prostsza, bardziej klasyczna (...). Zazdroszczę jej tej możliwości. Ależ to byłaby frajda, robić ten kurs razem z nią".

Wsparcie męża odgrywało zasadniczą rolę w podtrzymywaniu mojego entuzjazmu, ale jako „ofiara romansu żony z Cordon Bleu" Paul często zostawał sam. Przyłączył się więc do Klubu Amerykańskiego w Paryżu, grupy biznesmenów i urzędników rządowych, którzy raz w tygodniu spotykali się na lunchu. Poznał tam inżyniera hydraulika, który przedstawił go innej, mniejszej grupie Amerykanów, koneserów win. W poczuciu frustracji, że większość naszych rodaków nie raczy zapoznać się choćby z ułamkiem dobrych francuskich roczników, członkowie tej grupy połączyli siły i poprosili *monsieur* Pierre'a Andrieu — przewodniczącego *Confrérie des Chevaliers du Tastevin* (znanego towarzystwa miłośników win i dobrego jedzenia) — aby zgodził się opowiadać im o winach z każdego regionu, odpowiadać na pytania z zakresu enologii i doradzać w kwestii łączenia poszczególnych roczników z jedzeniem.

Średnio co sześć tygodni mężczyźni spotykali się w jednej ze znakomitych restauracji — Lapérouse, Rôtisserie de la Reine Pédauque, La Crémaillère albo Prunier — aby dobrze zjeść i popróbować pięciu czy sześciu win z danego regionu. Czasami wybierali się na wycieczki. Raz na przykład udali się do *château* Clos de Vougeot w Burgundii i zwiedzili prawie wszystkie piwnice win departamentu Côte d'Or. Paul darzył tę grupę szczególną sympatią, ponieważ nie wymagała formalnego członkostwa, nie miała prezesa, nazwy ani składki. Każdy posiłek kosztował sześć dolarów, a w kwocie tej było jedzenie, wino i napiwek. Ci, którzy się nim raczyli, robili chyba jeden z najwspanialszych interesów w historii gastronomii.

II. NIGDY NIE PRZEPRASZAJ

Z początkiem listopada 1949 roku rynsztoki wypełniły się mokrymi, brunatnymi liśćmi, w powietrzu czuło się chłód, i dopiero wtedy, za późno, by biedni, znękani suszą farmerzy odnieśli z tego jakąkolwiek korzyść, zaczął niemal codziennie padać deszcz. Potem zrobiło się naprawdę zimno. Na szczęście Paul akurat kupił nowy gazowy grzejnik; podkręcaliśmy go do maksimum i siadywaliśmy niemal na samym piecyku, żeby ogrzać się w naszym zwariowanym salonie, niczym para zmarzniętych monarchów.

W Paryżu nastąpiła eksplozja wszelkiego rodzaju wystaw, wystawek i ekspozycji; otwarto *Salon d'Automne* (salon samochodowy), *Ballet Russe*, Wystawę Sztuki, Wystawę Owoców i Kwiatów, i tak dalej, i tak dalej. Razem z Thérèse Asche wybrałyśmy się na doroczną wystawę sztuki w Palais de Chaillot; po czterdziestu minutach, spędzonych na betonowych podłogach w pełnych przeciągów galeriach, zsiniały nam usta, a zęby zaczęły dzwonić. Wybiegłyśmy stamtąd i zaaplikowałyśmy sobie płyn przeciw zamarzaniu, czyli parę kolejek grogu.

Hélène Baltru potwierdziła nasze przypuszczenia, że wilgotny paryski chłód daje się we znaki bardziej niż jakikolwiek inny. W czasie niemieckiej okupacji, jak nam powiedziała, paryżanie uważali za swoje największe nieszczęścia: po pierwsze (i najgorsze) — gestapo, po drugie — zimno, po trzecie — nieustanny głód.

Wzmianka Hélène o czasach wojny przypomniała mi o Francuzach i ich przemożnym wówczas głodzie —

Paryski chłód

czymś, co zdawało się czaić za ich miłością do jedzenia, stanowiącego dla nich formę sztuki, i uwielbieniem dla gotowania traktowanego jako rodzaj „sportu". Przyszło mi na myśl, że może korzenie tej ich gastronomicznej pożądliwości wcale nie kryją się w słonecznym splendorze sztuki, lecz w głębokich, mrocznych niedostatkach, jakie Francja cierpiała przez wieki.

Paul i ja wprawdzie nie cierpieliśmy biedy, ale oszczędzaliśmy franki na nadchodzące miesiące. Mój ojciec nie odpowiedział na moje dwa politycznie prowokacyjne listy, za to zdeponował w banku pięćset dolarów, abym mogła kupić sobie porządne ubrania na zimę. Miałam dylemat. Byłam mu wdzięczna za pomoc, ale czy naprawdę chciałam przyjąć od niego pieniądze? No cóż, chciałam. Gdy jednak tatko zaoferował się pomóc Paulowi „wypłynąć na szerokie wody", uprzejmie, acz stanowczo odmówiliśmy.

3 listopada 1949 roku minęła pierwsza rocznica naszego pobytu w Paryżu. Tego dnia siekła ulewa, tak samo jak rok wcześniej. Patrząc wstecz, widzę, że był to dla nas rok rozwoju. Paul wzbogacił swoją osobowość, zyskał większą wiedzę (jeśli nie pensję) i w dalszym ciągu poszerzał i wysubtelniał swoją wizję artystyczną. Ja nauczyłam się nieźle mówić po francusku, choć nie władałam nim jeszcze płynnie, i zrobiłam postępy w kuchni. Wdzięk, hojność, uprzejmość, delikatność i humanizm Francuzów pokazały mi, jak wspaniałe może być życie, gdy człowiek zdobywa się na wysiłek bycia przyjaznym.

Mimo to doskwierał mi brak możliwości rozwoju emocjonalnego i intelektualnego. Nie byłam tak bystra, pewna siebie i elokwentna, jak bym chciała. Uzmysłowiłam to sobie w czasie kolacji, którą zjedliśmy z naszymi amerykańskimi przyjaciółmi, Winnie i Edem Rileyami. Winnie miała w sobie dużo naturalnego ciepła, Ed, obdarzony pewnym szorstkawym urokiem, był znanym biznesmenem o zdecydowanych, konserwatywnych poglądach. Kiedy wdaliśmy się w dyskusję o globalnej gospodarce, położyłam uszy po sobie, poczułam się zbita z tropu i cofnęłam się do defensywy. Pod presją Eda moje „poglądy" w ważnych kwestiach (Czy Plan Marshalla skutecznie ożywia francuską gospodarkę? Czy powinno dojść do utworzenia Unii Europejskiej? Czy socjalizm przyjmie się w Wielkiej Brytanii?) — okazały się zwykłymi emocjami przebranymi za idee. A to za mało!

Poddawszy się analizie, doszłam do wniosku, że mam trzy główne słabości: łatwo się peszę (co wynika z luk w wiedzy i nieumiejętności skoordynowania myśli, a także werbalizowania swoich opinii), brak mi pewności siebie, przez co wycofuję się pod naporem zdecydowanych sądów, jestem nadmiernie emocjonalna, a to szkodzi precyzyjnemu, „naukowemu" myśleniu. Miałam trzydzieści siedem lat i wciąż odkrywałam, kim jestem.

Któregoś dnia ćwiczyłyśmy z siostrą mówienie po francusku przez telefon, tak aby nikt się nie domyślił, że to my. Dort ścisnęła sobie nos palcami i bardzo wysokim, piskliwym głosem zaświergoliła: *„Oui, oui, J'ÉCOUTE!"* („Tak, SŁUCHAM!"), jak miały to w zwyczaju paryżanki. Minette, która spała na odwróconej doniczce, nagle zerwała się, wskoczyła Dort na kolana i ugryzła ją lekko w dłoń. Zachwyciło nas to, więc i ja spróbowałam — *„Oui, oui, J'ÉCOUTE!"* — a Mini zareagowała identycznie jak poprzednio, dreszczykiem rozkoszy. To wywołało jeszcze więcej śmiechu, pisków *„J'ÉCOUTE!"* i miłosnych ukąszeń. Nasze wysokie tony poruszyły chyba jakąś tajemną strunę kociej wrażliwości miłosnej.

Dort szybko nawiązywała przyjaźnie wśród amerykańskich imigrantów i zdobyła pracę w administracji paryskiego American Club Theatre. Była to amatorska trupa prowadzona przez pewną herod babę z Nowego Jorku. Jej aktorzy występowali w Théâtre Monceau, mogącym pomieścić około stu pięćdziesięciu widzów. Była to dość znerwicowana, ekspresyjna banda, a Dort pracowała tam za marne grosze, w dużym napięciu i przez długie godziny. Paul nie przepadał za trupą, ponieważ jej członkowie lubili zjawiać się w Ru de Lu późnym wieczorem, hałasować i żłopać nasz alkohol bez opamiętania.

Dort nie przestawała nas bawić i zaskakiwać. Któregoś wieczoru przyszła do naszego mieszkania jej przyjaciółka Annie. Wyglądała na zdenerwowaną.

— Byłam w metrze i jakiś mężczyzna uszczypnął mnie w *derrière*, tyłek — wyjaśniła. — Nie wiedziałam, jak zareagować. Co byście zrobili?

— Ja bym powiedział: *„PardonNEZ, m'sieur!"* — rzucił Paul.

— A ja bym go kopnął w jaja — strzelił Peter, chłopak Annie.

— A ja — wtrąciła się Dort — powiedziałabym *„Pardonnez, m'sieur"* i kopnęła go w jaja!

Któregoś dnia jechała swoim citroenem przez plac Zgody, gdy jakiś Francuz walnął w zderzak jej samochodu. Wgniecenie nie było duże, a sprawca odjechał na pełnym gazie, nie racząc zapytać, czy spowodował jakąś szkodę. Jego bezczelność tak rozwścieczyła Dort, że włączyła reflektory, docisnęła pedał gazu i z piskiem opon, trąbiąc, rzuciła się w pościg. W końcu, po pokonaniu z dziesięciu przecznic, udało się jej przyszpilić faceta, i to tuż przed nosem *flika*, gliniarza. Moja mierząca metr dziewięćdziesiąt, czerwona z oburzenia siostra wstała, wystawiając tułów przez otwarty szyberdach citroena, wycelowała długi, drżący palec w winowajcę i z furią wrzasnęła: *„Ce merde-monsieur a justement craché dans ma derrière!"*. Wiadomo, co chciała powiedzieć, ale niestety wyszło trochę inaczej: „Ten gówniarz przed chwilą splunął na mój tyłek!".

Paul uwielbiał wino, lecz w latach dwudziestych, jako ubogi artysta, nie miał pieniędzy na dobre trunki. Teraz odkrył handlarza win Nicolasa, który miał w ofercie niezwykle szeroki wachlarz roczników. Wiele z nich w czasie wojny ukryto pod ziemią przed znienawidzonymi szwabami. Nicolas wystawił w sklepie wywieszkę, która ostrzegała surowo: „Z uwagi na to, że roczniki z niniejszej listy są wyjątkowo rzadkie, sprzedajemy wina wyłącznie do bezpośredniego spożycia, nie do składowania w *cave*, piwnicy. Zastrzegamy sobie prawo do ograniczania zbyt dużych zamówień". Nicolas przyznawał swoim rocznikom kategorie: od „bardzo dobrych" (takich jak butelka Clos-Haut-Peyraguey z 1926, za czterysta franków), przez „świetne" (La Mission Haut-Brion z 1928 za sześćset franków) do „wspaniałych" (Chambertin Clos de Bèze z 1929, za siedemset franków). Rozbawiły mnie jeszcze wyższe kategorie wymyślone przez Nicolasa: „butelki wyjątkowe" (château La Lagune 1899 za osiemset franków) oraz *bouteilles prestigieuses* (Mouton Rotschild 1870, za tysiąc pięćset franków). Lepsze roczniki Nicolas osobiście doręczał w ocieplanym koszyku, na godzinę przed serwowaniem.

Paul podziwiał tę dbałość o szczegóły, a ponieważ sam był pedantem, wykorzystał listy Nicolasa jako wzór dla swoich własnych, rozbudowanych tabel win, roczników i cen, które potem godzinami studiował z przyjaciółmi.

Jakież było moje zdziwienie, gdy z końcem listopada uświadomiłam sobie, że uczę się w Cordon Bleu już od siedmiu tygodni. Bawiłam się tak świetnie, że zdawało mi się, iż minęło dopiero kilka dni. Potrafiłam już zrobić niezły spód z kruchego ciasta i krok po kroku całą pizzę — zaczynając od kopczyka mąki, a kończąc na gorącym placku wyciąganym prosto z pieca — w zaledwie trzydzieści minut. Im więcej się jednak uczysz, tym lepiej zdajesz sobie sprawę, ilu rzeczy nie wiesz; ja miałam wrażenie, że ledwie przestąpiłam próg kuchni. Cóż by to była za tragedia, gdybym zdecydowała się pozostać na sześciotygodniowym kursie. Prawie niczego bym się nie nauczyła.

Jedną z najcenniejszych lekcji, jakie tam odebrałam, była lekcja prostoty. Na przykład pieczeń cielęca: pod czujnym okiem Bugnarda doprawiałam mięso po prostu solą i pieprzem, zawijałam je w plaster solonej wieprzowiny, dodawałam do naczynia pokrojone w zapałkę marchewkę i cebulę, a na wierzch łyżkę stołową masła, i piekłam w piekarniku, podlewając od czasu do czasu. Nic prostszego. Gdy cielęcina była upieczona, odlewałam tłuszcz, dodawałam trochę bulionu, kawałeczek masła i odrobinę wody, odparowywałam płyn przez kilka minut, a potem odcedzałam sos i oblewałam nim mięso. Rezultat: absolutnie niezrównana potrawa.

Miałam ogromną satysfakcję, że nauczyłam się prawidłowo przyrządzać tak wyborne danie i umiałam je odtworzyć dokładnie, tak jak chciałam, za każdym razem, bez sięgania do książki kucharskiej albo zbytniego zastanawiania się.

Bugnard potrafił wyczyniać prawdziwe cuda z sosami; jednym z moich ulubionych tematów lekcji była *sole à la normande* w jego wykonaniu. Włóż do nasmarowanego masłem naczynia 250 g wyfiletowanej soli, na wierzchu połóż kręgosłupy ryb, oprósz solą i pieprzem oraz zmielonymi szalotkami. Przygotuj zalewę z białego wina i wody, w proporcjach 1:1, oraz soku z małży i ostryg, i zalej nią filety, tak aby były zakryte. Zagotuj. Gdy filety się ugotują, zanim wystygną, przygotuj zasmażkę z masła i mąki. Dodaj do niej połowę wywaru i podgrzej. Pozostałą jego część mocno odparuj, do mniej więcej jednej trzeciej filiżanki, a następnie wlej do zasmażki i mieszaj nad ogniem. A teraz pora na błysk geniuszu Bugnarda: zdejmij patelnię z ognia i dodaj filiżankę śmietany i trzy żółtka; następnie, cały czas powoli mieszając, dodaj do sosu 350 g zwykłego masła. Nigdy nie słyszałam, by ktoś dodawał żółtka do tak pospolitego sosu; przekonałam się, jak bogaty zapewnia to efekt.

Biada ci, moja wątrobo, ale ta francuska sola była przepyszna!

Raz w tygodniu w większości paryskich *quartiers* następowały kilkugodzinne przerwy w dostawie prądu. Mieliśmy szczęście, że nasze mieszkanie znajdowało się tuż obok Izby Posłów, więc mocą jakiejś specjalnej politycznej dyspensy oszczędzano nam zaciemnień. Prawie co środa wyłączali jednak prąd w budynku Cordon Bleu. Te środy w stylu *unplugged* zmuszały Bugnarda do kreatywnego wykorzystania czasu lekcyjnego. Często zabierał nas na targ — było to doświadczenie warte stopnia naukowego.

Zakupy spożywcze w Paryżu były dla mnie rzeczywiście czymś, co na zawsze odmieniło moje życie. Właśnie dzięki codziennym wyprawom na lokalny bazar przy rue de Bourgogne, albo na większy, przy la rue Cler, bądź też do Les Halles, słynnego targowiska w centrum Paryża, gdzie można się było oddać najwspanialszemu, metodycznemu szaleństwu — nauczyłam się najważniejszych rzeczy w życiu: wartości *des relations humaines*.

Francuzi są niezwykle czuli na dynamikę stosunków międzyludzkich i wierzą, że na każdą przyjemność trzeba sobie zapracować. Jeśli więc turysta podchodzi do straganu z żywnością z myślą, że zaraz zostanie oszukany, sprzedawca natychmiast to wyczuje i usłużnie nabije go w butelkę. Gdy jednak Francuz wyczuwa, że odwiedzający jego sklep znajduje w tym przyjemność i autentycznie interesuje się tym, co można w nim kupić, otwiera się przed nim jak kwiat. Paryscy sklepikarze zmuszali mnie do nawiązywania z nimi osobistych relacji; jeśli nie miałam ochoty poświęcić czasu na to, aby poznać ich oraz ich towary, nie mogłam liczyć na to, że wrócę do domu z najświeższą fasolką albo dobrym mięsem w koszyku. Musiałam zapracować na swoją kolację — ale cóż to były za kolacje!

W którąś środę Bugnard zabrał nas do Les Halles na poszukiwanie składników potrzebnych na następne zajęcia: wątróbki, kurcząt, wołowiny, jarzyn i kandyzowanych fiołków. Ruszyliśmy przez wspaniały miszmasz rozmaitych zabudowań, wypełnionych straganami z żywnością i sprzętem kuchennym. Można tu było znaleźć absolutnie wszystko. Krążyliśmy między świeżymi królikami i nóżkami wieprzowymi, wielkimi facetami rozpakowującymi skrzynki lśniących niebieskoczarnych małży i krzepkimi kobietami zachwalającymi cudowne *champignons*, grzyby, a ja notowałam pilnie, kto co sprzedaje i w którym miejscu, z obawy, że następnym razem nie odnajdę go w tym gwarnym labiryncie.

Kiedy w końcu dotarliśmy do Dehillerin, stanęłam jak wryta. Dehillerin to sklep ze sprzętem kuchennym wszech czasów, skład zaopatrzeniowy dla restauratorów, pełen niezliczonych fantastycznych gadżetów, narzędzi, przyborów i przeróżnych błyskotek — wielkich, błyszczących, miedzianych czajników, *turbotières*, garnków do gotowania ryb i kurczaków, patelni o niecodziennych formach, malutkich drewnianych łyżeczek i olbrzymich łopatek do mieszania, monstrualnych mis na sałatę, wszystkich kształtów i rozmiarów noży, tasaków, foremek, półmisków, trzepaczek do jaj, misek, łopatek do masła i mamucich tłuczków.

Widząc błysk w moim oku, Bugnard wziął mnie na stronę i przedstawił właścicielowi, *monsieur* Dehillerinowi. Zarzuciłam go wszelkimi możliwymi pytaniami i szybko się zaprzyjaźniliśmy. Raz nawet pożyczył mi pieniądze, kiedy podczas zakupów w Les Halles zabrakło mi franków, a wszystkie banki były zamknięte. Wiedział, że jako stała klientka zwrócę dług. Stałam się maniaczką noży, patelni i gadżetów — a zwłaszcza miedzi!

„Wszystkie możliwe *délices* wystrzelają spod palców Julie niczym fajerwerki — entuzjazmował się Paul w liście do Charliego. — Któregoś wieczoru wypróbowała na gościach deser, którego pokaz widziała wcześniej (…), coś w rodzaju puddingu z jabłek, mleka i chleba na francuską modłę (…). Wyszedł bardzo dobry".

Mimo dobrych recenzji daleko mi było do tytułu mistrza kuchni. Stało się to jasne w dniu, gdy zaprosiłam na lunch moją przyjaciółkę, Winnie, i podałam jej najobrzydliwsze jajka po florencku, jakie można zjeść poza Anglią. Podejrzewam, że po prostu przeceniłam swoje możliwości: zamiast odmierzyć mąkę, wsypałam ją „na oko" i w rezultacie powstał paskudny *sauce Mornay*. Nie mogąc znaleźć na targu szpinaku, kupiłam w zamian cykorię, która też okazała się paskudna. Zjadłyśmy lunch z bolesną uprzejmością, unikając dyskusji o jego smaku. Pilnowałam się, by nie pospieszyć z przeprosinami: taką miałam zasadę.

Nie uznaję motania się w wymówkach i biadolenia nad ugotowaną przez siebie potrawą. Kiedy gospodyni zaczyna kokietować gości zdaniami w rodzaju: „Boże, jak ja nie umiem gotować..." albo „O ja nieszczęsna...", albo „Tego na pewno nie da się zjeść...", koszmarem będą zapewnienia, że wszystko jest pyszne i doskonałe, bez względu na to, czy tak jest w istocie. Zresztą tego rodzaju wyznania jedynie zwracają uwagę na nasze wady (realne czy wyobrażone) i skłaniają drugą osobę do przyznania: „Faktycznie, masz rację, tego rzeczywiście nie da się zjeść!". Może kot wpadł do gulaszu albo sałata zamarzła, albo placek oklapł — *eh bien, tant pis*!

Na ogół twoje gotowanie jest lepsze, niż ci się zdaje. A jeśli jedzenie jest naprawdę okropne, jak z pewnością było w przypadku mojej podróbki jaj po florencku, wtedy kucharka musi zacisnąć zęby, znieść to z uśmiechem i wyciągnąć wnioski z własnych błędów.

III. SZALONY NAUKOWIEC

Pod koniec 1949 roku gazety doniosły, że nowy wynalazek o nazwie „telewizja" zdobywa szturmem Stany Zjednoczone. Pisano, że ludzie w całym kraju urządzają „pokoje telewizyjne", wyposażone w lady barowe i plastikowe krzesła, aby móc godzinami siedzieć i oglądać to magiczne pudełko. Ponoć telewizory instalowano nawet w autobusach i tramwajach, a na wszystkich stacjach metra umieszczono telewizyjne reklamy. Trudne to było dla nas do wyobrażenia, gdyż do Paryża z pewnością telewizor jeszcze nie zawitał — sporym problemem było nawet znalezienie w radiu jakiejś w miarę porządnej muzyki (większość stacji grała współczesne utwory, brzmiące jak podkład dźwiękowy do rozgrywających się na wrzosowiskach scen *Psa Baskerville'ów*).

Po przeczytaniu artykułu na temat groźnego wpływu telewizji na amerykańskie życie rodzinne zapytaliśmy Charliego i Freddie, czy już kupili sobie telewizor (nie) albo czy znali kogoś, kto to uczynił (jeszcze raz nie). Czy nasze bratanice i bratanek czuli się wykluczeni z grupy rówieśniczej w związku z brakiem tego urządzenia? „Nie… przynajmniej na razie".

W połowie grudnia Paul napisał do brata:

> *Widok Julie przed piecem pełnym gotujących się, smażących i duszących na wolnym ogniu potraw budzi we mnie tę samą fascynację, co obserwowanie muzyka grającego na kotłach w filharmonii (muszę siedzieć i oglądać ją w kuchni — inaczej w ogóle bym jej nie widywał) (…). Wyobraź sobie: Julie, w fartuchu z niebieskiego dżinsu, z kuchenną ściereczką za paskiem, łyżką w każdej ręce, miesza jednocześnie w dwóch garnkach.*

Dzwonki wybrzmiewają niczym sygnały z podium,
a para o zapachu czosnku rozchodzi się w powietrzu jak
wonny leitmotiv. Drzwiczki piekarnika otwierają się
i zatrzaskują tak szybko, że ledwie zauważasz wprawne
pchnięcie łyżką, którą zanurza w naczyniu i unosi do
ust, by zbadać smak, niczym perkusista, który w odpo-
wiednim momencie dwukrotnie uderza w lulerze. Stoi
w otoczeniu baterii instrumentów, emanując autoryte-
tem i pewnością siebie (...).

Z coraz większym znawstwem skubie, obdziera ze
skóry i usuwa kości. Cudownie patrzeć, jak patroszy kur-
czaka, a następnie oddziela skórę od mięsa, aby ozdobić ją
lamparcimi cętkami zrobionymi z trufli. Albo jak usuwa
wszystkie kostki z gęsi, nie rozrywając skóry. No i powi-
nieneś zobaczyć, jak skóruje zająca — przysiągłbyś, że
zamieniła się w bohaterkę piosenki Coming Round the
Mountain.

Paul zaczął nazywać kuchnię moim „alchemicz-
nym orlim gniazdem", a mnie „Julią kawką", od lekko
świrniętego ptaszka, który gromadzi wszelkiego rodzaju patyczki, błyskotki, strzępki i gałganki, i wyście-
la nimi swoje gniazdko. Bo rzeczywiście, od jakiegoś
czasu robiłam regularne naloty na Dehillerin, gdzie
wyposażałam się w najrozmaitsze kulinarne narzędzia i maszyny. Teraz w naszej kuchni było tyle noży,
że moglibyśmy uzbroić cały statek piratów. Mieliśmy
naczynia miedziane, terakotowe, emaliowane, zastawę
stołową, porcelanę. Miarki, wagi, termometry, czujni-
ki zegarowe, otwieracze, butelki, pojemniki, torebki,

odważniki, tarki, wałki do ciasta, marmurowe stolnice i fantazyjne wyciskarki. Z jednej strony kuchni, niczym rząd tłustych żołnierzy, stało siedem dzbanów na oliwę w stylu Ali-Baba, wypełnionych wywarami. Po drugiej stronie, na haczykach, wisiały miarki — litrowe, półlitrowe, ćwierćlitrowe, decylitrowe i półdecylitrowe. Tu i tam poupychane były moje narzędzia specjalistyczne: miedziany rondel do rozpuszczania cukru, długie igły do natłuszczania pieczeni, owalna, szylkretowa łopatka do przecierania składników przez *tamis*, sito, stożkowe sitko nazywane *chinois*, patelenki używane wyłącznie do smażenia naleśników, formy do tart, rzeźbione z drewna klonowego łopatki do mieszania i niezliczone ciężkie miedziane pokrywki z długimi żelaznymi rączkami. Moja kuchnia dosłownie lśniła od gadżetów. A ja nigdy nie miałam dość.

Którejś niedzieli wybraliśmy się na Marché aux Puces, sławny pchli targ na obrzeżach Paryża, w poszukiwaniu czegoś specjalnego: wielkiego moździerza używanego do przygotowania cudownie lekkich *quenelles de brochet*, pracochłonne danie, które przyrządza się z filetowanego szczupaka utłuczonego w dużym moździerzu, przetartego przez *tamis*, a następnie ubitego ze śmietaną nad miską lodu. Marché aux Puces to wielkie, rozległe targowisko, gdzie można było kupić prawie wszystko. Po kilku godzinach polowania w ciemnych zaułkach, na skraju bazaru, między halami z pudłami, dzięki jakiemuś wyjątkowemu kulinarnemu węchowi zdołałam wytropić nareszcie obiekt mojego pożądania. Moździerz był zrobiony z ciemnoszarego marmuru. Mierzył i ważył mniej więcej tyle, co misa chrzcielna. Tłuczek wyglądał jak prastara maczuga wystrugana z konaru dzikiej jabłoni. Jedno spojrzenie i już wiedziałam — bez dyskusji: po prostu muszę to mieć. Paul spojrzał na mnie, jakbym postradała zmysły, ale wiedział, że moja obsesja dotyczy czegoś niezwykłego, więc tylko wzruszył ramionami i z uśmiechem wyciągnął portfel. Następnie wziął głęboki oddech, przykucnął i — wykorzystując całą swoją siłę i pomysłowość — dźwignął moją zdobycz i umieścił ją sobie na ramieniu. Chwiejnym krokiem, na drżących kolanach i z obolałym płucem, ruszył przez ciągnące się kilometrami wąskie, zatłoczone, zapchlone ścieżki targowiska do samochodu. Daję słowo, że gdy ostrożnie ulokował ten megamoździerz wraz z tłuczkiem w samochodzie, Flash dobył z siebie westchnienie i ugięły się pod nim koła.

Paul całkiem słusznie był dumny ze swego „niewolniczego wysiłku" i tydzień później został nagrodzony moim pierwszym w życiu *quenelles de brochet* — delikatnym, lekkim jak puch purée ze szczupaka ugotowanego w bulionie z przyprawami. Podane z dobrym sosem śmietanowym, okazało się majstersztykiem, a Paul, mimo dbałości o linię, pochłonął je w mgnieniu oka.

Złapałam wiatr w żagle. W ciągu sześciu tygodni przyrządziłam szesnaście dań: terynę z królika, *quiche Lorraine*, galantynę, jajka po florencku, *vol-au-vent financière*, kiszoną kapustę z mięsem po alzacku, bitą śmietanę z wanilią, szarlotkę, suflet z likierem Grand Marnier, risotto z owocami morza, duszone przegrzebki,

zraziki z merlana, kurka czerwonego w szafranie, kurczaka w winie i sosie pomidorowym, kaczkę w pomarańczach, a także nadziewaną flądrę duszoną w szampanie.

Ufff!

Paul lubił swój stary, skórzany pasek, który wyszpe-
rał w czasie wojny gdzieś w Azji. W sierpniu pojawił
się na nim ślad przy dziurce numer dwa, a Paul pobił
swój własny rekord: ważył 86 kilogramów. Z ogromnym

trudem zmusił się do ograniczenia węglowodanów i, co ważniejsze, ilości wypijanego alkoholu. Zaczął też chodzić na zajęcia z gimnastyki, gdzie rzucał ciężkimi piłkami lekarskimi z mężczyznami o połowę młodszymi od niego. W grudniu pasek zapinał się na dziurce piątej, wskazując spadek wagi do 77 kilogramów. Podziwiałam jego samodyscyplinę. Paul był dość krzepki, a jednak często dręczyły go kłopoty zdrowotne. Niektóre z jego problemów, takich jak choćby wrażliwość żołądka, były skutkiem czerwonki pełzakowatej, której nabawił się w czasie wojny; inne wynikały z nadmiernej nerwowości (jego brat nigdy nie był u lekarza, ponieważ wierzył, że wszelkie zmartwienia i dolegliwości wziął na siebie Paul; rzeczywiście, Charlie nigdy nie chorował).

W dzieciństwie Paul i Charlie lubili się siłować, ścigać, wspinać na mury i generalnie rywalizować ze sobą w co bardziej brawurowych wyczynach. W spokojniejszych momentach bliźniacy wymyślali zabawy z użyciem wszystkiego, co tylko im się napatoczyło. Jedną z ulubionych była zabawa w „szycie", do której używali prawdziwej igły z nitką. Kiedyś bawili się w to jako siedmiolatki: Charlie szył, a Paul nachylił się nad bratem, żeby spojrzeć mu przez ramię i sprawdzić, co robi. W tym momencie Charlie gwałtownie uniósł rękę z igłą, która trafiła prosto w lewe oko Paula. To był straszny wypadek: Paul musiał przez rok nosić czarną przepaskę i stracił wzrok w lewym oku. Nigdy jednak nie skarżył się na swoją niepełnosprawność, nauczył się świetnie prowadzić samochód i tak dobrze malować, że nawet uczył perspektywy.

Naprzód do Anglii na Boże Narodzenie! Zatrzymaliśmy się u naszych przyjaciół Bicknellów w Cambridge: Peter był dziekanem wydziału architektury na uniwersytecie, alpinistą i wspaniałym facetem z wielkim wąsem; Mari była dobrą kucharką, niegdyś studiowała balet w szkole Sadler's Wells, a teraz uczyła baletu dzieci; mieli czworo własnych i uwielbiali francuskie jedzenie. Urządziliśmy sobie wspólną przedświąteczną ucztę w kuchni. W menu znalazł się filet *sole bonne femme*, pieczony bażant, *soufflé Grand Marnier* oraz świetne wina, między innymi château d'Yquem rocznik 1929 do sufletu.

Stamtąd do starego, poczciwego Londynu, gdzie spacerowaliśmy i objadaliśmy się do woli, potem do Newcastle i wreszcie na farmę znajomych do Hereford. Wiejski krajobraz był bardzo poetycki, a drzewa, krowy, żywopłoty i kryte strzechą chatki zrobiły na mnie tak wielkie wrażenie, że czułam nieodpartą chęć czytania Wordswortha, choć jedzenie w restauracjach faktycznie było tak koszmarne, jak ostrzegali nas paryscy przyjaciele.

Któregoś wieczoru zatrzymaliśmy się w uroczym zajeździe w stylu Tudorów, gdzie podano nam gotowaną kurę ze skórą niezbyt dokładnie oczyszczoną, oblaną typowym angielskim białym sosem. Ha! Nareszcie spróbuję osławionego sosu, któremu Francuzi okazywali taką pogardę. Sos składał się z mąki i wody (nawet nie bulionu z kury) i znikomej szczypty soli. Był rzeczywiście paskudny, ale jako doświadczenie kulturowe — niezrównany.

Ogromnie podziwiałam Anglików za wszystko, przez co przeszli, poza tym byli bez wątpienia ludźmi honorowymi, zatrzymywali swoje samochody na przejściach dla pieszych, zwracali się do nas *per* „sir" i „madam", i tak dalej. Jednak po tygodniu zaczęłam wpadać w obłęd. Na widok tych rumianych angielskich gąb, tak usztywnionych poczuciem obowiązku i tego, „co wypada" lub „nie wypada", wiecznie siorbiących herbatę i ćwierkających jak ptaszki, miałam ochotę zawyć jak hiena. Mój kraj rodzinny nie poruszył we mnie czułej struny, za to działał mi na nerwy.

W pewien sposób czułam, że intuicyjnie rozumiem Anglię, ponieważ przypomniała mi odwiedziny u moich krewnych w Massachusetts, dużo bardziej sztywnych i konformistycznych ode mnie.

Moja matka, Julia Carolyn Weston (Caro), była jednym z dziesięciorga dzieci (troje z nich zmarło) rodziny mieszkającej w zamożnej części Dalton w stanie Massachusetts. Korzenie rodziny Westonów sięgały jedenastowiecznej Anglii. Po przybyciu do Nowego Świata osiedlili się w kolonii Plymouth. Ojciec mojej matki założył rodzinną firmę papierniczą w Dalton, był zasłużonym obywatelem zachodniego Massachusetts i pełnił funkcję wicegubernatora stanu.

Ród ojca wywodził się ze Szkocji. Dziadek, także nazywający się John McWilliams, pochodził z rolniczej rodziny z okolic Chicago; opuścił farmę jako szesnastolatek, aby szukać szczęścia w Kalifornii w epoce dyliżansów. Zainwestował w prawa do złóż mineralnych w Kalifornii i pola ryżowe w Arkansas, po czym, w latach dziewięćdziesiątych dziewiętnastego wieku, przeszedł na emeryturę i zamieszkał w Pasadenie. Dożył dziewięćdziesięciu trzech lat. Jego żona, babcia McWilliams, była wspaniałą kucharką — robiła przepysznego pieczonego kurczaka i cudowne pączki. Pochodziła z wiejskich obszarów stanu Illinois, a w latach osiemdziesiątych dziewiętnastego wieku jej rodzina miała francuską kucharkę. Podówczas nie było to niczym niezwykłym.

Mama w 1900 roku ukończyła Smith College. Była kapitanem drużyny koszykówki i słynęła ze swoich nieokiełznanych rudych włosów, otwarcie wyrażanych opinii i poczucia humoru. Mój ojciec — mężczyzna wysoki, powściągliwy i wysportowany — w 1901 roku ukończył historię w Princeton. Rodzice poznali się w Chicago w 1903 roku i po ślubie w 1911 osiedlili się w Pasadenie, gdzie ojciec przejął po ojcu firmę zarządzającą gruntami. Przyszłam na świat 15 sierpnia 1912 roku; mój brat, John McWilliams III, urodził się w 1914, a Dorothy w 1917 roku. W dzieciństwie nieraz jeździliśmy na wschód, w odwiedziny do naszych licznych ciotek, wujów i kuzynów w Dalton i Pittsfield w stanie Massachusetts, i tam właśnie dowiedziałam się o moich nowoangielskich korzeniach.

Od dnia mojego przyjścia na świat było wiadomo, że będę studiować w Smith College. W 1934 roku skończyłam tam historię. Moi rodzice należeli do osób o umiarkowanych ambicjach i nigdy nie byli intelektualistami. Aż do wojny nie miałam styczności z jajogłowymi. W Smith College zajmowałam się trochę teatrem i kreatywnym pisaniem, poza tym grałam w koszykówkę. Byłam jednak czystą romantyczką i robiłam wszystko na pół gwizdka; większość czasu upłynęła mi po prostu na dorastaniu. W czasach prohibicji, na ostatnim roku studiów, nasza paczka wsiadła w samochód i pojechała do meliny w Holyoke. Uważałyśmy, że robimy coś bardzo niebezpiecznego i buntowniczego. Nielegalny bar mieścił się na górnym piętrze magazynu — kto mógł wiedzieć, jakich ludzi tam spotkamy? Wszyscy okazali się bardzo mili, a my wypiłyśmy po kieliszku wszystkiego, co mieli na sprzedaż. W drodze powrotnej większość z nas dostała okropnych torsji. Było to niesamowicie ekscytujące!

Po ukończeniu studiów planowałam zostać sławną powieściopisarką.

Przeprowadziłam się do Nowego Jorku i zamieszkałam w małym mieszkanku przy moście Queensboro z dwiema innymi dziewczynami. Gdy jednak „Time", „Newsweek" i „New Yorker" z bliżej nieokreślonego powodu nie zaoferowały mi pracy, zatrudniłam się w dziale reklamy salonu meblowego W. & J. Sloane. Z początku nawet mi się podobało, ale zarabiałam tylko dwadzieścia pięć dolarów na tydzień i żyłam w bardzo skromnych, wręcz biwakowych warunkach. W 1937 roku wróciłam do Pasadeny, by pomóc niedomagającej matce; dwa miesiące później mama zmarła na nadciśnienie. Miała zaledwie sześćdziesiąt lat.

Prowadziłam dom ojca, od czasu do czasu pracowałam ochotniczo w Czerwonym Krzyżu i miałam ogólne

Moja matka, Caro,
ze mną i Johnem

poczucie braku celu w życiu. Wiedziałam, że nie chcę zostać typową kurą domową ani pracownicą wielkiej korporacji, ale nie byłam pewna, co chcę robić. Na szczęście Dort niedawno wróciła z Bennington, więc zajęła się tatkiem, a ja pojechałam na wschód, do Waszyngtonu, gdzie miałam przyjaciół. Potem wybuchła wojna, a ja chciałam zrobić coś, żeby pomóc mojemu krajowi w czasie kryzysu. Byłam zbyt wysoka na to, aby zaciągnąć się do kobiecych służb ochotniczych, ale w końcu dostałam się do OSS i wyruszyłam w świat w poszukiwaniu przygód.

Bywałam nadmiernie emocjonalna, ale na szczęście miałam uporządkowany umysł i zdolności do selekcjonowania tego, co w życiu bardziej lub mniej potrzebne. Po pracy w jednostce ratownictwa morsko-powietrznego, gdzie wynaleźliśmy lusterko sygnałowe dla zestrzelonych pilotów i pracowaliśmy nad środkiem odstraszającym rekiny, oddelegowano mnie na Cejlon w charakterze szefowej archiwum. Prowadziłam tam

Charlie i Paul

kartotekę i przetwarzałam ściśle tajne materiały od naszych agentów.

Jeśli chodzi o Paula, to wraz z Charliem i ich siostrą, Meedą, dwa lata starszą od bliźniaków, wychowywali się w Brookline w stanie Massachusetts, małej mieścinie nieopodal Bostonu. Ich ojciec, inżynier elektryk, zmarł na dur brzuszny w 1902 roku, gdy chłopcy mieli zaledwie sześć miesięcy. Matka, Bertha Cushing Child, była śpiewaczką, teozofką i wegetarianką. W tamtym czasie wdowy miały niewielkie szanse znaleźć dobrą pracę, ale Bertha była piękna, miała długie włosy w kolorze złocistego miodu i wspaniały głos.

Istniała wówczas tradycja urządzania wykwintnych „wieczorków" w prywatnych mieszkaniach — spotkań z poezją, wykładów, seansów spirytystycznych i tym

podobnych. Paul grał na skrzypcach, Charlie na wiolon-
czeli, a Meeda na pianinie. Występowali wspólnie jako
Mrs. Child & the Children. W tamtym czasie Brook-
lyn roił się od świeżo przybyłych irlandzkich, włoskich
i żydowskich imigrantów, a gangi były czymś powsze-
dnim. Któregoś dnia nastoletni Paul i Charlie ubrani
w szare, flanelowe garnitury (których wprost nie zno-
sili), z instrumentami pod pachą, zostali napadnięci
w drodze na recital przez bandę zbirów. Chłopcy znali
judo, którego nauczyli się od japońskiego kamerdyne-
ra jednego z przyjaciół, i skutecznie odparli atak. Po latach Charlie napisze: „Wymachując instrumentami jak
niezgrabnymi toporami bitewnymi, wykrzykując mro-
żące krew w żyłach przekleństwa (…) ruszyliśmy do
boju. Brzdęk! — zaśpiewał smyczek na czyjejś czaszce

(...). Łup! — zagrała wiolonczela (...) Natarliśmy na wyjącego nieprzyjaciela niczym dwóch oszalałych samurajów". Paul i Charlie odnieśli zwycięstwo, ale gdy dotarli do matki, w podartych garniturach, z rozbitymi nosami i strzaskanymi instrumentami, nastąpił koniec kariery Mrs. Child & the Children!

Mimo braku wyższego wykształcenia uważałam Paula za intelektualistę, choćby dlatego, że miał prawdziwy głód wiedzy, był niezwykle oczytany, pisał poezję i zawsze starał się doskonalić umysł. Poznaliśmy się na Cejlonie w roku 1944. Paul przyjechał tam z indyjskiego Delhi, aby objąć szefostwo grupy Prezentacji Wizualnych przy OSS w Kandy. Stworzył tam dla generała Mountbattena tajne centrum dowodzenia i mapy takich miejsc, jak Droga Birmańska.

Urzędowaliśmy na uroczej, starej plantacji herbaty. Z okna mojego biura mogłam zaglądać do gabinetu Paula. Moja osobowość była ciągle jeszcze nieukształtowana. On był ode mnie dziesięć lat starszy i bardzo obyty w świecie. Zalecał się do wielu kobiet, lecz między nami z wolna rodziła się szczególna więź. Urządzaliśmy sobie wycieczki do miejsc takich, jak Świątynia Zęba, albo przejażdżki na słoniu do buszu (jeden ze słoni potrafił odkręcać kurki w kranie z wodą) i oboje interesowaliśmy się miejscową kuchnią i obyczajami. W przeciwieństwie do większości typów z armii USA nasi koledzy z OSS stanowili fascynującą gromadę złożoną z antropologów, geografów, misjonarzy, psychiatrów, ornitologów, kartografów, bankierów i adwokatów. Autentycznie interesowali się Cejlonem i jego mieszkańcami. „Aha! — powiedziałam sobie. — Oto człowiek, którego brakowało mi całe życie!"

Po Cejlonie Paul dostał przydział do Chungkingu, potem Kunmingu w Chinach, gdzie projektował wystrój kwatery dla generała Wedemeyera. Mnie również oddelegowano do Kunmingu — porządkowałam tam kartoteki OSS. Powoli zamienialiśmy się w parę. Uwielbialiśmy prostolinijnych Chińczyków, ich cudownie zatłoczone, hałaśliwe restauracje, i spędzaliśmy wiele godzin naszego wolnego czasu na degustowaniu różnych regionalnych potraw.

Z końcem wojny, po powrocie do Stanów, daliśmy sobie parę miesięcy, aby poznać się lepiej w cywilu. Odwiedziliśmy tatka i jego drugą żonę, Philę, w Pasadenie, a potem przemierzyliśmy kraj z zachodu na wschód i zatrzymaliśmy się na dłużej u Charliego i Freddie w Maine. Było lato 1946 roku; ja byłam w przededniu trzydziestych czwartych urodzin, a Paul miał czterdzieści cztery lata. Po kilku spędzonych tam dniach wzięliśmy głęboki oddech i oświadczyliśmy: „Mamy zamiar się pobrać!".

— Najwyższa pora! — odparowali Charlie i Freddie.

Ślub wzięliśmy we wrześniu 1946 roku — niesłychanie szczęśliwi, choć nieco potłuczeni po kraksie samochodowej, którą przeżyliśmy dzień wcześniej.

Gdy wróciliśmy z Paulem z Anglii, aby w Paryżu powitać nowy, tysiąc dziewięćset pięćdziesiąty rok, prawie rozpłakałam się z ulgi i radości. Jakże uwielbiałam uroczą, naturalną Francję, z jej ludzkim ciepłem, cudownymi zapachami, wielkodusznością, przytulną atmosferą i duchową wolnością!

Paryskie sklepy były o tej porze roku pełne towarów dla najwybredniejszych klientów. Jednym z najsłynniejszych magazynów, dla „ludzi, których stać na wszystko", był Hermès. Marzyłam o jednym z tamtejszych słynnych, choć straszliwie drogich szali. Sklep był tak wytworny, że tylko dwa razy odważyłam się tam wejść. Nawet w najelegantszych ubraniach i pięknym kapeluszu czułam się w tych luksusowych wnętrzach jak stare straszydło.

Chciałam wyglądać szykownie i po parysku, ale przy moich grubych kościach i wielkich stopach nie mogłam się zmieścić w większość francuskich ubrań. Zakładałam więc proste spódnice *made in America*, bluzki, cienkie sweterki i płócienne tenisówki. Nieraz musiałam zamawiać rzeczy w sprzedaży wysyłkowej ze Stanów, zwłaszcza jeśli potrzebowałam, dajmy na to, eleganckiej pary butów. Któregoś wieczoru razem z moją przyjaciółką Rosie (Rosemary Manell) — inną dużą dziewczyną z Kalifornii — wystroiłyśmy się na wystawne przyjęcie w ambasadzie amerykańskiej. Uczesałyśmy się u najlepszego fryzjera, założyłyśmy najlepsze sukienki oraz najszykowniejsze kapelusze i zrobiłyśmy sobie najlepszy makijaż. Potem wzajemnie zmierzyłyśmy się wzrokiem.

— Nieźle — zabrzmiał werdykt. — Ale nie świetnie!

Spróbowałyśmy — było to najlepsze, na co było nas stać.

Zajęcia w Cordon Bleu ruszyły pełną parą w pierwszym tygodniu 1950 roku. Zastanawiając się nad tym wszystkim, czego od października się tu nauczyłam, zdałam sobie sprawę, że potrzebne mi były całe dwa miesiące intensywnej nauki, aby te lekcje do mnie dotarły. Albo może z a c z ę ł y docierać, bo im więcej się uczyłam, tym wyraźniej uświadamiałam sobie, ile się trzeba dowiedzieć, zanim można rzec, że wie się cokolwiek.

Wreszcie, po raz pierwszy w życiu, zrozumiałam, jak należy gotować. Uczyłam się nie szczędzić c z a s u (nawet godzin) i u w a g i na przygotowanie pysznego posiłku. Moi nauczyciele byli fanatycznie przywiązani do szczegółów i nie uznawali kompromisów. Bugnard wpoił mi wartość prawidłowej techniki — na przykład właściwego odwracania grzybów — a także wagę treningu, który czyni mistrza. „Z a w s z e warto się starać, *madame Szild!* — mawiał. — *Goûtez! Goûtez!*". („Proszę skosztować! Proszę skosztować!").

Oczywiście, robiłam mnóstwo głupich błędów. Z początku mnie to załamywało, ale z czasem zrozumiałam, że uczenie się tego, jak naprawiać swoje błędy albo je akceptować, to nieodłączny element procesu stawania się kucharzem. Zaczynałam czuć *la cuisine bourgeoise* rękami, żołądkiem i duszą.

W wolnych chwilach eksperymentowałam w domu. Stałam się kimś w rodzaju szalonego naukowca: na przykład całymi godzinami zgłębiałam tajemnice majonezu i chociaż zdawało się, że nikt nie podziela mego entuzjazmu, moim zdaniem temat był nadzwyczaj fascynujący. Gdy robiło się chłodniej, przygotowanie majonezu stawało się istną męczarnią, ponieważ składniki emulsji wciąż się rozdzielały. To samo działo się, kiedy zmieniała się temperatura oliwy albo powietrza w pomieszczeniu. Udało mi się nad nim zapanować dopiero wówczas, gdy wróciłam do początków całego procesu, przestudiowałam każdy etap od strony naukowej i opisałam go szczegółowo na papierze. Zdaje mi się, że przy okazji tych studiów napisałam więcej na temat majonezu niż ktokolwiek inny w historii. Robiłam go tyle, że prawie nie mogliśmy już z Paulem na niego patrzeć, więc musiałam wyrzucać partie testowe do sedesu. Co za strata! Ale dzięki temu odkryłam niezawodny przepis, który był moim prawdziwym triumfem!

Z dumą przepisałam go na maszynie, po czym wysłałam przyjaciołom i rodzinie w Stanach, z prośbą, aby go wypróbowali i podzielili się ze mną uwagami. Odpowiedzią była tylko głucha cisza. Hm! Miałam też do powiedzenia mnóstwo rzeczy na temat sosów, ale skoro nikt nie chce słuchać moich spostrzeżeń, co mi z doskonałego sosu *béarnaise* albo *gribiche*?

Czułam się dotknięta, ale nie zniechęcona. Zdążałam naprzód.

Zrobiłam świetnego *homard à l'américaine* — homara rozcina się i dusi w winie, pomidorach, czosnku i ziołach — dwa razy w ciągu czterech dni, a później prawie cały dzień spędziłam na poprawianiu przepisu na to danie. Chciałam, aby moja wersja była idealnie precyzyjna i przejrzysta — była to zresztą doskonała praktyka przed tym, co czekało mnie w mojej kulinarnej przyszłości. Na razie postanowiłam opracować tyle niezawodnych przepisów, by móc kiedyś rozpocząć własny kurs gotowania.

Odkryłam, że w miarę jak zagłębiałam się w gotowanie, głęboko zatopione wspomnienia z dzieciństwa zaczęły wypływać na powierzchnię pamięci. Przypominały mi się smaczne, choć proste potrawy gotowane przez naszych kucharzy w Pasadenie — wielkie połcie szynki albo szare rostbefy podawane z tłuczonymi kartoflami i masłem. Zupełnie niespodziewanie nawiedziły mnie też jeszcze głębiej ukryte wspomnienia bardziej eleganckich posiłków przyrządzanych z wielkim rozmachem przez znakomitych kucharzy w okresie, gdy byłam dziewczynką — na przykład cudownie delikatnej ryby w sosie. W dzieciństwie prawie nie zauważałam tych prawdziwych mistrzów, a teraz, znienacka, ich sztuka kulinarna przypomniała mi się w najdrobniejszych szczegółach. Zabawne są mechanizmy pamięci.

IV. PIERWSZA KLASA

Na murach po drugiej stronie ulicy od Ru de Lu pojawiły się krzykliwe żółte plakaty ze sloganami przekonującymi, że „Imperialistyczni Amerykanie" usiłują przejąć władzę we Francji: „Walczcie o Pokój!" itd.

W zimnowojennej polityce powiało takim chłodem, że byliśmy z Paulem na wpół przekonani, iż Rosjanie zaatakują Europę Zachodnią. Dręczyły go koszmary związane z możliwością ogólnoświatowej wojny nuklearnej. Zrobił się opryskliwy w pracy, uważał bowiem, że zajęcia, na które trwonił swoje dni, były trywialne w obliczu nieprzygotowania naszego kraju do wojny. Oświadczyłam mu, że jestem gotowa wejść na barykady i bronić *la belle France* i jej cudownych obywateli, takich jak *madame* Perrier, Hélène Baltrusaitis, Marie des Quatre Saisons i Bugnard!

Większość amerykańskiej prasy krytykowała tymczasem Francuzów za to, że „siedzą, nic nie robią w sprawie komunistów i próbują załagodzić konflikt w Indochinach". To był absurd — Francja wciąż znajdowała się w stanie powojennego szoku: w czasie okupacji utraciła setki tysięcy żołnierzy, miała minimalną produkcję przemysłową, a za to dużą i świetnie zorganizowaną komunistyczną piątą kolumnę, z którą musiała sobie radzić. A teraz na dodatek pogrążyła się w paskudnej, beznadziejnej wojnie w Indochinach. Rząd Francji wierzył, że walcząc o tamtejsze poletka ryżowe, „ratuje życie wszystkim innym niekomunistycznym narodom". Wojna okazała się jednak kosztowna i niepopularna. W istocie to USA dostarczały Francji broni, która pozwalała na kontynuowanie działań zbrojnych i podgrzewała antyamerykańskie nastroje na ulicach. Przez kraj przetoczyła się fala strajków i zamieszek. Łatwo było Amerykanom krytykować z oddali, ja jednak nie umiałam sobie wyobrazić, jaki inny tryb postępowania mogli obrać Francuzi: musieli brnąć przez tę wojenną zawieruchę dzień po dniu i wierzyć, że wszystko dobrze się skończy.

Do tych, którzy lubili krytykować Francję bez krzty zrozumienia dla autentycznej sytuacji tego kraju, należeli między innymi moi rodzice, Big John i Phila, znani pod wspólną nazwą „Philatatki". Dort i ja postawiłyśmy sobie za punkt honoru zmienić ten stan rzeczy i zaprosiłyśmy ich w odwiedziny. Chciałyśmy pokazać im trochę prawdziwego życia i ludzi, których uważałyśmy za serdecznych i przyjacielskich. Później miałyśmy zwiedzić z nimi Włochy (Paul nie chciał poświęcać teściom swego cennego urlopu i, po prawdzie, nie miałam mu tego za złe).

Gdy przyjechali i rozgościli się w Ritzu, zauważyłam, że ojciec wygląda jak *un vieillard*, staruszek, do którego nigdy nie był podobny. Wygłaszał długie tyrady po angielsku o amerykańskim biznesie i rolnictwie, które wprawiały w konsternację naszych francuskich przyjaciół. On i Phila jedli tylko proste dania, żeby uniknąć rozstroju żołądka. Przygotowałyśmy się z Dort na najgorsze, ale Philatatki okazali się zdumiewająco łagodni i sympatyczni.

10 kwietnia nasza czwórka McWilliamsów wyruszyła w niespieszną podróż do Włoch, w stronę Neapolu. Główne francuskie autostrady pełne były jeżdżących po wariacku ciężarówek i turystów z nosami wetkniętymi w przewodniki Michelina, trzymaliśmy się więc bocznych dróg. Gdy dotarliśmy do Morza Śródziemnego, na widok kolorów, palm i fal ścisnęło nas w dołku. W końcu byliśmy Kalifornijczykami.

Nie tak wyobrażałam sobie jednak prawdziwą podróż. Phila chciała zwiedzać wszystkie te modne

Phila i tatko

miejsca, o których czytała w amerykańskich gazetach,
ale w istocie nie obchodziło jej, gdzie jesteśmy. Tatka
ciekawiło głównie to, jak Francuzi zarabiają pieniądze.
Wolał wieś od miasta, ale dokuczała mu sztywność
w stawach i nie mógł dużo chodzić. Zabytki, kultura,
jedzenie czy wino kompletnie go nie interesowały: gdy
mijaliśmy rzymski łuk w mieście Orange, wymamrotał
tylko: „Rzymski, powiadasz? Hm…".

Dort i ja zaczęłyśmy się niecierpliwić: całymi dniami tylko jazda i jazda, jedzenie, potem jazda, potem znowu jedzenie w naj-najwykwintniejszych restauracjach i spanie w naj-najwspanialszych hotelach. Do licha! Miałyśmy wrażenie, że nigdzie naprawdę nie byłyśmy ani nic nie robiłyśmy, bo chodziło tylko o to, aby Philatatki mogli wrócić do Pasadeny i ogłosić: „Właśnie zaliczyliśmy Francję i Włochy!". Jeśli mam być szczera, wcale nie podobało mi się to podróżowanie „pierwszą klasą". Owszem, przyjemnie było mieć w hotelu własną łazienkę i doskonałą obsługę przy śniadaniu; wiedziałam, że pewnie nigdy więcej nie zagoszczę w tych wytwornych hotelach, ale żadna z tych rzeczy nie wydawała mi się dość z a g r a n i c z n a. Wszystko to było tak przyjemnie nijakie, że czułam się, jakbym wróciła na pokład SS „America". Nie lubię, kiedy wszyscy mówią perfekcyjną angielszczyzną; już wolę męczyć się z rozmówkami.

Miłym zaskoczeniem był Hôtel de Paris w Monte Carlo: olbrzymi, staroświecki, bogato zdobiony budynek naprzeciwko Kasyna. Co za gratka! Hotel miał wspaniałą jadalnię w stylu Ludwika XVI, z czarno-białymi filarami z marmuru kararyjskiego, złoceniami, kupidynami, malowidłami ściennymi przedstawiającymi gibkie nagie dziewoje przy fontannach w zalesionych dolinach, przewspaniałe, dwudziestopięciometrowe żyrandole, orkiestrę smyczkową, która grała walce wiedeńskie, i tak dalej. Szczegóły te mogą wprawić w oszołomienie, ale wszystko razem wzięte dawało efekt nostalgicznej elegancji. Kolacja, którą tam zjedliśmy, była wyborna, a obsługa — czyli kierownik sali, dwóch jego zastępców, dwóch kelnerów i pomocnik kelnera na każdy stolik — nie budziła zastrzeżeń. Zdawało się, że przenieśliśmy się w czas Złotej Epoki.

Włochy były sympatyczne. W przystani w Portofino zacumowany był ogromny lśniący jacht, który kontrastował ze zniszczonym wojną wybrzeżem. Nawet wielka autostrada z Pizy do Florencji była wciąż zrujnowana, wielu mostów i estakad nie zdążono jeszcze odbudować. Kraj wydawał się pogrążony w ubóstwie. Jedzenie też nie zrobiło na mnie większego wrażenia; brakowało mu finezji. Może dlatego Italia nie wzbudziła we mnie takich wibracji jak Francja. A może dlatego, że nie mogłam znieść rozłąki z mężem.

Oboje z Paulem lubiliśmy podróżować w tym samym, ślimaczym tempie. Paul zawsze wiedział tyle o różnych rzeczach, odkrywał tajemne cuda, zauważał starożytne mury albo lokalne zapachy. Tęskniłam za jego ciepłą obecnością. Dawno, dawno temu samotność sprawiała mi przyjemność, a teraz nie potrafiłam jej znieść!

Mimo to naprawdę chciałam, aby Philatatki dobrze się bawili na tej superluksusowej wycieczce, i starałam się jak diabli być taka, jaką chcieli mnie widzieć: miła, uległa i tępa, pozbawiona myśli i uczuć.

Florencję, Rzym, Sorrento, Neapol i Como załatwiliśmy migiem. Po trzydziestu minutach w pałacu Pittich tatko oświadczył, że czuje się „wyedukowany". Biedaczysko nie mógł się doczekać powrotu do Kalifornii.

— Nie mogę się dogadać z tymi ludźmi, szwendam się tylko po ulicach — gderał. — W kraju jest mi dobrze, mam ładny dom, przyjaciół, mogę mówić w swoim języku.

Uderzyło mnie, jak dalece odeszłam od starego tatka i jemu podobnych — ludzi majętnych, z materialistycznym nastawieniem i niezdolnych do głębszej refleksji; w jak głęboki, potworny, ogłupiający letarg wprawił mnie jego światopogląd! Nic dziwnego, że w Smith College byłam taka niedojrzała!

3 maja, po powrocie do Paryża, rzuciłam się Paulowi na szyję i z całej siły się do niego przytuliłam.

Wróciłam do Cordon Bleu i swojego codziennego harmonogramu, który w dni powszednie zaczynał się o szóstej trzydzieści rano, a kończył około północy, jednak byłam coraz bardziej niezadowolona z mojej szkoły. 150 dolarów czesnego to bardzo dużo, a *madame* Brassart nie przywiązywała większej wagi do szczegółów organizacyjnych: na wielu zajęciach panował chaos, a instruktorom brakowało podstawowych produktów. Na dodatek po sześciu miesiącach intensywnego szkolenia żaden z jedenastu chłopaków z mojej klasy nie znał proporcji składników do beszamelu ani nie potrafił prawidłowo wypatroszyć kurczaka. Nie traktowano nas poważnie, i to mnie irytowało.

Nawet Bugnard zaczął powtarzać takie dania, jak *sole normande*, *poulet chaud-froid*, kurczak w galarecie, omlety czy *crêpes Suzette*. Gotowanie w kółko tych samych potraw pozwalało nabrać wprawy i w końcu nauczyłam się bez wysiłku robić porządne kruche ciasto.

Ale chciałam też, by stawiano przede mną większe wyzwania. Tyle było jeszcze do nauczenia!

Bugnard, jak podejrzewam, dyskretnie monitorował moje postępy, a teraz uwierzył we mnie na tyle, że zaczął brać mnie na stronę i pokazywać rzeczy, których nie pokazywał „chłopcom". Tym razem zabrał mnie do Les Halles i osobiście przedstawił swoim ulubionym dostawcom mięsa, warzyw i win.

Postanowiłam chwilowo dać sobie spokój z Cordon Bleu, lecz nie chcąc tracić rozpędu, w dalszym ciągu uczęszczałam na popołudniowe pokazy (po dolarze za każdy) i zaliczałam tyle pokazów cukierniczych (1,99 dolara za jeden), ile mogłam. Poza tym bezustannie eksperymentowałam przy piecu w domu. Od czasu do czasu Bugnard przychodził nieoficjalnie do 81 i dawał mi prywatną lekcję gotowania.

Uwielbiałam kuchnię francuską między innymi za to, że potrafiła rozwinąć podstawowe tematy w nieskończoną, jak się zdawało, liczbę wariacji — ziemniaki zapiekane w sosie można było przyrządzić na przykład z mlekiem i serem, z marchewką i śmietaną, z bulionem wołowym i serem, z cebulą i pomidorami — i tak dalej, i tak dalej. Chciałam wypróbować wszystkie wersje i udało się. Potrafiłam już robić profesjonalnie różne rzeczy, na przykład prawidłowo przygotować rybę na trzynaście sposobów, a także używać specjalistycznego słownictwa kulinarnego — *petit dés* to warzywa „pokrojone w małe kosteczki"; *douille* to blaszana końcówka rękawa cukierniczego, przez którą wyciska się masę do dekorowania tortu.

W tym moim szaleństwie była metoda: przygotowywałam się do egzaminu końcowego. Madame Brassart pozwoliła mi przystąpić do niego w wybranym
przeze mnie terminie. Byłam zdecydowana spisać się
najlepiej, jak to możliwe. Jeśli chciałam otworzyć własną restaurację albo szkołę gotowania, któż mógł po-
twierdzić moje kwalifikacje lepiej niż francuski Cordon
Bleu z Paryża?

Wiedziałam, że muszę doskonalić umiejętności,
aż wszystkie przepisy i techniki opanuję do perfek-
cji i będę potrafiła zastosować je w praktyce w sytuacji stresowej. Perspektywa egzaminu nie przerażała
mnie. Jeśli mam być szczera, cieszyłam się na myśl
o nim.

V. DZIEŃ BASTYLII

„ÇA Y EST! C'EST FAIT! C'est le quator-zuh juillet!" — ta rewolucyjna przyśpiewka ma po francusku dość chwytliwy rytm, ale w dosłownym tłumaczeniu traci sens. Ja tłumaczę ją sobie mniej więcej tak: „Hurra! Udało się! Czternasty lipca!".

Ach, ta furia Rewolucji Francuskiej, gdy ludzie ulicy rzucili się szturmem na znienawidzone symbole monarchii, zwłaszcza więzienie w Bastylii, które rozebrali, kamień po kamieniu, i rozwieźli po całym mieście. Niektóre z tych kamieni wbudowano w fundamenty rue de l'Université 81.

Latem 1950 roku Charlie i Freddie z trójką dzieci — Ericą, Rachel i Johnem — w końcu przyjechali do nas w odwiedziny. Spełniło się nasze marzenie o tym, by wspólnie spędzić czas w Paryżu. Niewiele wcześniej zatrudniliśmy z Paulem nową *femme de ménage*. Kiedyś wyobrażałam sobie francuskie służące jako szykowne istotki w wykrochmalonych, białych fartuszkach, jakby wycięte z magazynu „Vogue". Ku-Ku zmieniła to wyobrażenie, a nasza najnowsza pomoc domowa, Jeanne, na zawsze je pogrzebała. Była drobniutką kobietką z rozwichrzonym włosem i lekkim zezem rozbieżnym, a także dziecinnym umysłem, który często wędrował na manowce.

Jeanne była pracowita i stuprocentowo lojalna; szybko zaprzyjaźniła się z Minette, a gdy wydawaliśmy przyjęcia, emocjonowała się nimi nawet bardziej niż my. Mimo to nazywaliśmy ją „Jeanne-la-folle" („szaloną Jeanne"), ponieważ wyglądała na trochę obłąkaną i czasem też się tak zachowywała.

Jeanne-la-folle

W samym środku lata nagle okazało się, że w żadnej z ubikacji w domu nie da się spuścić wody. Ponieważ był to stary dobry Paryż, oczywiście nie mogliśmy znaleźć *plombier*, który zgodziłby się tym zająć. Wreszcie, po kilku bardzo niekomfortowych dniach, pomoc nadeszła. Po długiej, morderczej szarpaninie z rurą ściekową naszej toalety hydraulik odkrył, że głęboko w jej wnętrzu utknęła puszka po amerykańskim piwie. Gdy zapytałam Jeanne-la-folle, czy to ona wrzuciła ją do sedesu, odparła: *„Mais oui — je rejete TOUJOURS les choses dans les toilettes! C'est beaucoup plus facile, vous savez"*. „Ależ tak, ja zawsze wyrzucam rzeczy do toalety. To dużo prostsze, wie pani". Hm. Koszt naprawy: sto dolarów.

Na wieczór w dniu Bastylii, 14 lipca, zaplanowaliśmy uroczystą kolację przed tradycyjnymi fajerwerkami. *Pièce de résistance*, popisowym daniem naszego posiłku miała być cielęca *ballottine*: nadziewana i zwinięta w roladę cielęcina, podana na gorąco z wyśmienitym sosem. Dwa dni przed ucztą przygotowałam z Jeanne-la-folle sporo doskonałego bulionu cielęcego w stylu Escoffiera. Był to najlepszy i najbardziej pieczołowicie przyrządzony bulion w moim życiu. Następnie sporządziłyśmy wyszukany farsz, na który złożyła się solidna porcja *foie gras*, gęsich wątróbek, siekane pieczarki, koniak, madera i blanszowana boćwina, która miała posłużyć do dekoracji. Potem nadziałyśmy mięso farszem, starannie owinęłyśmy je w czyste płótno i wstawiłyśmy na noc do lodówki. Część bulionu wykorzystałam też do ugotowania pierwszorzędnego sosu z madery z truflami. Wieczorem trzynastego przygotowałyśmy wszystko, co dało się przygotować, bo Jeanne wyjeżdżała świętować dzień Bastylii z rodziną na wsi. Tak się przejęła naszą imprezą, że nie mogła spać w nocy.

Rankiem 14 lipca siedmioro Childów wstało z łóżek i wcześnie wyruszyło na trasę parady. Przemaszerowaliśmy przez most Zgody i w górę Pól Elizejskich, aby zająć strategiczne pozycje w pierwszym rzędzie, tuż za Rondem. Na szczęście przybyliśmy, zanim jeszcze wzdłuż alei zgromadził się wielki tłum. Wreszcie usłyszeliśmy muzykę wojskową, a żołnierze zaczęli falami przesuwać się w dół Pól Elizejskich. Były orkiestry wojskowe różnych formacji, pułki francuskiej piechoty w odświętnych mundurach, grupy wielbłądów, kolorowi żołnierze afrykańscy w strojach narodowych i na pięknych koniach, a także oficerowie francuskiej kawalerii w zdobnych uniformach, na koniach, które unosiły wysoko kopyta. Co jakiś czas przejeżdżała obok armata, a stada myśliwców pikowały i przelatywały nisko z ogłuszającym hukiem.

Tłumy wiwatowały, klaskały i witały każdą przechodzącą grupę pełnym podziwu: *„oh la la!"*. Była to prawdziwa parada, żywy i, jak się zdawało, spontaniczny wybuch patriotycznej dumy. Erica, Rachel i John byli zachwyceni spektaklem i jego egzotycznością.

Nasi goście tworzyli grupę około dwudziestu osób. Przyjęliśmy ich tego wieczoru w naszym mieszkaniu. Kilkoro z nich stanowiło relikty z dawnych, nie moich czasów, a konkretnie lat dwudziestych, kiedy to Paul, Charlie i Freddie należeli do paryskiej cyganerii. Jedną z takich par byli Samuel i Narcissa Chamberlainowie.

Samuel był grafikiem i autorem publikacji na tematy okołokulinarne, w tym książki *Clementine in the Kitchen*, uroczych wspomnień z życia amerykańskiej rodziny we francuskiej wiosce, z nadzwyczajną *femme de ménage*, Clementine, która w dodatku świetnie gotowała. Narcissa współpracowała z mężem przy opracowywaniu przepisów. Tego wieczoru odwiedziła nas także zwiewna, ruchliwa jak szczygieł osóbka w jasnobrązowej plisowanej spódnicy z miękkiego chińskiego jedwabiu i kapeluszu z szerokim rondem w podobnym kolorze. Była taka malutka, że kapelusz zupełnie skrywał jej twarz — dopiero gdy podniosła głowę, zorientowałam się, że to Alice B. Toklas. Zdawało się, że ciągle zjawia się niespodziewanie to tu, to tam, w różnych miejscach Paryża. Wypiła lampkę wina przed kolacją i znikła.

Po słusznej ilości szampana i licznych toastach przypuściliśmy szturm na bufet. *Ballottine*, ugotowana we wspaniałym bulionie cielęcym i pozostawiona w nim na dłużej dla wzmocnienia smaku, podana z sosem z trufli, zrobiła wielką furorę. Patrząc, jak moja rodzina i przyjaciele z radością rozkoszują się posiłkiem i delektują każdą kropelką sosu, wzbogaconego przez bukiet smaków *ballottine*, w cichości serca obdarzyłam siebie najwyższym francuskim komplementem kulinarnym: *impeccable*. Bezbłędna.

A tu już prawie pora na ognie sztuczne! Po kolacji i deserze w postaci pięknego ciasta z musem czekoladowym i obwódką z bezy, który kupiłam w pobliskiej, bardzo eleganckiej cukierni przy rue du Bac, szybko, pobieżnie posprzątaliśmy. Charlie i Paul kategorycznie stwierdzili, że zajmą się stertami brudnych naczyń w kuchni na trzecim piętrze, a reszta z nas zostanie w salonie na dole. Kiedy wrócili, zarumienieni z wysiłku, wyruszyliśmy na Montmartre obejrzeć fajerwerki.

Impreza zaczęła się w spokojnym tempie, w niebo wystrzelała łukiem jedna raca po drugiej, dając nam czas na kontemplację ich artyzmu. Tłum witał lśniące iskierki okrzykami zachwytu. Tempo powoli rosło, aż wreszcie, po bukiecie szybkich eksplozji, nastąpił finał w postaci trzech potężnych armatnich wystrzałów. W tłumie zapadła pełna podziwu cisza. Potem rozległy się westchnienia ukontentowania, a ludzie zaczęli odchodzić w ciepły mrok nocy. Zdawało się, że sama Francja wreszcie się budzi i otrząsa z wojennych koszmarów.

Dołączyliśmy do gromady świętujących, schodzącej wzgórzem Montmartre. Gdy dzieci położyły się do łóżek, poszłam do kuchni dokończyć sprzątanie. Chłopcy spisali się wspaniale przy szorowaniu talerzy w naszym wielkim kamiennym zlewie. Tylko co zrobili z odpadkami? Powiodłam wzrokiem po kuchni: po ugotowaniu *ballottine* postawiłam wielki garnek na podłodze do ostygnięcia. Spojrzałam w jego stronę pełna złych przeczuć i już wiedziałam: wywalili wszystko do mego bezcennego, cudownego, niepowtarzalnego, niezrównanego bulionu cielęcego!

Westchnęłam. Stało się, nic na to nie poradzę. Mogłam tylko płakać w skrytości serca. Postanowiłam nie wspominać o sprawie — albo w ogóle puścić ją w niepamięć.

VI. AMERYKAŃSKI ŻOŁĄDEK W PARYŻU

We wrześniu 1950 roku Paul zaczął skarżyć się na tajemnicze bóle w plecach i klatce piersiowej, nie sypiał
dobrze i wciąż miewał mdłości. Na ogół czekał, aż dolegliwości miną same, lecz tym razem jakoś nie dawały
mu spokoju. Lekarz ambasady zdiagnozował „miejscowe schorzenie" serca i nadwerężonych nerwów, zapewne w następstwie wypadku, któremu Paul uległ kiedyś
w czasie treningu judo.

— Możliwe — stwierdził bez przekonania mój mąż,
wzruszając ramionami.

Poszedł do francuskiego lekarza, doktora Wolfra-
ma, który akurat był specjalistą od chorób tropikal-
nych. Wolfram przejrzał dokumentację medyczną
Paula od czasów Cejlonu przez Chiny do Waszyngtonu, bynajmniej nie wskazującą, jakoby jego pacjent
cierpiał na jakąś chorobę tropikalną. Ale po zmierze-
niu jego wątroby i śledziony orzekł, że objawy wska-
zują na czerwonkę pełzakowatą, spotykaną dość często u byłych mieszkańców kolonii francuskich. Ostre,
tajemnicze bóle w piersiach i plecach były zapewne
skutkiem nagromadzenia gazów produkowanych
przez pasożyty w jelitach. Mąż był sceptyczny, ale
po dalszych badaniach doktor Wolfram potwierdził
obecność aktywnych ameb w jego organizmie. Lecze-
nie obejmowało serię zastrzyków, kurację farmakolo-
giczną i ścisłą dietę. Paul marzył o *rognons flambés*, pło-
nących cynaderkach, ale nie wolno mu było pić wina
ani innych alkoholi, jeść tłustych sosów oraz innych
tłustych potraw. Wyrafinowana tortura: mieszkać

w Paryżu z kucharką i nie móc skosztować ani kęsa smacznego jedzenia.

Bóle brzucha dokuczały także i mnie. Od wycieczki do Włoch z Philatatkami mój żołądek przestał być odlaną z mosiądzu, wzmocnioną żelazem machiną, pozwalającą na jedzenie i picie wszystkiego w każdej ilości, miejscu i czasie. Napady dziwnych dolegliwości zdarzały mi się przez cały nasz pobyt we Francji. „To pewnie od wody" — powtarzałam sobie, ale gdy nagłe napady nudności i gazów zaczęły się powtarzać, stwierdziłam: „Aha — wreszcie jestem w ciąży!".

Próbowaliśmy, ale nie wiedzieć czemu, nasze wysiłki nie przynosiły skutku. Było to smutne, ale nie rozmyślaliśmy nad tym zbyt długo i nigdy nie rozważaliśmy adopcji. Tak bywa. Czerpaliśmy z życia pełnymi garściami. Ja ciągle gotowałam i snułam plany kariery w gastronomii. Paul — po latach pracy wychowawcy i nauczyciela — stwierdził, że czasu, który spędził z młodocianymi, wystarczy mu na całe życie. I już.

Francuski lekarz zdiagnozował moje ciągłe mdłości jako stary dobry *crise de foie* — atak wątroby, czyli „syndrom amerykańskiego żołądka w Paryżu". Kuchnia francuska to ewidentnie zbyt duże obciążenie dla większości amerykańskich układów trawiennych. Gdy przypominam sobie to rozkoszne obżarstwo, jakiemu się wtedy oddawaliśmy, nie dziwi mnie ta diagnoza. Niemal codziennie nasz lunch składał się z czegoś w rodzaju *sole meunière*, soli w sosie maślanym, *ris de veau à la crème*, grasicy cielęcej w śmietanie, i pół butelki wina. Na obiad były na przykład *escargots*, ślimaki, *rognons flambés*, płonące cynaderki, i drugie pół butelki wina. A potem niezliczone aperitify, koktajle i koniaki. Nic dziwnego, że się rozchorowałam! W dobrych restauracjach nawet marchewkę i cebulę do zupy marchewkowo-śmietanowej przysmażano na maśle przez dziesięć do piętnastu minut.

Niestety, nawet gdy przeszłam na lżejszą dietę i zaczęłam dużo wypoczywać, dolegliwości z nadmiarem gazów nie ustały. Słysząc to, doktor Wolfram stwierdził, że istnieje duże prawdopodobieństwo, że ja także złapałam coś w Azji podczas wojny. Zaaplikował mi kurację na dyzenterię i jeszcze bardziej ograniczył dietę. To ci kabała!

Paul, wraz z amerykańskim attaché kulturalnym Lee Bradym, urządzali szereg fascynujących wystaw w ambasadzie, między innymi obrazów Grandma Moses, fotografii tancerzy z Muzeum Sztuki Nowoczesnej oraz zbiorów amerykańskich sztychów i grafik. Żeby zorganizować taką wystawę, mój mąż musiał być zarazem dyplomatą, panienką lekkich obyczajów i łobuzem, bo tylko taka kombinacja pozwalała skutecznie lawirować między diametralnie różnymi stylami francuskiej i amerykańskiej biurokracji.

Indywidualizm i „rzemieślnicze" podejście Francuzów zbijało z tropu Amerykanów, których Paul nazywał „panienkami Planu Marshalla". Gdy amerykańscy eksperci zaczynali podsuwać „pomocne" sugestie, jak to Francuzi mogliby „zwiększyć produktywność i zyski", przeciętny Francuz wzruszał ramionami, jakby

Paul oprowadza po swojej wystawie

chciał powiedzieć: „Te wasze pomysły są niezwykle fascynujące, bez wątpienia, ale pracuje nam się dobrze, i to nam wystarcza. Wszyscy zarabiają przyzwoite pieniądze, nikt nie choruje na wrzody. Ja mam czas, żeby pracować nad monografią o Balzaku, a mój brygadzista z pasją hoduje grusze na treliażu. Właściwie nie mamy ochoty wprowadzać zmian, które nam proponujecie".

Amerykanie nie potrafili nawet w y s t r a s z y ć Francuzów na tyle, aby ci zmienili swoje stare obyczaje. Dlaczego mieliby rujnować skromny, ale wystarczająco skuteczny mechanizm, który się wszystkim podobał, i patrzeć, jak przejmują go komuniści? Francuzi osobiście czuli się patriotami, ale byli zbyt wielkimi indywidualistami, aby stwarzać nowy system, który przyniesie korzyść całemu narodowi, i mieli wątpliwości co do kosztów nowej machiny, tego całego „szybciej-szybciej-szybciej", wpisanej w zmiany niepewności, i tak dalej.

To zderzenie kultur było dość zabawne, i chociaż pod względem temperamentów bliżej nam było z Paulem do podejścia francuskiego niż amerykańskiego, też padliśmy jego ofiarą. Kiedyś francuski znajomy zaprowadził nas do cudownej małej kafejki na Prawym Brzegu (z rodzaju tych ustronnych miejsc, do których znalezienia trzeba lokalnego przewodnika) i przedstawił właścicielce. „Przyprowadziłem pani nowych klientów!" — zaanonsował mnie i Paula z dumą. *Madame* ledwo zaszczyciła nas spojrzeniem i machnęła ręką ze słowami: „O nie, ja mam już dość klientów…". Taka odpowiedź w USA byłaby nie do pomyślenia.

Pod koniec 1950 roku Lee Brady dostał nagłe wezwanie do Sajgonu jako urzędnik do spraw publicznych (PAO) odpowiedzialny za działalność USIS w Indochinach — zaiste trudna i niebezpieczna misja. Wiedział, że będzie zmuszony współpracować z reżimem Bao Daia, który bynajmniej nie został wybrany demokratycznie. Paul denerwował się, że USA często mimo woli popierały nieodpowiednich ludzi — króla Jerzego w Grecji, Czang Kaj-szeka w Chinach, Tito w Jugosławii, a teraz Bao Daia. Co miał powiedzieć wysłannik rządu amerykańskiego, gdy komuniści twierdzili, że jego rząd wspiera marionetkę, dyktatora albo jakieś inne monstrum?

VII. ARTYŚCI

Był zimny październik, ale trwał właśnie sezon na wspaniale soczyste i aromatyczne paryskie gruszki i mimo delikatnych żołądków jadaliśmy je na śniadanie, z miseczką płatków i bakalii. Popijaliśmy to wszystko chińską herbatą, która działała mniej toksycznie na nasze układy trawienne niż kawa.

Zrobiło się okropnie zimno, a ja nie cierpiałam chłodu. Woda w rynsztokach jeszcze nie zamarzła, choć powinna, bo były trzy stopnie poniżej zera. Trzeba było prawdziwej odwagi, aby wyjść z naszego ciepłego (powiedzmy) salonu i zaryzykować spacer po wyziębionym domu, gdzie nasze oddechy zamieniały się w parę. Co roku o tej porze nie mogłam przestać myśleć o naszym cieplutkim domku w Waszyngtonie: naciskałeś guzik, a cały budynek rozgrzewał się dosłownie w pięć minut. Ale też napominałam siebie, że miałam takie wygodne życie — nigdy nie zaznałam Głodu ani prawdziwego Strachu i nie musiałam żyć pod obcasem Wroga, iż dobrze było zyskać pojęcie o tym, przez co przechodzi tak wielu ludzi na świecie.

7 listopada 1950 roku obchodziliśmy drugą rocznicę naszego pobytu w Paryżu. Spontanicznie postanowi-

liśmy sprawić sobie przyjemność wycieczką do jednej z naszych ulubionych restauracji, Restaurant des Artistes, niedaleko Sacré-Cœur. Przy Izbie Posłów wskoczyliśmy do metra jadącego na plac Pigalle, a stamtąd przeszliśmy kilka przecznic w kierunku wzgórza Montmartre. Przystanęliśmy po drodze, aby obejrzeć zdjęcia nagich dziewczyn przed Les Naturistes. Gdy patrzyliśmy sobie na śmieszne zdjęcie przedstawiające dziewczęta stojące w szeregu, tyłem do aparatu, unoszące spódnice i pokazujące rząd nagich pośladków, pewien młody wygadany naganiacz usilnie nas przekonywał, chyba w pięciu językach (po francusku, niemiecku, włosku, angielsku i w jakiejś dziwnej mowie, chyba po turecku), o czekających w środku atrakcjach. Śmialiśmy się i szliśmy dalej aleją pełną strzelnic, machin testujących siłę mięśni i karuzel. Zatrzymaliśmy się, żeby wystrzelić dziesięć strzał z metalowej kuszy, a potem, na rue Lepic, skręciliśmy do restauracji.

Artistes było małym, schludnym lokalem z zaledwie dziesięcioma stolikami (w sumie około czterdziestu miejsc) w sali jadalnej, ale w jego piwnicach leżało jakieś pięćdziesiąt tysięcy butelek wybornych win. Jadalnia była ciepła i zawsze wypełniał ją boski zapach dobrego gotowania — odparowywanego właśnie bulionu rybnego z białym winem, jakiejś pychotki smażonej w najlepszym maśle oraz świeżego, lekko szczypiącego aromatu sałaty mieszanej z sosem winegret.

Przy wejściu, jak marnotrawnego syna i córkę, przywitali nas *monsieur* Caillon, *maître d'hôtel*, a zarazem właściciel, oraz jego żona, kasjerka. Ich młoda córka (szczęściara!) pracowała w kuchni z mistrzem Mangelatte, jednym z moich ulubionych instruktorów z Cordon Bleu. Mangelatte był drobnym, zasadniczym mężczyzną o ciemnych włosach i przenikliwych czarnych oczach. Karierę zawodową zaczął jako cukiernik i jak wielu jemu podobnych przeszedł metamorfozę w kucharza *sensu stricto*. Mangelatte miał zręczne dłonie i precyzję chirurga. Widziałam, jak sprawił kurczaka równo w cztery minuty.

Kolację zaczęliśmy o dwudziestej trzydzieści, od aperitifu w postaci chardonnay Blanc de Blanc i likieru z czarnej porzeczki. Przy sąsiednim stoliku siedziało małżeństwo zażywnych Belgów, którzy zajadali się plastrami *lièvre à la royale*, zająca po królewsku i popijali burgunda rocznik 1924 w przykurzonej butelce. Wdaliśmy się w pogawędkę na temat wina, a tymczasem podano nam pierwsze danie: *loup de mer*, okonia morskiego, nadziewanego koprem włoskim i upieczonego na węglu drzewnym. Wybraliśmy do niego cudne château Chalon, białe wino z Jury o barwie głębokiego topazu i interesującym smaku, trochę przypominającym manzanillę („Wytwarza się je z winogron, które zbiera się i suszy przez pół roku jak rodzynki" — poinformował nas *monsieur* Caillon). Potem Paul wziął dwa kotlety z sarniny z sosem winnym, który był tak mocny i esencjonalny, że wydawał się prawie czarny, z *purée* z kasztanów, a ja pieczone *alouettes*, skowronki, z sufletem ziemniaczanym. Do tego butelka Saint-Émilion rocznik 1937, a na koniec kawałek brie i kawa. Doskonały posiłek.

Około jedenastej w jadalni zostaliśmy tylko my. Mangelatte wyszedł z kuchni i dołączył do siedzących z nami przy stoliku Caillonów. Dyskutowaliśmy o francuskiej kuchni — Mangelatte stwierdził, że sztuka kulinarna w jego kraju powoli schodzi na psy. Postanowił temu przeciwdziałać i powołał do życia akademię profesjonalnych kucharzy, ograniczoną do pięćdziesięciu członków, której celem była popularyzacja klasycznej kuchni. Członkowie akademii pracowali nad kompendium klasycznych przepisów kulinarnych. Mangelatte miał nadzieję pozyskać sponsora, który umożliwi im przyznawanie nagród za nowe przepisy, tak jak w dziedzinie literatury czyni to Akademia Gouncourtów.

Gdy rozmowa nieuchronnie zeszła na temat Cordon Bleu, Mangelatte zdradził, że w jego odczuciu szkoła wyrządza wielką krzywdę profesji, bo jej dyrekcja skupia się na pogoni za pieniędzmi, zamiast na doskonaleniu umiejętności swoich wychowanków. Szkoła, jak przyznał Mangelatte, obniżyła standardy do tego stopnia, że czasem brakowało podstawowych artykułów spożywczych, choćby pieprzu czy octu, potrzebnych instruktorom do prezentacji. Trzeba było posyłać gońca do sklepiku za rogiem, żeby — za pieniądze szefa kuchni — kupił co trzeba! Jego akademia widziała miejsce dla konkurencyjnej szkoły, instytucji o najwyższych standardach, uczącej klasycznego zawodu.

Ogromnie podziwiałam Mangelattego za oddanie rzemiosłu i systematyczność, z jaką usiłował zapewnić kulinarnej tradycji ciągłość. Ale też przykro było patrzeć, jak nawet tak energiczny szef, o tak głęboko zako-

Toast na cześć Dort i Ivana

rzenionym poczuciu artyzmu, musi walczyć o ochronę dóbr francuskiej kultury i cywilizacji przed barbarzyństwem. W drodze do domu Paul lamentował, że gdyby tylko dowiedział się o istnieniu akademii kulinarnej szefów kuchni rok wcześniej, zapewne wpompowałby w nią fundusze ECA (ministerstwa do spraw współpracy gospodarczej zarządzającego Planem Marshalla) przeznaczone na turystykę; teraz, gdy uwaga Ameryki przeniosła się z masła na karabiny, było już za późno.

— Rzucałaś ostatnio jakimiś plackami? — takie były pierwsze słowa Ivana Cousinsa skierowane do Dort. Wybuchnęła śmiechem, ale nie mogła sobie przypomnieć, skąd zna tego człowieka.

Ivan był niskim, eleganckim, pochodzącym z Massachusetts, umuzykalnionym dżentelmenem o irlandzkich korzeniach. Przed wojną przyjechał w odwiedziny do przyjaciół w Bennington College w Vermont. W uniwersyteckiej stołówce zaobserwował, jak pewna wyjątkowo wysoka, szczupła i pełna werwy dziewczyna rzuca innej ciastem w twarz i z chichotem ucieka. Była to moja siostra.

Tym razem Ivan spotkał Dort w American Club Theatre w Paryżu, gdzie pracowała w biurze, a on sam niedawno zapisał się tam jako aktor. Pracował w ECA, wieczorami natomiast grywał w sztukach, na przykład w *Happy Journeys* Thorntona Wildera. W czasie wojny zaciągnął się na ochotnika do marynarki, gdzie dosłużył się stopnia komandora porucznika i dowodził kutrem torpedowym na Pacyfiku (pływająca mina omal nie wysadziła go w powietrze). Po wojnie jego przyjaciel z marynarki, poeta Lawrence Ferlinghetti — który sam siebie nazywał „Larry Ferling" — namówił go do przyjazdu do niego do Paryża — „dla odprężenia". W Paryżu Ivan zamieszkał u Ferlinghettiego i dołączył do barwnego tłumu imigrantów.

Dort i Ivan zaczęli się spotykać i spędzać czas w towarzystwie młodej, trochę pretensjonalnej cyganerii z teatru. Po jakimś czasie Paul i ja, czyli staruszkowie, zasugerowaliśmy, że dobrze by było, gdyby Dort miała wreszcie własny kąt. Zgodziła się, że już najwyższa pora, i znalazła sobie *garçonnière* (mieszkanko), którego nazwa wzięła się stąd, że rodziny wynajmowały je swoim synom (i ich przyjaciółkom) — przy

Boulevard de la Tour Maubourg. Znajdowało się na Lewym Brzegu, w pobliżu Pont Alexandre III i niedaleko Ru de Lu.

Do Bożego Narodzenia, które jak poprzednio spędziliśmy z Bicknellami w angielskim Cambridge, Paul odzyskał apetyt, w końcu przytył parę kilo i zaczął sypiać jak niedźwiedź. Moje kłopoty żołądkowe także zniknęły. W te ciche święta jedliśmy więc dużo miejscowych specjałów, na przykład szkockiego bażanta i ciasta nasączone najbardziej esencjonalnymi z esencji. W Wigilię ponownie zrobiłyśmy z Marie *soufflé Grand Marnier*, suflet pomarańczowy, który podałyśmy z château d'Yquem rocznik 1929. Wciąż była to idealna kombinacja, która stała się naszą świąteczną tradycją.

Do Paryża wróciliśmy tuż przed sylwestrem. Kwadrans po dziewiątej wzięłam gorącą kąpiel i położyłam się do łóżka z książką. Paul pisał listy. Kwadrans po jedenastej wznieśliśmy kieliszki napełnione Pouilly-Fumé, wypiliśmy za przyszłość, a potem poszliśmy spać.

VIII. NIESPODZIANKA

Pod koniec 1950 roku uznałam, że jestem gotowa do egzaminu końcowego i zawalczenia o dyplom z Cordon Bleu. Gdy jednak prosiłam *madame* Brassart o wyznaczenie daty sprawdzianu — z początku uprzejmie, potem z coraz większym naciskiem — ta zbywała mnie milczeniem. Szczerze mówiąc, działałyśmy sobie na nerwy. *Madame* Brassart zdawała się myśleć, że przyznawanie kursantom dyplomów to rytuał wprowadzenia w jakieś tajne stowarzyszenie; w efekcie na korytarzach szkoły unosił się smrodek zazdrości i podejrzliwości. Z mojej perspektywy *madame* Brassart miała braki w doświadczeniu zawodowym, była okropną administratorką i wiecznie wikłała się w jakieś błahe szczegóły i nieistotną politykę. Renoma Cordon Bleu sprawiała, że jej kursanci pochodzili z całego świata; brak wykwalifikowanej i kompetentnej dyrektorki szkodził szkole i mógł nadszarpnąć reputację kuchni francuskiej, a może i całej Francji, w oczach świata.

Byłam pewna, że uniki *madame* Brassart wiązały się z pewną drobną kwestią: pieniędzmi. Zdecydowałam się na „profesjonalny" kurs w suterenie, nie na kurs „ogólny" (droższy) na piętrze, który mi zarekomendowała, poza tym nigdy nie jadałam w szkole, więc nie zarobiła na mnie tyle, ile mogłaby zarobić. Wydawało mi się, że dyrektor szkoły powinien poświęcać mniej uwagi centymom, a więcej swoim uczniom, którzy w końcu byli — albo mogli zostać — jej największymi orędownikami.

Po daremnym oczekiwaniu na ustalenie daty egzaminu w marcu 1951 roku wysłałam *madame* Brassart surowy list, w którym zaznaczyłam, że „wszyscy moi amerykańscy przyjaciele, nawet sam ambasador USA", wiedzą, że „rano, w południe i wieczorem" tyrałam w Cordon Bleu. Nalegałam, aby egzamin odbył się przed moim kwietniowym wyjazdem w zaplanowaną wcześniej podróż do USA. Nadmieniłam, że jeśli w szkole nie znajdzie się odpowiednia sala, z przyjemnością przystąpię do egzaminu w mojej własnej, dobrze wyposażonej kuchni.

Mijał czas, a odpowiedź wciąż nie nadchodziła. Miałam tego po dziurki w nosie i wreszcie zwróciłam się o pomoc do Bugnarda. Zgodził się popytać, i oto *madame* Brassart niespodziewanie wyznaczyła datę mojego egzaminu na pierwszy tydzień kwietnia. Ha! Teraz mogłam spokojnie doskonalić technikę, zapamiętywać proporcje i przygotowywać się na każdy z możliwych sposobów.

W „wielki dzień" przyjechałam do szkoły, a egzaminatorzy wręczyli mi karteczkę z wypisanym na maszynie poleceniem: „Wymień składniki następujących dań na trzy osoby: *oeufs mollets avec sauce béarnaise, côtelettes de veau en surprise, crème renversée au caramel"*.

Popatrzyłam na kartkę z niedowierzaniem.

Czy pamiętałam, co to *oeuf mollet*? Nie. Jak mogłam przeoczyć coś takiego? (Później dowiedziałam się, że to jajka ugotowane na miękko i obrane). A *veau en surprise*? Nie miałam pojęcia (smażony kotlet cielęcy obłożony z obu stron siekanymi grzybami i plastrami szynki, a następnie wsadzony do papierowej torby — na tym polegała *surprise*, niespodzianka — i zapieczony w piekarniku). Czy pamiętałam dokładne proporcje kremu karmelowego? Nie.

Merde alors, flûte! Cholera, no!

Byłam w kropce. Nie miałam wyjścia, musiałam improwizować. Wiedziałam, że obleję praktyczną część egzaminu. Na egzaminie pisemnym zapytano mnie, jak robi się *fond brun*, wywar, jak gotuje się zielone wa-

Madame Brassart rozdaje dyplomy

rzywa i jak przyrządza sos *béarnaise*. Odpowiedziałam wyczerpująco i prawidłowo. Marna pociecha.

Byłam wściekła na samą siebie. Jak można nie pamiętać, co to *mollet*, ani tym bardziej szczegółów przyrządzania kremu karmelowego? Jednak co to *veau en surprise*, nie odgadłabym nigdy, bo ta papierowa torba to zwykłe wygłupy — szpanerskie danie z rodzaju tych, które dziewczyna zaraz po ślubie podałaby na swoim pierwszym przyjęciu, żeby zaimponować żonie szefa. Padłam ofiarą własnego romantyzmu: skupiłam się na przyswajaniu sobie znacznie trudniejszych przepisów — *filets de sole Walewska, poularde toulousaine, sauce vénitienne*. O, ja nieszczęsna!

Nie było pytań o skomplikowane dania albo sosy, ani dyskusji o tym, jakich technik i metod bym użyła. Chodziło o wykucie na pamięć prostych przepisów z książeczki wydanej przez Cordon Bleu, przeznaczonej dla początkujących kucharzy, do której nawet nie chciało mi się zaglądać. Ten egzamin był o wiele za łatwy dla kogoś, kto jak ja poświęcił szkole kulinarnej sześć miesięcy ciężkiej pracy, by nie wspomnieć o niezliczonych godzinach czasu wolnego, spędzonych na bazarach i przy kuchni.

Moje niezadowolenie sięgnęło szczytu, moja miłość własna odebrała dotkliwy cios, krew zawrzała mi w żyłach. Najgorsze, że sama byłam sobie winna!

Lamentowałam, że szkoła nigdy nie raczy przyznać mi dyplomu. Mnie, która potrafiła sprawić kurczaka równo w dwanaście minut! Mnie, która umiała nadziać solę farszem z troci i podać ją z sosem *au vin blanc*, tak doskonałym, że się *madame* Brassart nawet nie śniło! Co za nieszczęście!

Po południu tego samego dnia zakradłam się do kuchni w suterenie Cordon Bleu, otworzyłam szkolną książeczkę, odszukałam przepisy na dania z egzaminu — *oeufs mollets* z sosem *béarnaise, côtelettes de veau en surprise* i *crème renversée au caramel* — i przygotowałam je wszystkie z zimną, metodyczną furią. A potem je zjadłam.

ROZDZIAŁ TRZECI
Trzy łasuchy

I. LES GOURMETTES

W któryś kwietniowy piątek 1951 roku zaprosiłam osiem członkiń Le Cercle des Gourmettes na obiad na rue de l'Université 81. Gourmettes było ekskluzywnym kobiecym klubem dla smakoszy, powołanym do życia jeszcze w 1929 roku przez niektóre z żon członków przeznaczonego tylko dla mężczyzn Club des Cent (najlepszego męskiego stowarzyszenia gastronomicznego, liczącego najwyżej stu członków), celem pokazania, że kobiety też wiedzą coś o jedzeniu. Większość członkiń Gourmettes miała powyżej siedemdziesięciu lat, odpowiednie rodowody i była narodowości francuskiej — choć akurat przewodnicząca, *madame* Paulette Etlinger, okazała się dziarską amerykańską staruszką, która posługiwała się własną odmianą pół-angielskiego, pół-francuskiego. Panie spotykały się w co drugi piątek na lunchu albo obiedzie w modelowej kuchni, której użyczało im EDF (Électricité et Gaz de France) na *cours de cuisine*. Profesjonalny szef kuchni gotował i uczył, Gourmettes trajkotały i plotkowały, czasem pomagały przy obieraniu albo drylowaniu, a potem zasiadały do wspaniałego lunchu.

Wstąpiłam do klubu kilka miesięcy wcześniej, za namową *madame* Etlinger, która chciała mieć w nim więcej Amerykanek. Było to niesamowicie zabawne, bo poznałam tam wszystkie typy Francuzek i całkiem sporo się nauczyłam.

Namówiłam Gourmettes na lunch u nas w domu, ponieważ podobało mi się zaangażowanie tych kobiet i chciałam je lepiej poznać. Miałam też głębszy powód: pragnęłam pomóc Bugnardowi, który odchodził z Cordon Bleu i szukał pracy w gastronomii oraz chętnych do prywatnych lekcji. Nie przyznałam się nikomu, ale wymyśliłam sobie, że Bugnard przyrządzi tak imponujący posiłek, iż moje panie zapragną go zatrudnić.

Gourmettes traktowały siebie dość serio, więc gdy w pośpiechu odkurzałam i poprawiałam różne rzeczy, zauważyłam, że moja ulubiona ceramika z Aubagne nagle zrobiła się trochę zbyt rustykalna, a w miejscach, gdzie stara jak świat tapeta odchodziła od ścian, pojawiła się więcej niż jedna plama. Mieliśmy śliczny zestaw kieliszków do wina, ale musiałam pobiec na dół i pożyczyć porządne srebro stołowe od *madame* Perrier. Ledwo zdążyłam zapiąć wszystko na ostatni guzik, kiedy zadzwonił dzwonek do drzwi.

Osiem zaproszonych przeze mnie pań miało od około czterdziestu pięciu do siedemdziesięciu trzech lat. Wszystkie były Francuzkami, które *dans le temps*, swego czasu, wiodły eleganckie życie. Wszystkie patrzyły na mnie wymagająco i z wyczekiwaniem.

Bugnard zaczął od kraba utłuczonego z krewetkami, ziołami i majonezem, podanego w babeczkach z grzankami na wierzchu. Potem na stół wjechała fantastyczna *poularde Waterzooi*: kura uduszona w białym winie z bulionem, podana na pokrojonych w paseczki i podsmażonych wcześniej na maśle marchewce, porze i cebuli, i oblana sosem śmietanowo-jajecznym. Na wielki finał Bugnard podał zaś *crêpes Suzette flambées*, płonące naleśniki Suzette, które zaprezentował nam z wielkim, teatralnym rozmachem.

Po skończonym posiłku zachwycone Gourmettes rozsiadły się z uśmiechami zadowolenia na twarzach, zgodnie orzekając, że mój stary dobry szef kuchni sprawił się zaiste wspaniale.

W czasie gdy Gourmettes szły razem jeść, ich mężowie — nazywający siebie *les Princes Consorts Abandonnés* (Porzuceni Książęta Małżonkowie) — często spotykali się na wykwintnym, uroczystym lunchu w restauracji. Perspektywa takiego spotkania wyraźnie ekscytowała Paula, a pierwsze wyjście z „Książętami" spełniło jego oczekiwania. „To chyba właśnie taka grupa cywilizowanych, dowcipnych i inteligentnych smakoszy, jakiej szukałem przez te wszystkie lata" — stwierdził. Przy szczególnych okazjach Gourmettes i Książęta spotykali się na wspólny posiłek. Pewnego razu około trzydziestoosobową bandą udaliśmy się na wieś, do uroczego wiejskiego zajazdu, a innym razem pięćdziesięcioro z nas wybrało się na zwiedzanie Chambre des Députés z przewodnikiem. Zobaczyliśmy izbę obrad, cudowną, starą bibliotekę, malowidła ścienne i posągi, a potem zjedliśmy wyborny lunch w restauracji parlamentu. Podobnie jak w przypadku *le groupe Façillon* wierzyliśmy, że to łut szczęścia pozwolił nam znaleźć taką interesującą gromadę podobnie myślących i bardzo francuskich przyjaciół.

Któregoś wieczoru ruszyliśmy w miasto. Poszliśmy z Corą du Bois i Jeanne Taylor, znajomymi z czasów pracy w OSS, na obiad do Tour d'Argent. Restauracja była doskonała pod każdym względem, oprócz tego, że było w niej tak drogo, iż zastaliśmy tam wyłącznie amerykańskich turystów. O dwudziestej trzeciej trzydzieści pojechaliśmy na plac du Tertre, gdzie musieliśmy przeciskać się przez hordy naganiaczy i turystów, od których roiło się w wąskich uliczkach. Przy wejściu do Lapin Agile zapłaciliśmy dwa tysiące franków i przecisnęliśmy się na tyły sali. Powietrze było ciężkie od dymu papierosowego, a jakiś facet grał na pianinie boogie-woogie. Zamówiliśmy wiśnie w brandy, których nie zobaczyliśmy na oczy. Na koniec mężczyzna dobrym barytonem zaśpiewał cztery tradycyjne francuskie piosenki ludowe, a my wydostaliśmy się z powrotem na zewnątrz i odetchnęliśmy głęboko chłodnym, nocnym powietrzem, a potem przeszliśmy wolno tarasem przed Sacré-Cœur, żeby popatrzeć z góry na miasto. Paryż był pogodny i cichy w blasku księżyca, i zdawał się nie mieć granic.

Po drodze do placu Pigalle wpadliśmy do Les Naturistes. Popijając przy barze *demi-blonde*, patrzyliśmy, jak ze dwadzieścia młodych kobiet w wysadzanych kryształami trójkątnych majteczkach wychodzi na scenę w rytm muzyki. Show nas nie olśnił, więc ruszyliśmy na Lewy Brzeg, gdzie znaleźliśmy sympatyczny nocny klub o nazwie Le Club Saint-Yves. Jego ściany zdobiły afisze, pocztówki i ulotki z teatralnego świata lat dziewięćdziesiątych dziewiętnastego wieku. Na

Les Halles nocą

widowni siedzieli prości ludzie, sami Francuzi. Naj-
wyraźniej świetnie się bawili, a piosenkarki nadrabia-
ły braki wokalne osobowością i energią. Po zamknię-
ciu klubu, o trzeciej nad ranem, poszliśmy dalej, do
Les Halles, żeby podziwiać *forts des Halles* (robotników
o wydatnych torsach) którzy wyładowywali z furgo-
netek skrzynki ze świeżą rukwią wodną, układali
dopiero co ścięte kwiaty i przygotowywali bazar na
nadchodzący dzień. Było zimno i ciemno, ale olbrzymie targowisko wyglądało pięknie w plamach żółtego
elektrycznego światła. Gdy na skraju nieba budził się

świt, wstąpiliśmy do Au Pied de Cochon na tradycyjną miskę zupy cebulowej, kieliszek czerwonego wina i filiżankę kawy. O piątej piętnaście powlekliśmy się do domu.

Pierwszy raz od zakończenia wojny zalegalizowano we Francji strajki, a teraz komuniści zapamiętale dewastowali wszystko, co się dało — wszczynali bójki w Izbie Deputowanych i co rusz urządzali takie czy inne protesty. Wiosną 1951 roku Paryż sparaliżował strajk generalny, zorganizowany przez Confédération Générale du Travail, w skrócie CGT, największą organizację zrzeszającą związki zawodowe. CGT była podobno zdominowana przez komunistów i cynicznie podjudziła pracowników gazowni, elektrowni, telekomunikacji i dokerów do strajku, rzekomo w imię „podwyższenia pensji", a w rzeczywistości dla politycznych korzyści CGT.

Autobusy i metro prawie nie kursowały, brakowało prądu, a gaz ledwo tlił się na kuchence (aby uniknąć wybuchów mieszanki powietrza i wycieków, pompowano w rury minimalną ilość gazu). Gotowanie stało się wyzwaniem. Nawet najprostszy obiad w postaci kotletów jagnięcych (czterdzieści pięć minut), gotowanych kartofli (ponad godzina), groszku z puszki (dziesięć minut) i grejpfruta nagle przestał być prosty. W lodówce rozmroził się mój dziesięciodniowy zapas jedzenia dla kota, a uroczysty obiad dla czworga naszych przyjaciół musiałam ugotować na kuchenkach elektrycznych w suterenie Cordon Bleu.

Ponieważ na większości ulic stały jeszcze gazowe latarnie, ich przyćmione światło przywodziło na myśl wojenne zaciemnienia. Nocna jazda samochodem stała się ryzykowna, bo piesi byli niewidoczni, rowery wyglądały jak robaczki świętojańskie, a rozbłyskujące co kilka sekund reflektory innych samochodów po prostu oślepiały. Tych kilka pociągów metra, które kursowały, było zapchanych do granic możliwości, a sama podróż, która normalnie trwała czterdzieści minut, teraz zajmowała od dwóch do czterech godzin.

Założyliśmy z Paulem „linię przewozową Blue Flash", to znaczy podwoziliśmy pracowników ambasady w różne miejsca Paryża — na stacje metra Porte de Clichy, Gare de Lyon, Nation i Commerce. Nigdy w życiu nie widzieliśmy takich korków. Połowę uczestników ruchu stanowiły rowery, a resztę ciężarówki wojskowe, których używano jako autobusów dla dojeżdżających do pracy, i wszelkie wehikuły, jakie tylko udało się wywlec ze składów złomu albo piwnic i zmusić je do jazdy na paliwie domowej produkcji.

W tym niespokojnym czasie pochłaniały Paula dwie kwestie: to, że większość ludzi nie wierzyła w istnienie latających talerzy, a także to, że USA nie robiły co należało, aby przygotować Europę Zachodnią na sowiecką inwazję. Oba przypadki, jak twierdził, pokazują, że „ludzie uwierzą w coś, dopiero jak to zobaczą". Paul i Charlie — synowie inżyniera elektryka i należącej do bohemy pieśniarki — mieli dwojaką naturę: obdarzeni niesamowitym zmysłem praktycznym, potrafili bez mrugnięcia okiem podłączyć lampę albo zbudować dom; ale byli też mistykami, lubili słuchać mamrotania wróżek i nie kwestionowali istnienia duchów oraz latających spodków.

Nie dzieliłam z nimi tej cechy. Bardziej zajmowały mnie realne problemy, na przykład to, jak poruszać się po Paryżu podczas strajków, gdzie znaleźć najlepsze szparagi i jak popchnąć naprzód mój program samokształcenia.

Starałam się czytać Poważne Artykuły o Bieżących Sprawach — a to esej w „Harper's" na temat powojennej Anglii, a to artykuł w „Fortune" o wolnym handlu — i zapamiętywać przedstawione w nich fakty oraz tok rozumowania, aby móc inteligentnie o nich dyskutować na przyjęciach. Było to jak walka z wiatrakami. Mój dziurawy umysł nie chciał zatrzymywać żadnych dat ani szczegółów; lubił za to płynąć swobodnie i meandrować. A gdybym tak zmieszała te fakty i tezy z odrobiną żelatyny i białka kurzego — może lepiej trzymałyby się razem?

II. URLOP

Dort i Ivan ogłosili swoje zaręczyny. Wesele miało odbyć się w Nowym Jorku, w czerwcu 1951 roku. Ona rozkwitała przy nim jak piwonia, a ja bardzo popierałam ich związek. Nie było jednak żadną tajemnicą, że Big John nie szalał z entuzjazmu. Podobnie jak ja Dorothy wybrała sobie na towarzysza życia kogoś różniącego się od naszego ojca właściwie wszystkim.

Zorganizowaliśmy dla nich przy Ru de Lu 81 pożegnalne *party*. *Pièce de résistance*, popisowym daniem
wieczoru była mamuciej wielkości *galantine de volaille*,
galantyna z kurczaka, której wykreowanie zajęło mi
trzy dni. Pomysł zaczerpnęłam z przepisu w *Larousse
gastronomique*. Najpierw z nóżek i kości cielęcych przy-
gotowuje się wspaniały wywar do ugotowania mięsa.
Następnie ładnego, tłustego, dwukilowego kurczaka
bez kości marynuje się z dodatkiem mielonej wieprzowiny i pokrojonej w cieniutkie paski cielęciny w konia-
ku i truflach. Następnie formuje się kurczaka, nadzie-
wając go rządkiem trufli zawiniętych w farsz i plaster
świeżej słoniny, który, miejmy nadzieję, wyląduje
w samym środku. Potem związuje się tak przygotowaną galantynkę i gotuje ją w przepysznym bulionie.
Po ugotowaniu schładza się ją i dekoruje — ja zdecydowałam się na zielone wstążeczki zblanszowanych
porów, czerwone kropki papryki, brązowo-czarne ak-
centy w postaci siekanych trufli i żółte plamki masła,
zaś całość pokryłam piękną galaretą z wyklarowanego
bulionu.

To wyborne danie wymagało sporo czasu, ale sprawiło mi wielką radość. Najtrudniejszą częścią było uło-
żenie na wierzchu dekoracji, która w moim wydaniu
wyglądała trochę jak dziecinny bohomaz. Na szczęście, z pomocą pospieszył mi niejaki pan P. Child, który
zaprojektował stylowy deseń. Efekt końcowy, muszę
powiedzieć, był przewspaniały — stosownie okazały
prezent pożegnalny dla szczęśliwych przyszłych państwa młodych.

Od 1944 spędziliśmy z Paulem cztery i pół roku poza Ameryką oraz dwa i pół na jej terytorium. 4 maja mieliśmy wejść na pokład „La Liberté" i popłynąć do Nowego Jorku. Nie mogliśmy się doczekać, kiedy zobaczymy naszą daleką ojczyznę. Przed opuszczeniem Paryża z żalem postanowiliśmy rozstać się na zawsze z Blue Flashem. Samochód dobrze nam służył — cierpliwie woził amerykańskie szynki, burgundzkie wina i włoskie makarony, szwajcarskie maszyny do pisania i homary z Maine. Ale kasłał z każdej rury, miał pęknięte resory, odchodzący lakier, a do tego nie całkiem sprawny silnik i wymagał remontu za co najmniej dwieście dolarów. Zamówiliśmy nowy samochód, który miał czekać na nas w Stanach.

Tymczasem Bugnard powiedział mi, że pomimo fiaska na egzaminie zdobyłam wystarczające kwalifikacje do tego, aby zostać „szefem kuchni" w *maison de la haute bourgeoise*, domu wyższej klasy średniej. Był to miły komplement, ale rola znakomitej kucharki domowej przestała mi wystarczać. Gotowanie było tak nieskończenie interesujące, że chciałam uprawiać je zawodowo, chociaż jeszcze nie wiedziałam, jak konkretnie miałoby to wyglądać. Planowałam zacząć od zorganizowania lekcji dla mieszkających w Paryżu Amerykanek. Moją naczelną zasadą było przeobrażać ludzi w kucharzy, nie zarabiać krociowe sumy, nie chciałam trwonić pieniędzy, ale poświęcić się uczeniu gastronomii w atmosferze przyjaznego, dopingującego profesjonalizmu.

A jednak, jeśli miałyśmy otworzyć kiedyś z Freddie restaurację Pani Child & Pani Child, potrzebowałam dyplomu Cordon Bleu. Musiałam zatem przystąpić do egzaminu poprawkowego.

Gdy zapytałam o możliwość poprawki, *madame* Brassart znowu nie odpowiedziała. „Zdumiewa mnie — napisałam do niej w przypływie irytacji — jak bardzo nie obchodzi Pani los Pani studentów". Jak poprzednio, dopiero wstawiennictwo Bugnarda pomogło ustalić datę sprawdzianu. Tym razem zamiast zagłębiać się w ambitne przepisy kulinarne, po prostu wykułam na pamięć dania z książeczki Cordon Bleu. W wyznaczonym dniu przystąpiłam do egzaminu w mojej kuchni przy Ru de Lu. Złożyła się nań bardzo łatwa część pisemna oraz przygotowanie prostego posiłku dla Bugnarda i mojej przyjaciółki Helen Kirkpatrick. Zdałam.

We wrześniu, po powrocie ze Stanów, wreszcie odebrałam dyplom, podpisany przez *madame* Brassart i szefa kuchni Maxa Bugnarda, antydatowany na 15 marca 1951 roku! Nareszcie Julia McWilliams Child mogła powiedzieć, że stała się pełnoprawną absolwentką Le Cordon Bleu w Paryżu.

Tymczasem Dort i Ivan wzięli ślub w kościele św. Tomasza w Nowym Jorku. Po ceremonii wskoczyliśmy z Paulem do pociągu na stacji Pennsylvania i przejechaliśmy swojskie, a zarazem obce Stany Zjednoczone w drodze do Kalifornii — gdzie pogoda, kwiaty i drzewa były zawsze cudowne, każdy miał cadillaca, i gdzie, jak mawiał Kandyd, „wszystko było doskonałe na tym najlepszym ze światów".

Pobyt w Pasadenie był dla nas niekończącym się, jak się zdawało, ciągiem koktajli, lunchów i uroczystych obiadów. Tamtejszą atmosferę swobody i lekkości odbieraliśmy jako familiarną i dziwnie obcą zarazem. Starałam się, jak mogłam, aby w czasie naszego dwutygodniowego pobytu zachować uprzejmość i pozytywne nastawienie. Podobnie Paul, który omal nie nadwerężył sobie mięśni twarzy, usiłując stworzyć sympatyczną atmosferę, ale pozostać wiernym swoim przekonaniom. Za każdym razem musiał gryźć się w język, gdy przyjaciele mojego ojca beztrosko szydzili sobie z prezydenta Trumana, Żydów, Murzynów, ONZ i „kolesiów" w Waszyngtonie.

Po powrocie do Nowego Jorku odebraliśmy nowy samochód, lśniącego czarnego chevroleta Styleline Deluxe Sedan model 2102, któremu od razu daliśmy na imię La Tulipe Noire. Tulipe zabrał nas na północ autostradami międzystanowymi do chatki Charliego i Freddie w Maine, gdzie nowe opony i błotniki naszego auta zostały natychmiast ochrzczone w starym dobrym lepkim błocku. W następnym tygodniu udało nam się poopalać i popływać, a także oczyścić organizm z resztek Kalifornii i związanych z nią przykrości. Paul pomagał Charliemu budować nową drogę, ścinać drzewa i tworzyć nowy pokój w chatce, a ja zajmowałam się pieczeniem chleba i gotowaniem *bouillabaisse*, zupy rybnej, w prowizorycznej kuchni. Był to mój maleńki skrawek nieba. W połowie lipca świętowaliśmy moje trzydzieste dziewiąte urodziny (na miesiąc przed faktyczną datą) piknikiem na kamienistej plaży, gdzie moja bratanica Rachel podarowała mi nieopisanie zabawny kapelusz, ozdobiony polnymi kwiatami, muszelkami i sprężynkami.

Wreszcie przyszła pora na powrót do Nowego Jorku, a stamtąd na mało ciekawy rejs do Francji na pokładzie „Nieuw Amsterdam". Przypłynęliśmy do Hawru 27 lipca.

W dalszą drogę ruszyliśmy samochodem. Po przybyciu do Rouen zatrzymaliśmy się na lunch w La Couronne, gdzie zamówiliśmy dokładnie taki sam posiłek, jaki zjedliśmy w moim pierwszym dniu pobytu we Francji, dwa i pół roku wcześniej: *portugaises*, ostrygi, *sole meunière*, *salade verte*, *fromage blanc* i *café filtre*. Rety! Za drugim razem jedzenie było równie boskie, tyle że teraz umiałam rozpoznać zapachy unoszące się w powietrzu szybciej niż Paul, zamówić jedzenie bez niczyjej pomocy i autentycznie docenić artyzm szefa kuchni. La Couronne pozostała taka sama, za to ja byłam innym człowiekiem.

III. *LA CHASSE*

Nastała *la morte-saison*, martwy sezon, i chyba z milion paryżan ewakuowało się z miasta na letnie wakacje. Wszystkie porządne restauracje były pozamykane, podobnie zresztą jak pralnie. Planowaliśmy odmalować kuchnię, ale nie mogliśmy znaleźć nikogo, kto wykonałby dla nas tę robotę. Paul spędził któryś już wieczór na wprowadzaniu w domu drobnych ulepszeń — łataniu dziur w kordobańskiej skórze na ścianie w jadalni, wieszaniu w sypialni ślicznego aktu namalowanego przez Charliego, wreszcie na zbijaniu z desek pozostałych ze skrzynki po obrazie trzydziestocentymetrowej podpórki dla stóp, którą umocował w nogach naszego łóżka. Wreszcie moje stopy w rozmiarze 44 mogły swobodnie schować się pod kołdrą, zamiast sterczeć jak dwa gargulce.

Miejscowi zniknęli, ale ulice Paryża opanowała młodzież ze wszystkich stron świata. Było wśród nich wielu skautów, którzy właśnie wrócili ze światowego zlotu w Austrii. Jeden z nich, mój piętnastoletni kuzyn Mac Fiske, zjadł u nas lunch i kolację, i wziął gorącą kąpiel.

— A tak w ogóle, co lubią jeść skauci? — zapytałam przed jego przyjazdem.

— Nie co, tylko ile: dużo — poprawił mnie Paul. Nie pomylił się: Mac miał apetyt rosyjskiego wilka. „Jesteście tacy mili! — zwierzył się nam na odchodnym. — Nie spotkałem tu nikogo poza wami, kto miałby zawsze tak dużo jedzenia!"

We wrześniu zrobiło się deszczowo, chłodno i zachwycająco pięknie; wielkie, ciemne chmury burzowe przetykały jasne smugi słonecznego światła. Tulipe Noire wciąż jeździł na nowojorskich numerach, ale pozbył się za sprawą deszczu nowoangielskiego błota i piachu. Paul był szalenie zajęty w USIS: organizował jesienną wystawę prac Franka Lloyda Wrighta i pełnił sto milionów różnych oficjalnych funkcji.

W październiku wybraliśmy się na koktajl do domu Averella Harrimana, który, jak zauważyłam, powiesił na ścianach zdjęcia niektórych swoich idoli, jak choćby generała Sherrilla. To podsunęło mi pewien pomysł. Postanowiłam, że jeśli będę kiedyś zawodowo parać się gastronomią, powinnam umieścić w widocznym miejscu zdjęcia moich mistrzów — Carème, Escoffiera i — *naturellement* — Bugnarda. Zawsze trzeba myśleć o przyszłości!

Jesień była porą *la chasse*, polowań, prawdziwej pasji Francuzów, i raptem na targowiskach zaroiło się od zwierzyny łownej wszelkiej maści i upierzenia. Na hakach wisiały zające i króliki; udźce łosi, dzików i saren sprzedawano wraz z futrem i racicami. Jak wyjaśnił mi Bugnard, tego domagali się klienci, bo w końcu skąd masz wiedzieć, co kupujesz, jeśli mięso jest oskórowane i zapakowane?

Bardzo chciałam spróbować tych specjałów i nie posiadałam się z radości, kiedy Bugnard poinstruował mnie, gdzie kupić odpowiedni sarni udziec i jak go przyrządzić. Wybrałam piękny kawałek, zamarynowałam w czerwonym winie z dodatkiem aromatycznych warzyw i ziół, i powiesiłam całość na kilka dni w wielkim worku za oknem w kuchni. Kiedy oceniłam (po zapachu), że mięso jest już gotowe, wsadziłam je na dobrych parę godzin do pieca. Sarnina, podana w gęstym, intensywnym, pachnącym dziczyzną sosie, smakowała rewelacyjnie, a jeszcze przez kilka następnych dni cieszyliśmy się wyjątkową zimną pieczenią, która nam została. Gdy sarna obdarowała nas wszystkim, co miała, zaproponowałam Minette wielką kość udową. „Masz ochotę spróbować, *poussiquette*?" — zapytałam, kładąc talerz na podłodze. Zbliżyła się do niego ostrożnie i zaczęła węszyć. Sygnał świadczący o obecności dziczyzny musiał trafić wprost w jej centralny układ nerwowy, bo nagle wyprężyła grzbiet, zjeżyła futro i wydobyła z siebie groźne „wrrrrrrrr!". Rzuciła się na kość, chwyciła ją w swoje ostre zęby i wywlokła na dywan (a ściśle rzecz biorąc, wytarty orientalny dywanik — na szczęście) do pokoju dziennego, gdzie przeżuwała ją przez dobrą godzinę, po czym straciła zainteresowanie. Nawet w tak emocjonujących okolicznościach rzadko kładła łapę na kości, wolała używać zębów.

Ptaki łowne są szczególnie popularne jesienią. „Stada" bażantów i pardw, słonek z długimi, cienkimi dziobami, kuropatw i dzikich kaczek puszą się wtedy na targowiskach każdej wsi, osady i miasteczka. Wydaje się, że Francuzi są gotowi zjeść prawie każdą upierzoną latającą istotę, od drozdów przez jaskółki i kosy aż po skowronki zwane tutaj *alouettes*, jak w piosence *Alouette, gentille alouette*; kilka razy jedliśmy niedużego, przepysznego ptaszka o nazwie *un vanneau*, czyli czajkę.

Jednym z moich najciekawszych odkryć były kuropatwy. W czasie którejś z wczesnoporannych eskapad do Les Halles, Bugnard przystanął przed straganem jednego ze swoich znajomych i biorąc do ręki ptaka, oznajmił: „To tutaj to *perdreau*". Kuropatwę zwykle nazywa się we Francji *perdrix*, ale młoda, przeznaczona na pieczeń to *perdreau*. Bugnard postanowił zademonstrować, jak przyrządza się słynną *perdreau rôti sur canapé*, pieczeń z kuropatwy na grzance z siekaną wątróbką.

Naciskając koniuszek mostka ptaka, Bugnard powiedział: „Proszę pomacać. Przy końcu lekko się zagina". Z początku z pewną trudnością, z powodu piór, wyczułam kręgosłup ptaka. Część ogonową dało się odgiąć o jakiś centymetr. Bugnard poddał inspekcji także nogi i łapki ptaka: jeśli z tyłu stopy, nad piętą znajduje się pazur, oznacza to, że ptak jest dorosły; młodziutkie *perdreaux* mają w tym miejscu zalążek, który rozwinie się w pazur, a na ich nogach nie widać oznak starości. Pióra też wiele mówią: koniuszki piór młodych kuropatw powinny być białe.

Bugnard wziął do ręki dorosłą kuropatwę, *perdrix*, i powiedział: „Kiedy wyczuje pani, że kręgosłup jest sztywny, ma pani do czynienia z dojrzałym ptakiem". *Perdrix* lubi, gdy się ją dusi w kapuście, jak mi wytłumaczył, *perdrix en chartreuse* to jeden z klasycznych przepisów.

W Restaurant des Artistes przy rue Lepic mistrz Mangelatte zaproponował nam pięknie zarumienioną *perdreau* na gorących grzankach, otoczoną listkami świeżusieńkiej rukwi wodnej, ze stosikiem dopiero co usmażonych, chrupiących frytek pokrojonych w słomkę. Ładnie przyrumieniony ptasi łebek był owinięty wokół barku, a łapki złożone po obu stronach piersi. To zaiste nieamerykański sposób podawania, ale miłośnik dziczyzny chętnie widzi te wszystkie wiele mówiące części ciała, dla pewności, że na talerzu ma naprawdę *perdreau*.

Gospodarz pięknie i sprawnie odkroił nogi, skrzydełka i pierś, i podał każdemu z nas całego ptaka (dzikie ptaki je się prawie w całości). Ułożył pierś na *canapé*, owalnej kromce białego chleba przyrumienionej na sklarowanym maśle i posmarowanej drobno posiekaną wątróbką z odrobiną świeżego boczku, którą zmieszano z kilkoma kroplami porto i przypraw i lekko podsmażono. Sos? Wystarczy deglasować soki z pieczenia z odrobiną porto i kawałkiem masła. Palce lizać.

Sam ptak jest dość mały i ma charakterystyczny zapach, a winnobrązowa skórka kryje ciemnoróżowe mięso, które też ma lekko drażniącą, ale subtelną woń. Dobrze, by przed pieczeniem kruszało odpowiednio długo.

To właśnie jedzenie, w którym się zakochałam: nie żadne tam modne, wymyślne fantazje, po prostu coś bardzo smacznego. Był to przykład klasycznej kuchni francuskiej, w której wszystkie składniki zostały starannie dobrane i doskonale, fachowo przygotowane. Albo też, by zacytować sławnego smakosza Curnonsky'ego: „Jedzenie, które smakuje jak to, z czego zostało przyrządzone".

IV. SIMCA I LOUISETTE

Któregoś listopadowego dnia w 1951 roku zaprosili śmy na lunch na Ru de Lu jedną z Gourmettes, *madame* Simone Beck Fischbacher. Rozmawialiśmy naturalnie o jedzeniu. *Madame* Fischbacher była wysoką, szykowną, energiczną *Française* w wieku około czterdziestu dwóch lat, z sięgającymi ramion blond włosami rozdzielonymi na boku przedziałkiem, bladą, mleczną skórą i wydatnymi kośćmi policzkowymi. Nosiła okulary w ciemnych oprawkach i miała bardzo zdecydowane poglądy.

Wychowała się w arystokratycznej posiadłości w Normandii (jej dziadek produkował benedyktyna — rodzaj likieru), częściowo pod opieką angielskich niań, i mówiła porządną angielszczyzną, choć z wyraźnym obcym akcentem. Miała hopla na punkcie jedzenia, a jej specjalnością były ciasta i desery. Wprost tryskała energią. Nigdy nie studiowała, ale to pozwoliło jej skierować uwagę na inne sprawy, takie jak choćby — najpierw — introligatorstwo, a potem gotowanie, które było jej prawdziwą miłością. Uczyła się w Cordon Bleu pod okiem słynnego szefa kuchni i autora Henri-Paula Pellaprata, u którego pobierała także prywatne lekcje. Miała rozległą wiedzę na temat kuchni rodzinnej Normandii, północnego regionu Francji, słynącego z pysznego masła i śmietany, wołowiny i jabłek.

Drugi mąż Simone, Jean Fischbacher, był żywiołowym Alzatczykiem i pracował jako inżynier chemik w firmie kosmetycznej L.T. Piver (pierwsze małżeństwo Simki zakończyło się rozwodem). Dla Simki i Jeana jedzenie było cennym i ważnym tematem do dyskusji. W czasie wojny los ich nie oszczędzał: Jean został wzięty do hitlerowskiej niewoli, a Simca przekazywała mu grypsy, zaszyte w suszonych śliwkach, które wysyłała w paczkach do obozu jenieckiego. Jean, człowiek dowcipny i kulturalny, nazywał żonę „Simca", od modelu małego renaulta, którym jeździła: bawiło go, że taka duża kobieta (miała ponad metr siedemdziesiąt — jak na Francuzkę to tyczka) mieści się w takim maciupeńkim samochodziku.

Poznałyśmy się z Simką kilka miesięcy wcześniej, na przyjęciu dla Francuzów i Amerykanów zaangażowa-

Louisette, ja i Simca w kuchni przy Ru de Lu, przyrządzamy *quenelles*, pulpety, przy użyciu sławnego moździerza i *tamis*, sita

nych w Plan Marshalla. Nasz gospodarz, George Arta-
monoff, były dyrektor Sears International, znając nasze
kulinarne obsesje, przedstawił nas sobie. Natychmiast
przypadłyśmy sobie do gustu. Całą następną godzinę
rozmawiałyśmy o jedzeniu, gotowaniu, ludziach z nim
związanych, winie i restauracjach. Mogłybyśmy gadać
przez całą noc. Postanowiłyśmy spotkać się znowu.

Kilka dni później Simca przedstawiła mnie innej
smakoszce, *madame* Louisette Bertholle, szczupłej, pięknej kobiecie z krótkimi, ciemnymi włosami, która kiedyś mieszkała przez pewien czas w Nowym Orleanie
i Grosse Pointe w stanie Michigan. Jej mąż, Paul Bertholle, pracował jako przedstawiciel amerykańskiego
koncernu chemicznego. Mieli dwoje dzieci. Louisette
była niezwykle serdeczna, malutka, schludna i miała
cudownie lekki sposób bycia. Jak mawiał Paul, odzwierciedlała „wyobrażenie każdego Amerykanina
o idealnej Francuzce".

Jak się okazało, Simca i Louisette pracowały nad
książką kucharską, którą miały nadzieję opublikować
w Stanach Zjednoczonych (Simca wydała już broszur-
kę pod tytułem *Le pruneau devant le fourneau*, z przepisami na dania z suszonymi śliwkami i likiery śliwkowe,
przeznaczoną dla entuzjastów tych owoców). Louisette podrzuciła kilka pomysłów, ale z tego, co mówiła
Simca, wynikało, że to ona pracowała jak szalona, żeby
zgromadzić przeszło sto przepisów do książki — pomysły czerpała z własnych eksperymentów, z notatników matki, od rodzinnego kucharza, szefów kuchni

w restauracjach, od smakoszy. Wysłała przepisy przyjaciółce rodziny w USA, Dorothy Canfield Fisher, uznanej autorce z Vermont i członkini zespołu redakcyjnego Book-of-the-Month Club.

Pani Canfield Fisher nie pozostawiła dziewczynom złudzeń. „To za mało — odpisała. — Tylko sucha garść przepisów, niewiele tu na temat francuskiej tradycji i obyczajów kulinarnych". Amerykanie, argumentowała, przyzwyczajeni są do jedzenia dużych ilości mięsa i przetworzonej żywności, a kuchnia francuska jest w Stanach prawie nieznana. „Musi Pani poprzedzić przepisy wstępami, opowiedzieć krótkie anegdotki — coś, co podpowie czytelnikom, jak wygląda proces gotowania we francuskiej kuchni". Pani Fisher podsunęła na koniec sugestię: „Proszę poszukać sobie do współpracy Amerykankę, która uwielbia francuską kuchnię, kogoś, kto zna francuskie jedzenie, a zarazem wie, jak wytłumaczyć różne sprawy czytelnikowi amerykańskiemu".

Rozsądna rada. Przyszłe autorki przesłały przez znajomą Louisette swój zbiór przepisów do właściciela małego nowojorskiego wydawnictwa Ives Washburn. Washburn zgodził się zredagować książkę i zająć się jej dystrybucją. Przekazał materiały niezależnemu redaktorowi publikacji kulinarnych, Helmutowi Rippergerowi, który miał przystosować książkę do potrzeb rynku amerykańskiego.

Brzmiało wspaniale: skromna książeczka, pełna sprawdzonych, autentycznych francuskich przepisów, napisana specjalnie z myślą o odbiorcy amerykańskim. Życzyłam im *bonne chance*!

* * *

Od tych rozmów o kulinariach nabrałam ochoty na dopracowanie własnych przepisów i rozpoczęcie nauczania. Swoje idealne uczennice wyobrażałam sobie jako kogoś takiego jak ja: dziewczyny, które miały ambicje zostać znakomitymi kucharkami domowymi i nauczyć się przyrządzać zarówno proste dania, jak i wariacje na temat *la cuisine bourgeoise*, kuchni mieszczańskiej, ale nie wiedziały, od czego zacząć. Przedyskutowałyśmy ten pomysł z Simką i Louisette, potem jeszcze raz i jeszcze raz, i niebawem uzgodniłyśmy, że założymy własną małą szkółkę gotowania, i to w samym Paryżu!

Louisette i Simca wiedziały wszystko o jedzeniu i miały dużo lokalnych znajomości. Ja miałam z kolei świeże doświadczenie z Cordon Bleu i dostęp do potencjalnych amerykańskich kursantek. Połączenie sił wydawało się rzeczą naturalną i logiczną dla naszej trójki. Zgodziłyśmy się jednogłośnie, że będziemy pobierać symboliczne opłaty — tyle, żeby pokryć koszty — a nasze zajęcia będą otwarte dla każdego, kto zechce w nich wziąć udział. Louisette zaofiarowała się użyczyć kuchni w swoim dość luksusowym mieszkaniu przy Avenue Victor Hugo, na Prawym Brzegu. Właśnie kończyła jej remont. Ja obiecałam dać ogłoszenie do gazety wydawanej przez ambasadę USA. W geście uznania dla Gourmettes, dzięki którym się poznałyśmy, zdecydowałyśmy dać naszemu przedsięwzięciu nazwę L'École des Gourmettes.

V. L'ÉCOLE

W grudniu 1951 roku w magazynie „Life" ukazał się krytyczny artykuł pod tytułem *Wpierw obierz węgorza* na temat Cordon Bleu. Jego autorka, Amerykanka o nazwisku Frances Levison, zrelacjonowała w nim, zabawnym stylem, swój sześciotygodniowy kurs gotowania na poziomie podstawowym, który prowadził Bugnard. Z upodobaniem pastwiła się nad ciasnymi salami, nie działającymi kuchenkami, starożytnymi nożami, brakiem podstawowego zaopatrzenia, „nieodgadnionymi" instruktorami i stosunkiem Francuzów „do higieny i wody, z których ani jedno, ani drugie nie cieszy się ich zbytnim zainteresowaniem". Może dla przydania historii dramatyzmu trochę przesadziła, ale podane przez nią fakty były w ogólnym zarysie prawdziwe.

W Paryżu podniosła się wrzawa. Bano się, że artykuł w „Life" może wpłynąć na przyszłość szkoły. Kiedy jednak Simca i Louisette w rozmowie zwróciły na to uwagę *madame* Brassart, machnęła ręką lekceważąco i zaprzeczyła, jakoby szkoła miała jakiekolwiek problemy.

W połowie grudnia Bugnard powiedział mi, że od ukazania się artykułu „nic zrobiono nic, aby naprawić sytuację" w szkole. A w trakcie dwóch pokazów, na które poszłam tuż przed Bożym Narodzeniem, mimo woli zauważyłam, że nie ma tymianku, brakuje czosnku, koszyk jest zepsuty, nie ma nawet odpowiedniego garnka do smażenia dufinek. Hm.

15 stycznia 1952 roku Paul i Charlie, po obu stronach Atlantyku, świętowali swoje półwiecze. Paul czuł się raz to rozdrażniony swoim coraz bardziej zaawansowanym wiekiem, raz podbudowany ukutą przez siebie teorią, że „starość to raczej stan umysłu oraz funkcja masowej hipnozy niż coś obiektywnie istniejącego". Z upodobaniem cytował też pseudołacińską frazę „Illegitemus non carborundum est" („Nie damy się pognębić draniom").

W Lumberville w Pensylwanii nasi „wiejscy kuzyni", Charlie i Freddie, zaczęli świętowanie *demi-siècle* Charliego mrożonym szampanem i kontynuowali swoje bachanalia do białego rana.

Tymczasem w Paryżu przyjęcie z okazji pięćdziesiątych urodzin Paula było naszą jak dotąd najbardziej uroczystą imprezą. Zaprosiliśmy na kolację sześć par. Żebym nie musiała cały wieczór biegać do kuchni i z powrotem, zatrudniliśmy Bugnarda, który dla nas gotował, kelnera, a także chłopaka do nalewania wina. Jeanne-la-folle szalała z podniecenia i z wielkim entuzjazmem pomagała w kuchni. Paul wypisał odręczne zaproszenia, zrobiliśmy też zgrabne kotyliony z kolorowej jedwabnej wstążki i emaliowanych przypinek, na których umieściliśmy żartobliwe dedykacje dla każdego z gości (na mojej widniał tytuł *Marquise de la Mousse Manquée*). Paul wybrał z naszej piwniczki wina odpowiednie do skomponowanego przeze mnie i Bugnarda kunsztownego menu: *amuse-gueules au fromage*, ciasto francuskie na gorąco z serem, podawane z szampanem Kruga, *risolettes de foie gras Carisse, filet de boeuf Matignon*, filet wołowy podany z prawie doskonałym bordeaux, Château Chauvin 1929, *les fromages*, *camembert, brie de Melun, Époisses, roquefort, chèvre, fruits rafraîchis*, chłodzone owoce, *gâteau de demi-siècle*, ciasto na „półwiecze", kawa, likiery, stuletni koniak, kubańskie cygara i tureckie papierosy.

Trzy dni przed przyjęciem Paul obudził się z opuchniętą i obolałą szczęką. Przy śniadaniu nie mógł ugryźć nawet kromki miękkiego chleba, bo za każdym razem ból sprawiał, że wyskakiwał z krzesła na metr w górę. Czy to oznaka Postępującego Zniedołężnienia? A może psychologiczna reakcja na przekroczenie pięćdziesiątki? Albo po prostu pech? Wściekły na samego siebie, łykał garściami tabletki przeciwbólowe, które jednak nie skutkowały. „Co za cyniczne manipulacje losu" — rozpaczał. Dentysta stwierdził u niego zaawansowany ropotok. Na razie wykonał tymczasowe zabezpieczenie, ostatecznie trzeba było usunąć trzy zęby.

W poniedziałek wieczorem Paul miał gorączkę i w niczym nie przypominał rozmarzonego, szczęśliwego Jubilata. Żeby było jeszcze bardziej interesująco, po wstrzyknięciu znieczulenia ugryzł się w język. Mimo to przyjęcie wypadło rewelacyjnie.

Paul uśmiechał się z wdziękiem w swojej lśniąco-zielonej wełnianej kamizelce z mosiężnymi guzikami, jasnoczerwonym krawacie i jasnoczerwonych skarpetkach. Ja miałam na głowie wianek z polnych różyczek, do którego dodałam pozłacaną koronę podarowaną mi przez Hélène Baltrusaitis. Bugnard dokonał w kuchni prawdziwych cudów, a my zgodziliśmy się jednogłośnie, że był to jeden z najwspanialszych posiłków, jakie kiedykolwiek i gdziekolwiek jedliśmy.

Kilka dni po przyjęciu nasze mgliste plany otworzenia szkoły gotowania raptem nabrały wyrazistości, kiedy Martha Gibson, majętna, około pięćdziesięciopięcioletnia Amerykanka z Pasadeny, zadzwoniła z pytaniem, czy może zapisać się na lekcje. Następnego dnia zatelefonowała jej znajoma, pani Mary Ward, która chciała do niej dołączyć. A potem z tym samym pytaniem zwróciła się do nas trzecia Amerykanka, szykowna czterdziestolatka nazwiskiem Gertrude Allison. Wszystkie trzy miały do dyspozycji mnóstwo czasu i pieniędzy.

Był tylko jeden szkopuł: trzy panie profesorki nie zdążyły się przygotować. Louisette nie skończyła remontować kuchni, nie przedyskutowałyśmy jadłospisów ani nawet metodyki nauczania i nigdy dotąd razem nie gotowałyśmy. Tylko czy można być w ogóle stuprocentowo gotowym na jakieś przedsięwzięcie, zwłaszcza w profesji takiej jak nasza, gdzie istnieje przynajmniej sto sposobów przyrządzania kartofli?

Tant pis — orzekłyśmy zgodnie: mamy trzy kursantki i trzy nauczycielki — *allons-y!* Do dzieła!

Inauguracyjne zajęcia L'École des Gourmettes odbyły się 23 stycznia 1952 roku w naszej kuchni przy rue de l'Université 81. Skupiłyśmy się na kuchni francuskiej (innej wszak nie znałyśmy) oraz klasycznej technice, bo według nas, gdy uczeń zdobędzie podstawowe narzędzia, będzie mógł je zaadaptować do rosyjskiej, niemieckiej, chińskiej i każdej innej kuchni. Było wiele dyskusji *parmi les professeurs*, między profesorkami, bo każda z nas posługiwała się innymi metodami. Ja i Simca miałyśmy skłonność do traktowania kuchni jak laboratorium (to znaczy odmierzałyśmy proporcje), tymczasem Louisette wybierała podejście romantyczne (używała „szczypty" soli albo „odrobiny" wody i interpretowała przepisy intuicyjnie).

Moje koleżanki miały za sobą całe życie jedzenia i gotowania we Francji, no i od pewnego czasu pracowały nad książką kucharską. Ja nauczyłam się czyścić i kroić co tylko trzeba, przyrządzać wspaniałe sosy i ostrzyć noże; poza tym mogłam zaoferować amerykański pragmatyzm w podejściu do takich kwestii, jak choćby robienie zakupów, gotowanie i sprzątanie bez pomocy służby (Simca i Louisette nie miały o tym zielonego pojęcia). Minęło trochę czasu, zanim przywykłyśmy do wspólnej pracy, ale w końcu nasze trzy osobowości bardzo dobrze się dopasowały.

W każdy wtorek i środę rozpoczynałyśmy o dziesiątej, a kończyłyśmy lunchem o trzynastej. Typowe menu obejmowało gotowaną rybę, udziec wołowy, sałatkę i tartę bananową. Wcześniej robiłyśmy składkę i kupowałyśmy produkty; następnie trzeba było wypisać na maszynie dokładne wskazówki dotyczące jadłospisu, opisać czynności przygotowawcze i techniki, z których zamierzałyśmy korzystać. Atmosfera naszych zajęć była dokładnie taka, jaką sobie wymarzyłyśmy: domowa i wesoła, nieformalna, a przy tym

L'École des Gourmettes

pełna pasji. Każdy mógł swobodnie komentować bądź krytykować, a jeśli zdarzały się błędy, omawiałyśmy je i radziłyśmy, jak uniknąć ich w przyszłości. Na jednej z pierwszych lekcji zrobiłyśmy zupę z porów, ziemniaków i rukwi wodnej; zamiast śmietany użyłyśmy zwarzonego mleka. Było to trochę deprymujące, ale dzielnie gotowałyśmy dalej. My, nauczycielki, uczyłyśmy się tyle samo, jeśli nie więcej, co nasze kursantki!

Za pierwsze trzy zajęcia policzyłyśmy sobie siedem tysięcy franków (równowartość dwudziestu dolarów),

Bugnard w trakcie zajęć w naszej szkole

czyli po sześćset franków od każdej kursantki za jedną lekcję. W tej kwocie zawierało się wszystko, także około trzech dolarów na każde zajęcia za „eksploatację" kuchni.

Nasza *école* fascynowała moich znajomych z placów targowych. Przemiły sprzedawca kurczaków z la rue Cler zaproponował nam specjalne rabatowe ceny i nie mógł się doczekać, kiedy pokaże kursantkom, jak wybrać doskonałego ptaka. Rzeźnik wpadł na podobny pomysł, a Dehillerin, sklep z wyposażeniem kuchennym, udzielił naszym uczennicom dziesięcioprocentowej zniżki na wszystkie zakupy. Jeanne-la-folle wprost uwielbiała nasze zajęcia: przychodziła o trzynastej, żeby dojeść resztki i pomóc w sprzątaniu. Minette też była zainteresowana, ale chyba sądziła, że dostaje mniej, niż jej się należy.

Miałyśmy szczęście do naszych pierwszych kursantek, bo były pełne entuzjazmu i wyjątkowo pracowite. Martha Gibson i Mary Ward, bardzo sympatyczne wdowy, nie odnalazły jeszcze swojej życiowej pasji. Gertrude Allison przez trzy lata prowadziła bar szybkiej obsługi, studiowała ekonomię domową na uniwersytecie Columbia i miała żyłkę do interesów. Prowadziła zajazd w Arlington w Wirginii, Allison's Little Tea House, gdzie na lunch przychodzili głównie urzędnicy z Pentagonu, a na kolacje całe rodziny. Gertrude powiedziała, że wzięła udział w paru lekcjach gotowania w Nowym Jorku, u angielskiej szefowej kuchni Dione Lucas, która w jej odczuciu była kompetentna, ale niezbyt dokładna. Wypytałam Gertrude o ekonomikę jej restauracji. Powiedziała mi, że za obiad liczy sobie 1,75 do 3,50 dolara i wspomniała przy okazji, że jak pokazują badania, czynsz nie powinien przekraczać sześciu procent przychodów restauratorów.

W którąś środę Paul wpadł do domu zjeść z nami lunch i przyprowadził ze sobą Mary Parsons, bibliotekarkę z USIS, która mieszkała w tym samym hotelu co Mary Ward. Podałyśmy *sole meunière*, solę w sosie maślanym, i sałatkę z siekanymi jajkami na twardo, a na deser płonące naleśniki Suzette z likierem Grand Marnier. Obserwując naszą krzątaninę w kuchni, Paul nie mógł się nadziwić, jak wielką frajdę sprawia gotowanie i uczennicom, i nauczycielkom.

Nasze podopieczne nie miały zbyt wielu doświadczeń z winem i co rusz wygłaszały laickie kwestie w rodzaju: „Wino? Nie lubię wina!". Gdy Mary Ward oświadczyła: „Nigdy nie pijam czerwonego wina. Lubię tylko białe wytrawne", Paul poczuł się osobiście dotknięty. „To jak powiedzieć: «Nigdy nie rozmawiam z Francuzami; rozmawiam tylko z Włochami»" — stwierdził. A potem zaproponował jej kieliszek czerwonego wina, uznawanego za całkiem dobre, Château Chauvin rocznik 1929, bordeaux o pełnym smaku i kwiatowej nucie. Mary pociągnęła łyk i zakrzyknęła: „Nigdy bym nie przypuściła, że wino może tak smakować!".

W rezultacie Paul zdecydował się zrobić naszej klasie wykład na temat win. Wytłumaczył, jak dobiera się wina odpowiednie do konkretnych potraw, jak przechowuje się butelki, jak należy je korkować, i tym podobne. Na koniec podał nam butelkę médoca rocznik 1929 i zyskał trzy gorliwe neofitki.

Im dłużej mieszkaliśmy w Paryżu, tym bardziej czułam się zauroczona tym miastem i jego mieszkańcami. Szczególnie lubiliśmy wieczory spędzane z *le groupe Foçillon* u Baltrusów. Było to niezapomniane towarzystwo. Louis Grodecki, znany jako „Grod" — żywiołowy polski historyk sztuki w okularach z grubymi oprawkami — miał około czterdziestu lat i był specjalistą od średniowiecznych witraży. Dokonał ważnego odkrycia w Abbaye de Saint-Denis: wykazał, że pierwotna forma budynku pochodziła z szóstego wieku, była zatem o wiele starsza, niż sądzili jego rywale — archeolodzy. Upajał się swoim triumfem.

Jean i Thérèse Asche zostali naszymi serdecznymi przyjaciółmi. Ona uczyła w szkole podstawowej, a on wykładał historię kompozycji w Conservatoire des Arts et Métiers. Był na ścisłej diecie w związku z długotrwałymi skutkami pobytu w Buchenwaldzie. W następstwie dźwigania w obozie ciężkich kamieni zapadł na schorzenie zwane zmniejszeniem przestrzeni międzykręgowych. Z tysiąca sześciuset więźniów w jego jednostce obóz przeżyło zaledwie dwustu. Jean i Thérèse pozostali serdecznymi, inteligentnymi i wrażliwymi ludźmi, a my z Paulem uwielbialiśmy przebywać w ich towarzystwie.

Nasza olśniewająca gospodyni, Hélène Baltrusaitis, pozostała moją najbliższą przyjaciółką w Paryżu, za to Jurgis z dnia na dzień robił się coraz bardziej zgorzkniały, opryskliwy i egocentryczny. Jogurt, jak od pewnego czasu nazywał go Paul, wydawał się kompletnie ignorować swojego syna. Jean był uroczym i trochę zagubionym chłopcem. Paul dokładał starań, aby z nim rozmawiać, i dawał mu lekcje malowania akwarelami. Przyrzekliśmy sobie nawet, że gdyby Baltrusowie zginęli w katastrofie lotniczej, zajmiemy się jego wychowaniem.

Ludzie jednak nie przestają nas zaskakiwać. Jakież było nasze zdumienie, kiedy odkryliśmy, że Jurgis był prawdziwym bohaterem wojennym. Na początku lat czterdziestych ojczym Hélène, Henri Foçillon, uciekł do

Stanów Zjednoczonych, skąd przez nielegalny nadajnik radiowy nadawał antyfaszystowskie wiadomości do Francji. Pragnąc jak najszybciej wydostać się z kraju, przez nieuwagę zostawił w swoim wiejskim domu całe mnóstwo obciążających dokumentów, zawierających nazwiska bojowników francuskiego ruchu oporu. Dom, położony nieopodal Chaumont, został zajęty przez grupę niemieckich saperów, którzy, jak przypuszczano, nie znaleźli tych papierów. Po roku niespodziewanie przeniesiono ich w inne miejsce. Jurgis dowiedział się, że za dwa dni ma przybyć nowa grupa Niemców. Pojechał więc z Paryża do Chaumont, włamał się do domu, odnalazł papiery i zniszczył je dosłownie na chwilę przed przybyciem kontyngentu. Nie da się zaprzeczyć, że był to akt czystej odwagi.

We wrześniu 1952 roku nasza czteroletnia służba w USIS miała dobiec końca. Co nas dalej czekało? Nikt nie wiedział. Mimo usilnych starań nie umieliśmy przewidzieć przyszłości, bo z Waszyngtonu nie dochodziły do nas żadne informacje. Wiedzieliśmy tylko tyle, że Paul dostanie propozycję objęcia innego stanowiska za granicą, zostanie odwołany do USA albo zwyczajnie zwolniony z rządowej posady.

Myśl o opuszczeniu Paryża napełniała mnie smutkiem. Niespełna cztery lata naszego pobytu tam były tak cudowne, tak szybko minęły i dały nam poczucie, że tak wiele mamy jeszcze do poznania i do zrobienia, że na samą myśl o wyjeździe robiło mi się zimno i przykro. Odbyliśmy wiele rozmów na temat, który można by streścić słowami: „I co dalej?", a ich konsekwencją była fundamentalna decyzja: jeśli mielibyśmy stracić pracę w rządzie, postaramy się znaleźć sobie w Paryżu inne zajęcie i zostać jeszcze przynajmniej rok.

Simca, Louisette i ja, z powodów dyplomatycznych i psychologicznych, przemianowałyśmy naszą szkołę na L'École des Trois Gourmandes, co w swobodnym tłumaczeniu można oddać jako „Szkoła Trzech Łasuchów". Na zajęcia zapisała się Anita Littell, żona Boba Littella, szefa europejskiego oddziału „Reader's Digest", i kilka innych kobiet. Tym razem przed rozpoczęciem kursu spędziłyśmy z Simką wiele godzin na samodoskonaleniu.

Eksperymentowałyśmy z przepisami, narzędziami i składnikami i poczyniłyśmy kilka pożytecznych odkryć. Na przykład, pracując nad kruchym ciastem, wypróbowałyśmy dla porównania francuskie i amerykańskie składniki. Z przerażeniem odkryłyśmy, że francuska mąka jest bardziej treściwa od swojej amerykańskiej odpowiedniczki, a Francuzi potrzebują o jedną trzecią mniej tłuszczu, żeby zrobić dobrą kruszonkę. Zaintrygowało mnie, dlaczego tak się dzieje. Doszłyśmy do wniosku, że w Stanach, aby mąka mogła dłużej stać na półkach w supermarkecie, zapewne jest poddawana jakimś chemicznym procesom odtłuszczającym. Francuzi tymczasem pozostawiali mąkę w stanie naturalnym, przez co jednak szybciej się psuła i lęgły się w niej robaki. Żeby nasz francuski przepis sprawdził się w amerykańskiej kuchni, przetestowałyśmy różne proporcje mąki i masła, mąki i margaryny (substancji, którą miałam w pogardzie i nazywałam „tym drugim smarowidłem"), a także mąki i crisco[2]; potem spróbowałyśmy ciasta na ciepło i na zimno, i zmodyfikowałyśmy proporcje, opierając się na wynikach naszych eksperymentów. Była to pracochłonna, ale bardzo satysfakcjonująca metoda uczenia się.

Simca miała niewyczerpane pomysły na przystawki, ciasta i ciasteczka i wyczarowywała przepyszne rzeczy z cukru, białek i drobno mielonych migdałów. Te ostatnie, jak sądziłam, należały do składników, które nie były powszechnie dostępne w Ameryce. Poprosiłam Freddie w liście, aby poszperała w miejscowym supermarkecie. Odpisała, że choć nie znalazła w swoim wiejskim zakątku Pensylwanii drobno mielonych migdałów, to na Manhattanie albo w Chicago mogą być do zdobycia. Tego typu raporty z terenu od mojej *belle-sœur*, szwagierki, w USA były niezmiernie przydatne. Freddie przysłała mi też zdjęcia różnych partii mięsa ze sklepu rzeźniczego i zestaw amerykańskich miarek kuchennych. Powoli robiłyśmy postępy!

W tym czasie pracowałam nad moimi „bazgrołami", jak nazywałam swój zbiór przepisów. Ze zdumieniem odkryłam, przy bliższym oglądzie, jak wiele jest niedokładnych receptur w cenionych książkach kucharskich i jak bardzo dokładne muszą być nasze, żeby miały jakąkolwiek wartość. Każdy przepis wymagał wielogodzinnej pracy, ale w końcu zaczął wyłaniać się

---

[2] Popularny w USA roślinny półpłynny tłuszcz spożywczy, podobny z wyglądu do smalcu.

z nich jakiś porządek. Na przykład metodą prób i błędów doszłam wreszcie do tego, ile dokładnie żelatyny potrzeba na daną porcję majonezu, aby można było ładnymi zawijasami ozdobić danie z ryby.

Przyjaciele mówili, że to szaleństwo, ślęczeć nad takimi drobiazgami. Cóż na to poradzę, że frapował mnie proces doprowadzania przepisów do stanu naukowej użyteczności?

Louisette nie poświęcała kulinarnej precyzji tyle czasu, co ja i Simca, ale znała chyba wszystkich wokoło. Pewnego razu umówiła nas na lunch z Irmą Rombauer, autorką *Radości gotowania*, która właśnie spędzała wakacje w Paryżu. Zawsze uwielbiałam „książkę pani Joy" i podobało mi się to, że z jej stronic tak wyraźnie przebija osobowość autorki. Irma okazała się bardzo sympatyczną siedemdziesięciolatką w typie gospodyni domowej ze Środkowego Zachodu. Żywo zainteresowała się projektem Trois Gourmandes i opowiedziała nam wszystko o swojej książce. *Radość* nie była skierowana ani do bogatych, ani do biednych, jak nam wyjaśniła, ale do mas znajdujących się pośrodku, które w większości gotowały samodzielnie. Rozumiała, jak ważny jest w domu czas, dlatego skupiła się na daniach, które nie były zbyt wymyślne i nie wymagały wielogodzinnego przygotowania. Wspomniała, że miała kłopoty z wydawcą — nie zgodził się dołączyć do książki opracowanego przez nią szczegółowego indeksu; ponadto, jak twierdziła, chytrze pozbawił ją tantiem za jakieś pięćdziesiąt tysięcy egzemplarzy. Wyglądało na to, że publikowanie to trudna sprawa.

VI. *LE PRINCE*

Któregoś dnia Louisette zaprosiła mnie i Simkę na spotkanie ze sławnym smakoszem Curnonskym. Był to siedemdziesięciodziewięcioletni okrągły staruszek o roziskrzonych błękitnych oczach, potrójnym podbródku i nosie przypominającym orli dziób. Miał gigantyczne ego i równie wielki urok osobisty oraz wiedzę. Największej sławy przysporzyła mu dwudziestoośmiotomowa encyklopedia specjałów regionalnej kuchni francuskiej, oprócz tego w 1928 założył Académie des Gastronomes i redagował francuski magazyn kulinarny „Cuisine et Vins de France".

Naprawdę nazywał się Maurice-Edmond Saillant. Jako dwudziestoletni reporter, już wtedy koneser jedzenia, Saillant otrzymał rutynowe zadanie zrelacjonowania uczty rosyjskiej arystokracji w Paryżu (wszystko, co miało związek z Rosją, było w owym czasie bardzo modne). Napisał wspaniały artykuł, ale jego pospolite nazwisko nie przypadło do gustu redaktorowi naczelnemu: „W końcu, *monsieur* Saillant, jest pan mało znanym reporterem. Jeśli podpiszemy go pańskim prawdziwym nazwiskiem, kto go w ogóle przeczyta? Wielka szkoda, że nie jest pan rosyjskim arystokratą".

„Łatwo temu zaradzić — odparł Saillant. — Podpiszę się jako «Prince Curnonsky»". Tak też zrobił. Stworzył ten niby rosyjsko brzmiący pseudonim, sprytnie łącząc łacińskie słowa *Cur non* z angielskim *sky* („Dlaczego nie niebo?").

Trzy łasuchy na kolacji z Curnonskym

Artykuł „księcia" przeczytał *le tout Paris.* „Kimże jest ten bajeczny Curnonsky, który tak doskonale zna naszą kuchnię?" — zastanawiali się wszyscy.

Gdy prawda wyszła na jaw, kilka miesięcy i ładnych parę artykułów później, Curnonsky miał już wyrobioną reputację. Od tamtej pory odcinał kupony od zdobytej wówczas sławy, która pozwalała mu do woli pisać, jeść i pić.

W dniu, kiedy go poznałyśmy, Curnonsky powitał naszą czwórkę w swoim mieszkaniu. Było popołudnie, a on miał na sobie falbaniastą koszulę nocną i czerwony szlafrok i jadł właśnie gotowane jajko. Swoim zwyczajem miał zamiar trochę później wyjść na podwieczorek albo koktajl. Pod wieczór jego największym dylematem było, które przyjąć zaproszenie, gdyż zawsze dostawał więcej propozycji, niż mógł zaakceptować. Po olbrzymim posiłku w którejś z najlepszych restauracji Paryża wychodził do teatru, na koncert bądź też do jednego z nowo otwartych klubów nocnych (zawsze na cudzy koszt), wracał do domu około czwartej nad ranem.

Ja i Simca natychmiast się w nim zakochałyśmy. Był dla mnie jak postać wyjęta z powieści albo z innego stulecia. Nie umiałam sobie wyobrazić, jak ktoś taki jak *le prince* mógłby pochodzić z kraju innego niż Francja.

* * *

Dortie napisała, że jest w ciąży, nadmieniając, iż czuje się „gruba i bezradna". Cieszyłam się jej szczęściem: teraz, gdy jej piersi były nabrzmiałe, osiągnęła pełnię kobiecości. Ivan zrezygnował z państwowej posady i przeprowadził się z Dort do San Francisco, gdzie w domu towarowym Garfinkela poznawał tajniki handlu konfekcją.

Piątek 15 sierpnia 1952 roku, dzień Wniebowzięcia, był nie tylko świętem państwowym, ale w dodatku absolutnym szczytem martwego sezonu w Paryżu. Paul zadzwonił do dziewięciu restauracji, usiłując zamówić stolik na moje czterdzieste urodziny, ale wszystkie były nieczynne. Ostatecznie zjedliśmy całkiem przyzwoity lunch w Ritzu, a po południu poszliśmy na Île Saint-Louis, odwiedzić Abe i Rosemary Manellów, znajomych ze Służby Zagranicznej. Abe był urodzonym politykiem, głośnym i bardzo bystrym, który świetnie się orientował, o czym aktualnie plotkowano w ambasadzie. Rosie z kolei dużą blondynką, malarką z Kalifornii w typie Matki Ziemi. Szybko się zaprzyjaźniliśmy. Z okną ich mieszkania roztaczał się wspaniały widok na Paryż. Paul był pod takim wrażeniem, że po wielekroć do nich wracał, żeby w ramach przygotowań do cyklu obrazów szkicować i fotografować spadziste, kryte dachówką dachy.

Tego wieczoru zjedliśmy drugi wspaniały posiłek z okazji moich czterdziestych urodzin w trzygwiazdkowej restauracji Lapérouse. Wybraliśmy położony w głębi pokój z siedmioma stolikami, aby uniknąć tłumów, a zarazem móc popatrzeć sobie na innych. Z powodu pory, a także cen, wszystkie stoliki zajmowali Amerykanie. Na początek zamówiliśmy z Paulem *sole aux délices*, solę w cudownym śmietanowym sosie z truflami, i pół butelki chablis. Potem wzięliśmy pieczoną kaczkę z niezbyt ciężkim sosem i butelkę Chambertin rocznik '26, a na koniec ser, kawę i likier malinowy. Wszystko było wyśmienite i fachowo przyrządzone. Mimo coraz bardziej zaawansowanego wieku, wciąż dopisywał mi apetyt!

Mojej pierwszej samodzielnej lekcji gotowania, której tematem było *pâte feuilletée*, ciasto francuskie, udzieliłam Solange Reveillon, paryskiej znajomej. Ciasto francuskie robiłam wiele razy, ale przed przyjściem Solange przygotowałam je jeszcze raz, żeby móc przemyśleć, co należy powiedzieć i zrobić. Lekcja udała się wyśmienicie; nadziałyśmy ciasto grzybami i sosem śmietanowym i zjadłyśmy je na lunch. Zabawy było co niemiara! Poza tym, ucząc innych, sama tak wiele się uczyłam. Wolałabym zapłacić Solange za szansę nauczenia jej *pâte feuilletée*, niż płacić komuś za to, żeby mnie go nauczył!

Potem poddałam moją metodologię surowej krytyce. Gdy ludzie płacą za zajęcia duże pieniądze, oczekują rzetelności i profesjonalizmu, a ja stwierdziłam, że mimo wcale dobrych rezultatów, moja prezentacja nie była dość klarowna. Brakowało mi doświadczenia i pewności siebie. Paul, który uczył w szkole przez siedemnaście lat, przypomniał mi, że ucząc, trzeba mieć ochotę przez chwilę „zabawić się w Boga" — innymi słowy, stać się autorytetem. Wiedziałam, że ma rację, ale nigdy nie lubiłam dogmatyzmu. Wolałam mówić moim kursantkom, czego nie wiem albo że istnieje mnóstwo innych sposobów robienia danej rzeczy i przyznawać się, że sama znam zaledwie kilka z tych możliwości. Rety, miałam jeszcze tyle do nauczenia się! Gotowanie to dopiero połowa. Miałam wrażenie, że będę musiała poprowadzić chyba ze sto zajęć, zanim uznam, że naprawdę wiem, co robię.

Lokatorzy wyprowadzili się z naszego domku przy Olive Avenue w Waszyngtonie, a pracownik agencji nieruchomości zaczął się dopytywać, czy poszukać kogoś na ich miejsce. Nie mieliśmy pojęcia, podobnie zresztą jak chyba wszyscy inni w rządzie USA. Doprowadzało nas to do pasji. Nie mieliśmy ochoty zmieniać trybu życia ani też stać pośrodku prerii bez jakichkolwiek perspektyw. Dlatego Paul podjął dyskretną agitację. „Rozumiem, na jakiej zasadzie działa rząd — napisał do brata. — Dla chłopców w Waszyngtonie (…) jestem tylko pionkiem. Poślą mnie tam, gdzie pojawi się wakat: do Rzymu albo Singapuru, albo nawet do Zamboangi".

Abe Manell, człowiek, który potrafił załatwić wszystko, obiecał, że postara się pociągnąć za odpowiednie biurokratyczne sznurki, aby Paul mógł przejąć po nim stanowisko urzędnika do spraw publicznych (PAO) w Marsylii. „To najlepsza praca we Francji! — zapalił się Abe. — Bierz ją bez wahania". PAO w mieście takim jak Marsylia był drugim człowiekiem po konsulu generalnym, a także specem od wszelkich spraw związanych z dyplomacją: ekspertem od *public relations* (odpowiadał za promowanie USA i relacje między Stanami a Francją), oficerem politycznym (monitorował wpływy komunistyczne), kimś w rodzaju impresaria (nabywał amerykańskie filmy i książki, które mogły spodobać się miejscowym, pracował przy wymianach międzyszkolnych, rozmawiał z prasą i organizował imprezy sportowe) oraz dyplomatycznym „przynieś-wynieś-pozamiataj" (wygłaszał przemowy, kładł wieńce, odsłaniał pomniki, aranżował wieczorki taneczne dla marynarzy US Navy itd., itd.).

— Cóż — powiedzieliśmy sobie. — Marsylia to nasze drugie ulubione miasto we Francji. Jeśli trafi się nam ta oferta, czemu by nie spróbować?

Czując przedsmak smutku na myśl o wyjeździe z Paryża, poszliśmy na obrzeża Montmartre'u obejrzeć film, a potem do Restaurant des Artistes, gdzie zawitaliśmy dość późno i jako że nie było innych gości, urządziliśmy sobie coś w rodzaju familijnego wieczoru z *monsieur* Caillonem, jego córką i kelnerem o imieniu Roger. Rozsiedliśmy się dokoła wielkiego stołu i zaczęła się bardzo poufała pogawędka. Potem, po zejściu ze wzgórza, ruszyliśmy do domu. Ulice były mokre od deszczu, który spadł, kiedy siedzieliśmy pod dachem. Światła miasta błyszczały odbite w kałużach, z mgieł wyłaniała się katedra Notre Dame, a na sam jej widok kłuł nas żal. Gdy już wiesz, że twój czas w określonym miejscu dobiega końca, starasz się zatrzymać chwile, takie jak ta, w pamięci.

VII. SPRAWDZIAN EFEKTYWNOŚCI

Wieczorem 25 sierpnia 1952 roku o dwudziestej pierwszej rozdzwoniły się jednocześnie i we wszystkich możliwych tonacjach dzwony Paryża. Tego dnia przypadała ósma rocznica wyzwolenia miasta spod okupacji niemieckiej. Wszystkim, którzy słyszeli wówczas karyliony, a teraz słuchali ich po raz drugi, z pewnością przebiegały ciarki po plecach.

Kilka dni później Simca i Louisette dowiedziały się, że Helmut Ripperger, redaktor zatrudniony przez Ivesa Washburna do przystosowania ich książki kucharskiej na potrzeby rynku amerykańskiego, dał za wygraną i zostawił pracę nie dokończoną. Było to przygnębiają-

ce, a koleżanki opowiedziały mi historię swojej książki. Zaczęły współpracować jeszcze w roku 1948. Gdy Ives Washburn zgodził się objąć książkę opieką redakcyjną, w 1951 zatrudnił „doradcę kulinarnego" Helmuta Rippergera, który za sześćdziesiąt dolarów tygodniowo miał zredagować na podstawie książki coś w rodzaju broszurki reklamowej. Bertholle, Beck i Ripperger zatytułowali ją *Co się pichci we Francji*; wyglądała dość atrakcyjnie, a wstęp i teksty łączące były urocze, ale za to przepisy mało profesjonalne. Na sześćdziesięciu trzech stronach zmieściło się pięćdziesiąt potraw. Książeczka kosztowała 1,25 dolara i sprzedała się zaledwie w dwóch tysiącach egzemplarzy. Simca i Louisette były wściekłe, że przed publikacją nie poproszono ich nawet o korektę autorską, i wstydziły się tego dziełka. A teraz Ripperger poddał się — sam lub też pod czyimś naciskiem — po czym zniknął, nie dokończywszy pracy nad „dużą" książką.

Moje zniechęcone przyjaciółki stanęły więc same przed tym zadaniem, które wydawało się im przytłaczające, bo nie miały pojęcia, jak się pisze dla rynku amerykańskiego. W czasie rozmowy zapytały mnie nieśmiało, czy zgodziłabym się im pomóc.

— Z ogromną przyjemnością! — odparłam, jeszcze zanim zdążyły dokończyć pytanie. Tak rozpoczęła się nasza współpraca.

Prawie sześciusetstronicowy maszynopis przeczytałam po raz pierwszy we wrześniu 1952 roku. Jego niedociągnięcia, ale i potencjał stały się dla mnie jasne już w czasie lektury.

Simca i Louisette stworzyły ogromną mieszaninę przepisów, jak w każdej innej książce kucharskiej. Język, którym się posługiwały, był mało „amerykański": większość instrukcji wydała mi się niepotrzebnie skomplikowana tam, gdzie powinny być one klarowne i zwięzłe. Ogólna koncepcja nie była dobrze dopasowana do typowej amerykańskiej domowej kuchni i szczerze mówiąc, wcale mi się nie podobała. Z drugiej strony nie znałam książki, która równie dobrze tłumaczyłaby *la cuisine bourgeoise*, kuchnię mieszczańską.

Im więcej myślałam o tym projekcie, tym bardziej rozpalał on moją wyobraźnię. W końcu lekcje tkwiące w tych przepisach stanowiły logiczne przedłużenie materiału, który wykorzystywałyśmy na zajęciach. Lubiłam koncentrować się na tym, co najważniejsze; pomyślałam, że przy odrobinie pracy książka też się na tym skupi, tyle że na dużo większą skalę. Zajęłam się kuchnią w dość późnym wieku i wiedziałam z własnego doświadczenia, jak frustrująca może być nauka gotowania na podstawie źle napisanych przepisów. Dążyłyśmy do tego, aby nasze zajęcia były przejrzyste, bogate w informacje i precyzyjne. Taka też miała być nasza książka.

Jeśli moje współautorki się zgodzą, przepisy zostaną radykalnie zmienione. Nie poprzestanę na redakcji, ale stworzę zupełnie nową książkę. Zebrałam się w sobie, splunęłam na mojego starego underwooda i niczym pełen determinacji dzięcioł zaczęłam stukać w klawisze — klik klak — i przenosić na papier swoje sugestie.

Jako praktycznej Amerykance bardzo przeszkadzał mi dogmatyzm i szowinizm głęboko zakorzeniony we Francji, gdzie gotowanie uważano za ważną sztukę. Wszystko, co powiedział Montagné, uważano za prawdę objawioną, zwłaszcza w męskich towarzystwach gastronomicznych. Rety, jakże oni uwielbiali gadać! Strasznie ważna była dla nich historia każdego dania i to, kto, co i kiedy o nim powiedział. Ale, jak lubił mawiać Paul: „Słowo to nie to samo co rzecz" (jedno z jego ulubionych porzekadeł, zapożyczone od semantyka Alfreda Korzybskiego). W trakcie pracy nad maszynopisem starałam się pamiętać, aby nie sądzić zaleceń Simki i Louisette po pozorach. Każdy przepis miał przejść „sprawdzian efektywności". Uzyskiwał wartość dopiero, kiedy potwierdziłam, że sprawdza się w praktyce.

Poza sprawdzaniem przepisów, badałam też rozmaite przesądy, których wprawdzie nie znalazłam w zwykłych książkach kucharskich, ale których prawdziwości wiele osób było „pewnych". Trwało to całe wieki.

Na przykład kiedy pracowałam nad zupami, gotowałam codziennie po jednej u siebie w domu. W dniu przeznaczonym na *soupe aux choux*, kapuśniak, sprawdzałam przepis Simki, jak również uznane przepisy Montagnégo, *Larousse'a*, Ali-Baba i Curnonsky'ego. Czytałam je wszystkie, a potem przygotowywałam zupę na trzy różne sposoby — dokładnie według dwóch przepisów oraz w zaadaptowanej wersji na szybkowar (obleśny, paskudny, cholerny szybkowar — nie cierpiałam go! Nadawał jedzeniu obrzydliwy smak, ale był popularny w gospodarstwach domowych w USA). Przy obiedzie mój królik doświadczalny, czyli Paul, pochwalił wszystkie trzy *soupes aux choux*, ale sama nie byłam zadowolona. Czułam, że dwie rzeczy mogły znacznie ulepszyć to danie: po pierwsze, najpierw należało ugotować bulion z warzyw i szynki i dopiero później wrzucić do niego kapustę; po drugie, kapusty nie wolno gotować za długo, bo nadaje zupie kwaśny smak. Tylko czy należało ją wcześniej obgotować? A może powinnam użyć innej odmiany? Czy zupa z szybkowaru będzie miała lepszy smak, jeśli skrócę czas działania tej piekielnej machiny?

Musiałam uporać się z tymi wszystkimi pytaniami: „jak", „dlaczego" i „z jakiego powodu"; inaczej skończy się na zwykłym przepisie, a nie taki był cel naszej książki. Czułam, że powinnyśmy pokazać czytelnikom, jak robić wszystko pierwszorzędnie, i objaśnić, jeśli to tylko możliwe, dlaczego niektóre rzeczy udają się w taki, a nie inny sposób. Żadnych kompromisów!

Wycierałam ręce w fartuch, gryzmoliłam swoje pytania i poprawki na marginesie maszynopisu, po czym brnęłam dalej. Na blacie obok pieca systematycznie rósł stosik pomarszczonych i poplamionych kartek.

Po drodze dokonałam kilku odkryć dotyczących miar, równie doniosłych z mojego punktu widzenia, jak dla archeologa z *groupe Foçillon* odkopanie starożytnego grobowca. Dla przykładu, w przepisie na sos beszamelowy francuskie książki kucharskie podają masło i mąkę w gramach, za to amerykańskie polecają czytelnikom użyć „łyżki stołowej masła i łyżki stołowej mąki", w rezultacie czego wychodzą całkiem inne proporcje. To spostrzeżenie zmusiło nas do przemyślenia tego przepisu. W naszej instrukcji przygotowania beszamelu poleciłyśmy czytelnikom użyć do zasmażki dwóch łyżek stołowych masła i trzech łyżek stołowych mąki. Niektórym może się to wydać nudne, ale dla mnie był to proces odkrywania ważnego i lekceważonego problemu, a potem opracowywania naszego, racjonalnego i przemyślanego rozwiązania. Krótko mówiąc — triumf!

Zmagałam się właśnie z tematem masła w sosach, kiedy Paul zabrał mnie do małego bistra daleko na Prawym Brzegu, tuż obok Avenue Wagram — Chez la Mère Michel. Specjalnością zakładu był *beurre blanc nantais*, istne cudo wśród sosów, używane do ryb. Było to danie regionalne, nie klasyczne, a najważniejsze francuskie książki kucharskie, od Carême aż po Ali-Baba, *Larousse gastronomique* i Curnonsky'ego, wypowiadały się na jego temat nader ogólnikowo. Nie mogłam znaleźć kompletnego i przejrzystego opisu przygotowania *beurre blanc*, dlatego postanowiłam zabawić się w dziennikarkę śledczą.

Po wejściu do restauracji poznaliśmy La Mère Michel we własnej osobie. Była malutką, siwowłosą, rzeczową kobietą w wieku około sześćdziesięciu lat. Jak nam powiedziała, w 1911 roku przypłynęła do Paryża z Nantes Loarą, a czternaście lat później zaczęła prowadzić restaurację. Praca jej męża polegała na degustacji potraw, piciu wina i rozmowie z klientami, w czym zresztą był dobry. Restauracja mogła pomieścić tylko ze dwadzieścia osób, ale prosperowała całkiem nieźle, głównie za sprawą *beurre blanc* — gęstego, kremowego sosu, który w rzeczywistości jest niczym innym, jak ciepłym masłem, tworzącym rodzaj emulsji z kwasową bazą smakową w postaci szalotek, wina, octu, soli i pieprzu. Stosuje się go tradycyjnie do ryb, jarzyn albo jajek w koszulkach. Szczupak w takim sosie nosi miano *brochet au beurre blanc*.

Państwo Michelowie byli nadzwyczaj mili i bezpośredni, a szefowa kuchni w wolnej chwili zaprosiła nas do kuchni i pokazała, jak gotuje sławny sos w brązowym emaliowanym rondelku na starodawnym piecu. Przyglądałam się uważnie, jak odparowała kwasową bazę do konsystencji lepkiej mieszaniny, a potem na bardzo małym ogniu wmieszała do niej kawałki zimnego masła, które nabierała łyżką stołową. Wreszcie zasiedliśmy do jedzenia: świetnie ugotowany turbot zwieńczony szczodrą porcją *beurre blanc* okazał się zachwycający. Cały wieczór towarzyszyło nam poczucie promiennego zadowolenia.

Nazajutrz w moim laboratorium przy Ru de Lu upichciłam kilka partii *beurre blanc à la Mère Michel*, a potem zapisałam pierwszy jasny i wyczerpujący (w moim mniemaniu) przepis na ten sos. Ostateczny sprawdzian miał miejsce któregoś wieczoru, gdy podałam grupce przyjaciół kongera w płaszczyku z *beurre blanc*. Była to prawdziwa *perfection historique*.

Nasza trójka Łasuchów stanowiła dobre połączenie osobowości. Louisette podsuwała nam cenne sugestie różnych nowinek — jak i gdzie dorzucić, powiedzmy, czosnku, szalotek, świeżego zielonego groszku albo paseczków pomidora — które były na wskroś francuskie, ale też zgodne z duchem amerykańskim. Amerykanie uwielbiali kulinarne nowości. Ja i Simca byłyśmy jako kucharki bardziej prostolinijne.

Simca oddawała się bez reszty wypróbowywaniu przepisów i robieniu notatek, niekiedy i przez dziesięć godzin dziennie. Robiła to bardzo profesjonalnie.

Jeśli o mnie chodzi, nie wiedziałam o publikowaniu nic poza tym, że to bezwzględna gra, ale zdecydowałam, że pisanie książki kucharskiej to coś w sam raz dla mnie. Pracowałam nad maszynopisem całymi dniami, prawie bez przerwy. Dom z wolna popadał w ruinę, a ja prawie tego nie zauważałam (Paul był wyrozumiały). Któregoś dnia pod wieczór niespodzianie przyjechali po nas dużym czerwonym jeepem nasi przyjaciele Kublerowie i całą gromadą pojechaliśmy do Chez Marius na kolację. Było świetnie; gdy tylko wróciłam na Ru de Lu, od razu usiadłam przy maszynie do pisania i nie ruszyłam się stamtąd do drugiej nad ranem.

Teraz, gdy zaczęłam pisać, praca nad książką kucharską dawała mi tak ogromną satysfakcję, że myślałam poświęcić się jej w przyszłości.

VIII. FRANCUSKA KUCHNIA DOMOWA

Któregoś wieczoru przy obiedzie u Bertholle'ów siedziało przy stole około tuzina osób. Osiem kobiet i trzech czy czterech mężczyzn francuskim zwyczajem, zamiast mówić, zaczęło na siebie krzyczeć. Z zapałem godnym lepszej sprawy kłócili się o katolicyzm i mistycyzm, amerykańską politykę w Maroku, wypadki samochodowe, jak mieszać rum z sokiem z cytryny, i tak dalej. Rzuciłam się w wir debaty, ale Paul, który jako jedyny przy stole milczał, był niepocieszony i w pewnym momencie szepnął, że chce wyjść. Cóż — to jedna z tych rzeczy, które nas dzieliły. W drodze do domu mieliśmy scysję w samochodzie. Zaczęło się od sporu o to, co sama uważałam za pragnienie wycofania się ze świata i zamieszkania w wieży z kości słoniowej. Spór jakimś sposobem przerodził się w głupią sprzeczkę o magazyn „Time". Sedno naszej kłótni tkwiło oczywiście zupełnie gdzie indziej, przypuszczalnie w niepewności, co przyniesie przyszłość.

Administracja rządowa wciąż nie podjęła decyzji, co z nami zrobić, i tylko „tymczasowo" przedłużyła nasz pobyt w Paryżu.

W październiku 1952 roku na Paryż powoli opadła zimna, szara i wilgotna kurtyna zimy, a nas doszły słuchy, że Paul jednak nie dostanie upragnionego stanowiska PAO w Marsylii. Obecny PAO, który od dłuższego czasu był na urlopie, wracał do pracy. Nasze nadzieje się rozwiały, ale Abe Manell zapewniał, że wciąż mamy szansę. Pojawiły się dwie nowe możliwości: PAO w Bordeaux albo kurator wystaw w Wiedniu. Po dłuższej dyskusji zdecydowaliśmy z Paulem, że oboje kochamy Francję, znamy język, mamy tu przyjaciół i kontakty, no i po prostu nie jesteśmy jeszcze gotowi do wyjazdu. Dlatego wybraliśmy Bordeaux.

W listopadzie dostałam list od Sumnera Putnama, redaktora naczelnego wydawnictwa Ives Washburn, w sprawie naszej książki, roboczo zatytułowanej „Domowa kuchnia francuska". „Po roku frustrujących zmagań książka jest wciąż daleka od ukończenia — pisał. — Na Pani barkach spoczywa wielkie zadanie. To Pani będzie decydować, co znajdzie się w książce, a co z niej wypadnie". Zauważył, że praca Rippergera nad dużą książką „bynajmniej nie budzi zachwytu" i pozwolił „odrzucić jego propozycje w całości".

„Amerykanka, która kupi «Domową kuchnię francuską» — kontynuował — zapewne poczuje się urażona, słysząc rady, jak urządzić kuchnię, nakrywać do stołu, posługiwać się patelnią albo ugotować jajko: przecież tego nauczyła się od swojej matki albo od Fannie Farmer[3], nie sądzi Pani? Oczekuje książki, która jej podpowie, jak wzbogacić swoje gotowanie o francuską nutę (…). Jeśli najgłupszy kursant w Pani szkole nie umie bez trudu przyrządzić dania według przepisu, należy uznać taki przepis za zbyt skomplikowany".

List wzniecił zagorzałą dyskusję między nami, znaczy autorkami, naszymi mężami i przyjaciółmi. Wydawało się, że Putnam poważnie traktuje publikację „Domowej kuchni". Rok wcześniej kompletnie oczarował Louisette, kiedy odwiedziła go w Nowym Jorku. Jednak od znajomych w Stanach dowiedziałam się, że wydawnictwo Ives Washburn nie cieszyło się zbyt

[3] Fannie Farmer (1857–1915) — amerykańska autorka popularnych książek kucharskich. Jedna z nich, *Fannie Farmer's Cookbook*, jest sprzedawana do dziś.

dobrą opinią. Putnam podobno był krezusem i zajął się branżą wydawniczą dla rozrywki. Nie znał się na kulinariach, rzadko promował swoje publikacje i ponoć zaniedbywał prowadzenie księgowości. Byłyśmy z nim związane tylko moralnie, bo nie podpisałyśmy żadnej umowy, a on nie wypłacił nam zaliczki. Życzył sobie dostać starannie opracowany maszynopis do 1 marca 1953 roku. I co tu robić?

Simca i Louisette były zdania, że powinnyśmy pozostać przy Ivesie Washburnie. Byłyśmy przecież nieznanymi autorkami, a Putnam to miły człowiek, któremu spodobała się nasza książka. Po co niepotrzebnie komplikować sprawę?

Nie przekonało mnie to. Zgoda, byłyśmy nieznane, ale to jeszcze nie powód, żeby płaszczyć się przed ludźmi. Czułam, że książka w poprawionej wersji się obroni, a jeśli oddamy ją w dobre ręce, to będzie się sprzedawać. Byłyśmy profesjonalistkami, miałyśmy jasną wizję oraz pewność, że nasze dziełko będzie czymś nowym i ekscytującym. Bez fałszywej skromności przewidywałam nawet, że kiedyś może zostać uznane za ważną publikację na temat zasad i praktyki kuchni francuskiej. Nie widziałam powodu poświęcać się firmie, która nawet nie ma księgowej.

Po niekończących się debatach zgodziłyśmy się wreszcie pozostać przy Washburnie — przynajmniej do czasu.

W imieniu Trzech Łasuchów napisałam do Sumnera Putnama z wyjaśnieniem, że nowa wersja „Domowej kuchni" nie będzie tylko zbiorem przepisów, ale raczej wprowadzeniem do metod stosowanych w kuchni francuskiej, uzupełnionym o przepisy. Nasze podejście będzie oparte na systemie Bugnarda/Cordon Bleu, czyli na nauce „tematu i wariacji", a także na metodach, które opracowałyśmy we trójkę na zajęciach naszej École des Trois Gourmandes. Wszystko to w nieformalnym, przyjaznym tonie, który sprawi, że gotowanie będzie wydawało się przyjemne i przystępne. Ale książka miała też być poważną, rzetelnie przygotowaną pracą źródłową. Postanowiłyśmy zredukować skomplikowane, jak się zdawało, zasady francuskiej kuchni do pewnego rodzaju logicznych sekwencji. Nikt wcześniej tego nie próbował, ani po angielsku, ani po francusku.

„Nie wystarczy objaśnić «jak» [robi się sos holenderski albo majonez]. Trzeba wiedzieć «dlaczego», znać pułapki, środki zaradcze, zasady przechowywania, podawania etc. — napisałam. — To zupełnie nowy rodzaj książki kucharskiej". Podsumowałam: „Konkurencja na tym polu jest duża, ale w naszym przekonaniu książka może stać się ważnym dziełem na temat kuchni francuskiej (…) i sprzedawać się przez wiele lat".

Putnam nie odpowiedział na mój list. Nie zareagował też na nasz rozdział o sosach, który wysłałam mu pocztą dyplomatyczną. Było to bardzo dziwne.

Tymczasem wysłałam trzy ściśle tajne przepisy na sosy (holenderski, majonez i *beurre blanc*) czterem zaufanym powiernicom, aby wypróbowały je w prawdziwej amerykańskiej kuchni i na prawdziwych amerykańskich składnikach. Poprosiłyśmy te cztery panie — Dort, Freddie Child, Dorothy Canfield Fisher

i panią Gates (moją znajomą) — nasze „króliki do-
świadczalne", aby spróbowały przygotować każdy sos
ściśle według naszego przepisu, a potem podzieliły się
szczerymi uwagami. „Chcemy wyjaśnić zarówno po-
czątkującym, jak i kulinarnym ekspertom, «jak się gotuje po francusku»" — napisałam w „liście przewod-
nim". — „Co sądzisz o naszym słownictwie? Uważasz,
że taka książka jest potrzebna?"

IX. AVIS

Wiosną 1952 roku Bernard De Voto w swojej rub-
ryce zatytułowanej *Na fotelu* w „Harper's Magazine"
napisał elokwentną skargę na sztućce amerykańskiej
produkcji. Złościła go stal nierdzewna, która może
i opierała się procesowi rdzewienia, ale którą stale
trzeba było ostrzyć. Tak się złożyło, że ja też lubiłam
na to narzekać. Napisałam więc do De Voto „liścik od
wielbicielki", załączając do niego dwa francuskie ostre
noże ze stali węglowej.

Dostałam długą, elegancką odpowiedź — od pani De
Voto, która napisała do mnie ze swojego domu w Cambridge w stanie Massachusetts. Jak się okazało, to Avis,
bo tak miała na imię, używała w domu noży kuchennych i to ona podsunęła Bernardowi pomysł na artykuł. Avis była nie tylko świetną epistolografką, ale także
zapaloną kucharką. Tak rozpoczęła się nasza regularna
korespondencja, poświęcona głównie jedzeniu.

Listy od Avis rozlewały się na pięć, sześć albo
i siedem stron. W którymś napisała o cudownej *pipé-*

rade — omlecie z papryką, pomidorami, boczkiem i cebulą, którego próbowała kiedyś w jednej z paryskich restauracji. Zachowała wspomnienie smaku tego dania i była ciekawa, jak się je przyrządza. Odszukaliśmy z Paulem to miejsce. Restauracja na pierwszy rzut oka niczym się nie wyróżniała, była zatłoczona, klienci wrzeszczeli, a radio grało na cały regulator. Nie miałam ochoty tam wracać, ale *pipérade* była rzeczywiście wyśmienita, a ja robiłam w głowie notatki.

Wysłałam Avis kopię naszego rozdziału o sosach, przy okazji wyjaśniając trapiące nas problemy z wydawcą. Odpisała natychmiast, że w jej odczuciu maszynopis ma duże szanse zamienić się we wspaniałą książkę. Poprosiła o zgodę na pokazanie go wydawcy jej męża, Houghton Mifflin. Wspomniała, że Houghton Mifflin, uznane wydawnictwo z kupą forsy, zatrudnia eksperta kulinarnego, panią Dorothy de Santillana, która będzie wiedziała, jak ocenić maszynopis z kulinarnej perspektywy — tej umiejętności bez wątpienia brakowało Ivesowi Washburnowi. Avis ręczyła, że zespół Houghton Mifflin jest szczery, hojny i cudownie się z nim współpracuje.

Byłam zachwycona, ale kiedy podzieliłam się tym pomysłem z koleżankami, Louisette zgłosiła sprzeciw — uważała, że zobowiązałyśmy się pracować z Sumnerem Putnamem. Odparłam, że zważywszy na brak zaliczki i umowy, a ostatnio także porozumienia z tym wydawcą, nic nas z nim nie wiąże. Po krótkim wahaniu Simca stanęła po mojej stronie, a Louisette, w przypływie wyrzutów sumienia, wreszcie ustąpiła.

Z westchnieniem ulgi napisałam prędko liścik do Avis, z pozwoleniem na przedstawienie naszego rozdziału o sosach wydawnictwu Houghton Mifflin. Potem Trois Gourmandes zacisnęły kciuki i wróciły do pracy.

We wtorek 28 października wszyscy najsłynniejsi francuscy smakosze, miłośnicy win, sprzedawcy, kucharze i autorzy książek kulinarnych zgromadzili się na bajecznym bankiecie w Paryżu. Te wieczory były bardzo kosztowne i mogły nadwerężyć nasze układy trawienne, więc do tej pory ich unikaliśmy. Tegoroczny bankiet był jednak szczególny: został wydany na cześć obchodzącego osiemdziesiąte urodziny Curnonsky'ego.

Przybyło trzystu osiemdziesięciu siedmiu gości, z których każdy należał do któregoś z paryskich towarzystw gastronomicznych. Ja należałam do Les Gourmettes, a Paul do Le Club Gastronomique Prospera Montagné (noszącego imię legendarnego szefa kuchni, z którym pracowało wielu członków klubu). Nie mogliśmy nie zauważyć kilku mrożących spojrzeń Gourmettes, kiedy usiedliśmy przy stole Prospera Montagné. Uznaliśmy jednak, że wyznawcy Montagnégo będą bardziej interesujący, bo wszyscy zawodowo parali się gastronomią, a panie były tylko pełnymi entuzjazmu amatorkami.

Towarzystwo było wesołe i świątecznie ubrane. Kobiety miały fantazyjne kapelusze, a mężczyźni jaskrawe wstążki na szyjach, medale, złote łańcuchy, odznaki i rozety (na wzór średniowiecznych symboli gildii) świadczące o ich wysokim statusie. Było elegancko i zabawnie, a wtajemniczeni tłumaczyli nam, czyli Ignorantom, różnicę między *un chevalier du Tastevin, un chaîneur des rôtisseurs* oraz *un compagnon de la belle table*. Po mojej lewej stronie siedział *aubergiste*, szef kuchni w dwugwiazdkowej wiejskiej restauracji. Po prawej — gruba ryba: rzeźnik z Les Halles. Paul miał po obu stronach żony tych panów. Udany sekstet! Przy każdym nakryciu stało dziewięć kieliszków, a w trakcie posiłku przedstawiono nam wspaniały wachlarz trunków, od Pineau des Charentes po armaniaka z roku 1872. Potrawy były równie wyśmienite: ostrygi, turbot, *tournedos*, filet, sorbet, kuropatwa, sałata, sery i lody (dania z turbota i kuropatwy zostały wykreowane specjalnie na cześć Curnonsky'ego). Przygotowanie tej niebiańskiej uczty wymagało pracy szesnastu kucharzy, którzy jak w ukropie musieli uwijać się w kuchni.

Tort urodzinowy wyglądał jak olbrzymi ziggurat, miał osiem pięter i ozdabiało go osiemdziesiąt świeczek oraz kwieciste dekoracje z masy pomadkowej, wykonane przez paryskiego mistrza cukierniczego.

Po podaniu kawy jeden ze starszych członków Le Cercle des Écrivains Gastronomes, o bujnych włosach *à la* Einstein, wstał z miejsca i wygłosił długaśną mowę pochwalną na cześć Curnonsky'ego. Po kwadransie podniosłej oracji dało się wyczuć lekkie zniecierpliwienie słuchaczy. Po dwudziestu minutach słychać już było wyraźne szmery rozmów na obrzeżach sali. Po pół godzinie szacowny literat zaczął co kilka minut przerywać przemówienie, żeby łypnąć gniewnie na gości i zrugać ich: „Jeśli nie umiecie docenić żadnej innej sztuki poza kulinarną, a literatura nic dla was nie znaczy, lepiej idźcie do domu!".

Każdy z tych przerywników nagradzano dobrodusznymi okrzykami i gwizdami aplauzu.

Gdy dobrnął wreszcie do końca, rozległa się głośna owacja, a szesnastu kucharzy wymaszerowało z kuchni. Curnonsky uśmiechnął się z zadowoleniem i ucałował trzech najważniejszych z nich w oba policzki. Była już za piętnaście pierwsza w nocy. Zaczęły się kolejne przemowy, a my wyruszyliśmy do domu.

W geście szacunku dla wielkiego smakosza dwadzieścia siedem najlepszych restauracji Paryża zamówiło małe mosiężne tabliczki z wygrawerowanym nazwiskiem Curnonsky'ego. Tabliczki zostały przymocowane do najlepszych miejsc każdego lokalu. Gdy tylko naszła go ochota, Curnonsky mógł zadzwonić do — powiedzmy — Le Grand Véfour, a jego miejsce było automatycznie rezerwowane wraz z posiłkiem na koszt firmy.

* * *

Moja macocha Phila przeszła operację usunięcia polipa z jelit. Zamówiłam trzyminutową rozmowę telefoniczną z tatkiem w Pasadenie. Gdy mi powiedział, że polip był niezłośliwy, zostało nam dwie minuty czterdzieści sekund rozmowy. Kiedy załatwi się już pilną wiadomość, nigdy do końca nie wiadomo, o czym w takich sytuacjach rozmawiać.

— Zdaje się, że w Pasadenie cieszycie się z sukcesu wyborczego Ike'a — zagadnęłam.

— Cieszymy się? A no pewnie, i to jak! — zagrzmiał Big John. — Kto by się nie cieszył! Ale oczywiście skąd wy byście mieli wiedzieć, jakie są nastroje w kraju? Wasze wiadomości są tendencyjne.

Trudno było przyjąć taki docinek, zwłaszcza z ust człowieka, który czytywał tylko prawicowy „L.A. Times". Gwoli ścisłości, Paul i ja byliśmy gorliwymi czytelnikami „New York Timesa", „Herald Tribune", „Le Figaro", „Time'a", „Fortune", „The Reporter", „Harper's", „The New Yorkera", nawet „L'Humanité", by nie wspomnieć o niezliczonych telegramach z ambasady, raportach wywiadowczych, działającym przez okrągłą dobę serwisie depeszowym i wiadomościach napływających z całego świata przez dalekopis. Więc czyje wiadomości były tendencyjne, hę?

Kilka dni później dostałam liścik od mojej drogiej macochy. Pisała, że jest już zdrowa, i poprosiła, abym łaskawie przestała drażnić tatka polityką, bo mu to nie służy. Później mój brat John wtrącił swoje trzy grosze i kazał mi zachowywać swoje liberalne poglądy dla siebie. Niech was diabli!

Pisywałam do tatka skrupulatnie raz na tydzień, ale teraz, gdy zakazano mi wspominać o polityce i w ogóle o moim światopoglądzie, zanosiło się na to, że będzie trochę nudno. Tatko był kochanym człowiekiem, szczodrym ojcem, prawdziwym dobroczyńcą swojej społeczności. Miał wszelkie zadatki na gwiazdę — tylko że kiedy mówił o polityce, ponosiły go emocje (mnie też, ale uczyłam się podchodzić do tych spraw bardziej intelektualnie i obiektywnie). Tatko studiował w Princeton, ale nie był intelektualistą. Był nietolerancyjny i mało ciekawy świata. Lekceważył Paula jako „artystę" i „wielbiciela Nowego Ładu", a to oznaczało, że między mną a ojcem nie mogło być prawdziwej sympatii. Ojciec był żywym przykładem tego, jakim człowiekiem być nie należy. Cóż, trudno.

* * *

W pierwszym tygodniu stycznia 1953 roku dostałyśmy list od Avis De Voto, który odczytałam na głos Simce i Louisette:

> *Właśnie skończyłam czytać Wasz maszynopis. Przyznam, że jestem oszołomiona. Tak bardzo się napaliłam, że aż mam poczucie, iż książka nie może być tak świetna, jak mi się zdaje. (…) Chcę natychmiast zawieźć maszynopis Dorothy de Santillana. Wiem, że zapali się do tego pomysłu tak samo jak ja (…). Jeśli wyjdzie Wam to tak, jak sobie to wyobrażam, będzie z tego klasyk, fundamentalna i doniosła publikacja. (…) Ogromnie podoba mi się styl. Jest w sam raz — nieoficjalny, serdeczny, niekiedy zabawny (…). Jeśli traficie na odpowiedniego wydawcę, nie będziecie się musiały martwić, czy zdążycie sprawdzić i zredagować książkę. Dobry wydawca na Was poczeka. W porządku! Przed chwilą rozmawiałam przez telefon z D. Santillana. Jutro jadę do niej do domu z maszynopisem. Aż żal mi się z nim rozstawać! Jest podekscytowana (…). A więc połączmy się teraz w krótkiej, cichej modlitwie. (…)*

X. ŻYCIE NICZYM CURRY

15 stycznia 1953 roku Paul skończył pięćdziesiąt jeden lat i został powiadomiony, że „na dziewięćdziesiąt osiem procent" dostanie nominację na stanowisko urzędnika do spraw publicznych w Marsylii. Więc jednak. Według naszych źródeł w ambasadzie musielibyśmy rozpocząć pracę prawie natychmiast, zapewne od marca. Na razie były to informacje poufne, bo nie dostaliśmy jeszcze oficjalnego skierowania.

„Co za szczęście! — pomyślałam w pierwszej chwili. — Mogli nas zesłać do Rejkiawiku albo Addis Abeby, a tymczasem zostajemy we Francji!"

Ale szybko dopadły mnie wątpliwości: „A co będzie z naszą książką, gdy tak nagle przeprowadzimy się na drugi koniec kraju? A nasza szkółka?... Co tam, jakoś sobie poradzimy".

Szykujące się zmiany sprawiły, że w naszym domowym ulu zawrzało. Snuliśmy romantyczne fantazje o tym, jak podwoi się pensja Paula (w ciągu z górą czterech lat w Paryżu nie dostał ani jednej podwyżki czy awansu) i jak to ambasador będzie wymagał od nas tylko tego, byśmy powoli podróżowali sobie po Francji, uczyli się nowych przepisów, robili zdjęcia i zawierali przyjaźnie. Popijaliśmy herbatę i czytaliśmy poranne gazety, kiedy Paul znienacka odzywał się takimi na przykład słowami: „Nie uważasz, że nie od rzeczy byłoby wydrukować wizytówki, zanim pojedziemy do Marsylii?". Na spacerze nad brzegiem Sekwany wyrywało mi się na przykład: „Na pewno nie zamieszkam w domu, który nie ma piwnicy z winem. Nie obchodzi mnie, co powiedzą!".

Ale zaraz ogarniały nas rozmaite lęki.

— Szczerze? Na myśl o tym, że będziemy zaczynać wszystko od zera w nowym miejscu, chce mi się wyć — jęczał Paul. — Nic dziwnego, że dzieci tak dużo płaczą po przyjściu na świat… Jeśli różnorodność nadaje życiu smak, to moje jest jednym z najlepiej przyprawionych na świecie. To prawdziwe życiowe curry.

Słyszał, że weekendy to dla urzędników na tym stanowisku często najbardziej pracowite czterdzieści osiem godzin w tygodniu. „Mam przeczucie, że nie polubię tej pracy — napisał do Charliego. — Kiedy masz czas pauzować? Malować i oddychać? Pisać do rodziny, tarzać się w mchu, słuchać Mozarta i oglądać roziskrzone morze?… Luksus naszego paryskiego życia sprawił, że złagodniałem: przychodzi piątek wieczór w Paryżu i buch! — zapada żelazna kurtyna między pracą a tym, co naprawdę lubię robić. Hokus-pokus i lądujemy z Julie na latającym dywanie… Nie ma odwrotu… Zjeżdżalnia przygotowana, a oni są prawie gotowi krzyknąć «Jazda!»… Trzymajcie kapelusze, chłopcy, oto nadchodzimy!"

W piątek szesnastego dostałyśmy wspaniałą sześciostronicową epistołę od Avis. Napisała, że Bernard lubi obiady w typie mięso plus ziemniaki; uwielbia pikantne dania (głównie meksykańskie i indyjskie) i wina, ale jego największą miłością jest martini. Avis chorowała na wtórną anemię, ale dieta pozwalała trzymać ją pod kontrolą. Miała właściwie taki sam gust kulinarny jak my. Co do maszynopisu i wydawnictwa Houghton Mifflin Avis wykazywała ostrożny optymizm. Miała wrażenie, że rozdział o sosach został dobrze przyjęty, więc istniała duża szansa, że zechcą opublikować naszą książkę. Ale z otwieraniem szampana musiałyśmy jeszcze poczekać.

Od Sumnera Putnama nie dostałyśmy jak dotąd nawet pocztówki.

Napisałam do moich koleżanek Łasuchów: „Jeśli HM [Houghtonowi Mifflinowi] spodoba się nasza książka i zechce ją wydać, Putnam może zgłosić do niej pretensje, a wtedy będziemy miały z nim przeprawę. Byłabym skłonna trzymać się HM, jako że są jednymi z najlepszych (…). Jestem pewna, że [Putnam] to strasznie miły człowiek, ale nie wydaje mi się, aby był tak dobrą akuszerką dla naszego dziecka jak Mifflin".

Kilka dni później Simca przyprowadziła do mojej kuchni Claude'a Thilmonta, jednego ze wspaniałych paryskich *pâtissiers-en-chef*, kucharza/cukiernika, a także świetnego, uczciwego, rubasznego technika z soczystym słownictwem. Przyjechał po to, by uczyć, a nie po to, by jeść. Jak przystało na pilne uczennice, pokazałyśmy mu, że potrafimy upiec ciasto i nawet je udekorować. Ale stary Thilmont był surowy (jak przystało na dobrego nauczyciela), miał wysokie wymagania i staranną metodę nauczania.

— Dobrze — ocenił nasze pierwsze próbne ciasto. — Ale zdecydowanie nie dość dobrze!

Wkrótce Thilmont wystąpił gościnnie w L'École des Trois Gourmandes. Dokonywał prawdziwych cudów z kruchym ciastem. Wystarczyło spojrzeć, jak wyciska dekoracje na tort, żeby zrozumieć, o co chodzi w znanym bon mocie: „Są tylko cztery wielkie sztuki: muzyka, malarstwo, rzeźba i cukiernictwo dekoracyjne — architektura jest może najmniej banalną pochodną tego ostatniego".

W styczniu, kiedy upiekłam Paulowi tort z wykorzystaniem moich nowych umiejętności, mój mąż orzekł, że jestem „arcydzielna". Thilmont ocenił go jako „niezły", co w jego ustach było najwyższą możliwą pochwałą. A ja wyprężyłam dumnie (przyzwoicie ubraną) pierś.

„Mistral" był luksusowym, szybkim pociągiem specjalnym z Paryża do Marsylii, którym w siedem godzin przemknęliśmy przez całą Francję i jej deszczowe, zamokłe, poczętkowane plamami śniegu krajobrazy w kolorze khaki. Była połowa lutego. O dwudziestej trzeciej przyjechaliśmy do Marsylii na rekonesans.

To czcigodne miasto portowe rozpościerało się pod czystym, rozgwieżdżonym niebem i schodziło łagodnie ku Morzu Śródziemnemu. Na dworcu przywitał nas Dave Harrington, człowiek, którego Paul miał zastąpić na stanowisku urzędnika do spraw publicznych. Dave zabrał nas na długą wędrówkę po mieście, zakończoną odwiedzinami w barze, gdzie wypiliśmy piwo i dowiedzieliśmy się paru rzeczy o konsulacie oraz czekających Paula obowiązkach. Potem poszliśmy do innego baru, żeby wypić jeszcze po piwie i pogadać. Harrington był uroczym, wyluzowanym człowiekiem i miał rozbudowaną sieć kontaktów w okolicy. Coś jednak ewidentnie zatruło jego stosunki z konsulem generalnym, Heywoodem Hillem. Dało nam to do myślenia, bo Harrington nie wyglądał na kogoś, kto przysparza sobie wrogów. W drodze powrotnej do hotelu doszliśmy z Paulem do wniosku, że konsul Hill na pewno okaże się miłym facetem.

Nazajutrz po przebudzeniu powitał nas jasny, słoneczny i bardzo hałaśliwy dzień. „Zawsze kiedy stąd wyjeżdżam, zapominam, jak zgiełkliwe i kolorowe jest to miasto — napisał Paul. — Wydaje się, że jest tu dziesięć razy więcej trąbienia klaksonów, grzechotu kół zębatych, wrzasków, gwizdów, trzaskania drzwiami, huku powalanych drzew, tłuczenia szkła, wycia radioodbiorników, syren statków, bicia w gongi, pisku hamulców i gniewnych okrzyków niż gdziekolwiek indziej na Ziemi".

Nie zgadzałam się z tym, że okrzyki miejscowych były „gniewne". Wydawało mi się, że marsylczycy wprost uwielbiali się ze sobą komunikować, i to koniecznie na cały głos. Ludzie byli niezmiernie przyjaźni, jedzenie dobrze przyprawione, a wina młode i mocne. Innymi słowy, Marsylia była ucieleśnieniem marzeń o śródziemnomorskim mieście portowym.

Zostawałam w hotelu i gorączkowo przepisywałam na maszynie wyniki naszych kulinarnych eksperymentów, a Paul tymczasem chodził do konsulatu poznawać ludzi, zadawać pytania, przeglądać papiery, raporty i statystyki. Spotkał się też z konsulem generalnym. Heywood Hill nie zadał mu ani jednego pytania i prawie nie pozwolił dojść do słowa. Uraczył za to przesłodzonym monologiem, mniej więcej w tym stylu: „Nasza mała konsularna rodzina jest prawdopodobnie jednym z najbardziej zgranych i najbardziej zgodnych zespołów w całej służbie dyplomatycznej..." i tak dalej. Paul opisał swego nowego szefa jako znerwicowanego grymaśnika, któremu tylko ostrożność i miernota pozwoliły przetrwać w służbie konsularnej ćwierć wieku. Przyznał jednak, że tę opinię wyrobił sobie po siedmiominutowym spotkaniu, więc może mimo wszystko Hill okaże się wyśmienitym szefem.

W piątek trzynastego, po wstaniu z łóżka zobaczyliśmy, że tropikalne palmy, dachy kryte czerwoną dachówką i kamieniste plaże Morza Śródziemnego przykryła kołderka śniegu! Było to piękne, ale trochę wariackie. Paul jeździł zabłoconą drogą na spotkania z miejscowymi burmistrzami, rektorami uniwersytetów, dyrektorami festiwali muzycznych, redaktorami gazet, pracownikami agencji nieruchomości i różnymi innymi kolesiami w Aix, Awinionie, Nîmes i Montpellier. Wszystko to odbywało się w zawrotnym tempie. W następnych dniach dołączyłam do niego i razem jeździliśmy przez góry i doliny nowego *terroir* poznawać kolejnych merów, wydawców i akademików. Zapuściliśmy się na zachodzie aż do Perpignan przy granicy z Hiszpanią, a na wschodzie aż do Monte Carlo. Po drodze zakochiwałam się w Lazurowym Wybrzeżu.

Ludzie byli serdeczni i oryginalni, Morze Śródziemne użyczało okolicy słono-skrzącego się uroku, góry były poszarpane i skaliste, a winnice ciągnęły się całymi kilometrami (rząd francuski subsydiował plantatorów winnic. Skutek: zbyt wielu ludzi hodowało winorośl i wielu nie zarabiało wystarczających pieniędzy, a więc potrzebowało dofinansowania). Pogoda stale się zmieniała. Jednego dnia niebo było do bólu błękitne, wiał chłodny wiatr, ale już nazajutrz piekliśmy się w słońcu, jedząc lunch pod drzewkiem pomarańczowym i wygrzewając się w blasku pola mimoz. A dzień później gwizdał już mroźny wiatr nazywany tutaj *tramontane*, który wściekle chłostał nagi krajobraz i miotał wte i wewte drzewami, krzewami, trawą i winoroślami.

— Boże, ile gratów! — wykrzyknął Paul, kiedy zaczęliśmy pakować rzeczy przy Ru de Lu 81. Zabraliśmy się do sortowania rozmaitych przedmiotów, które się nam nagromadziły. Chciałam zatrzymać wszystko, a Paul chciał wszystko wyrzucić (gdy raz, kilka lat wcześniej, dopadła nas potrzeba pozbywania się rzeczy, wyrzuciliśmy nawet nasze świadectwo ślubu; to chyba lekka przesada). Klęliśmy i pociliśmy się, aż wreszcie osiągnęliśmy kompromis, z zaledwie kilkoma wątpliwościami. Był z nas dobry team.

Największym wyzwaniem okazało się dla mnie pakowanie Księgi — kilogramów stron maszynopisu, książek pomocniczych, pudełek z fiszkami i luźnych notatek. Wypełniły one dwa potwornie ciężkie kufry, a jeszcze została maszyna do pisania i sprzęty kuchenne. Nie wszystko zmieściło się w samochodzie, dlatego Paul musiał dźwignąć kufry i załadować je na bagażnik dachowy, stosując coś w rodzaju techniki ciężarowca: z ziemi do kolan, oddech; z kolan do ramion, oddech; ramiona i dach, uff!

Żeby doprowadzić mieszkanie *madame* Perrier do stanu, w jakim było, zanim się wprowadziliśmy, musieliśmy wywlec z „lochu" wszystkie zapleśniałe meble i powiesić z powrotem w salonie każdą błyskotkę i lustro w złoconych ramach, postawić w sypialni pięćdziesiąt siedem *objets d'art*, wysprzątać wszystko na błysk, oznakować wszystkie pudła i zamalować każdą najmniejszą rysę na parkiecie brązową pastą do butów. A także zwrócić każdy klucz. Oraz przejrzeć jeszcze raz wszystkie paragrafy umowy najmu. Gdy teraz patrzyłam na stare mieszkanie, z jego czerwonymi, aksamitnymi fotelami, rozchwianymi stolikami, popękaną porcelaną, wytartymi dywanikami i zardzewiałymi albo zmatowiałymi przyborami kuchennymi, nie wierzyłam, że mogliśmy uznać je kiedyś za „urocze". Państwo Perrier/du Couédic byli zachwycający, mieli honor i zasady, i darzyli się wzajemną sympatią. A jednak martwiliśmy się o nich. Właścicielka budynku, *madame* Perrier, która od śmierci generała podejmowała wszystkie decyzje, miała osiemdziesiąt dwa lata i coraz bardziej szwankującą pamięć. Co gorsza, jej zięć Hervé du Couédic zeszłego lata uległ niefortunnemu wypadkowi w Normandii. Konar drzewa spadł mu na głowę, w wyniku czego doznał ciężkich obrażeń. Od tamtej pory mamrotał, poruszał się chwiejnym krokiem i trochę mąciło mu się w głowie. Miał pięćdziesiąt pięć lat i był za młody na to, by przejść na emeryturę, więc chodził do biura trzy razy w tygodniu, ale biedak wiedział, że jest bezużyteczny, i w zasadzie dał za wygraną.

Znaczyło to tyle, że ciężar dbania o rodzinę spadł na biedną *madame* du Couédic. Musiała ją utrzymywać i opiekować się budynkiem, ale też, ze względu na rodzinną dumę, udawać, że to jej matka i mąż trzymają stery. Było to strasznie trudne. *Madame* du Couédic miała charakter, ale niekiedy bywała dziwnie nieśmiała i niepewna swego. Jakby nie dość było jej zmartwień, Michel, jej najmłodszy syn, oficer marynarki, miał wypłynąć na wojnę w Indochinach. Wszyscy wiedzieli, że Francja co roku traciła tam tylu oficerów, ilu kończyło akademie wojskowe.

Z tego co zdążyliśmy zauważyć, nasi gospodarze mieli niewiele dodatkowych źródeł dochodu i utrzymywali się głównie z wynajmowania naszego mieszkania. Próbowaliśmy na gwałt znaleźć kogoś na nasze miejsce, ale bez powodzenia. Kiedy wpadła do nas para młodych Amerykanów, przez cztery koszmarne minuty gapili się z wytrzeszczonymi oczami w drzwi, aż wreszcie oświadczyli: „Tutaj się nie da wytrzymać!".

Usiedliśmy więc z Paulem z paniami Perrier i du Couédic i powiedzieliśmy im mniej więcej tak: „Słuchajcie, jeśli zamierzacie podnieść czynsz i chcecie przyciągnąć obcokrajowców, musicie się pozbyć tych burdelowatych ozdóbek, wymienić lampy i założyć telefon".

— Ale te czerwone fotele z aksamitu są z *belle époque* — zaprotestowała *madame* Perrier — no i welur, to wszystko idzie w parze!

Było dla niej po prostu niepojęte, że my, młodzi amerykańscy smarkacze, nie umiemy się poznać na jakości mahoniu obitego ciemnozielonym, zżartym przez mole aksamitem, który był w Paryżu ostatnim krzykiem mody — w roku bodajże 1875. A generał Perrier, dodała, nigdy nie życzył sobie więcej światła, niż daje dwudziestopięciowatowa żarówka. A że potrzebny jest telefon? To czysty nonsens. — Mój dziadek nigdy nie miał ani jednego. Wie pani, jeśli lokatorzy chcą mieć telefon, niech go sobie sprawią.

— No cóż — powiedzieliśmy sobie — przynajmniej próbowaliśmy.

Została jeszcze kwestia dalszych losów Minette Mimozy McWilliams Child. Bardzo nie chciałam zostawiać naszej kotki, ale nie mogliśmy zabrać jej ze sobą do Marsylii, gdzie jeszcze nawet nie mieliśmy mieszkania. Przystąpiłam więc do poszukiwania dobrego domu zastępczego. Wybrałam się na la rue de Bourgogne, popytać Marie des Quatre Saisons, która wszystkich znała i wiedziała, co w trawie piszczy, a w dodatku była jedną z moich ulubionych mieszkanek Paryża i w ogóle całego świata. Naturalnie od razu wiedziała doskonale, co robić. Zaprowadziła mnie do pewnej *madame*, której kot zdechł niedawno ze starości. *Madame* spojrzała raz na Mini i uśmiechnęła się. Czułam, że to dobre rozwiązanie, zwłaszcza dlatego że kobieta mieszkała tuż nad *charcuterie*, masarnią, z sympatycznym psem staruszkiem. Mini mogła liczyć na niebiańskie uczty w postaci skrawków najróżniejszych mięs.

Gdy wreszcie byliśmy gotowi do wyprowadzki, w poniedziałek o siódmej trzydzieści na Ru de Lu zawitali *emballeurs*, pakowacze. Po godzinie mieszkanie wyglądało jak jaskinia Ali-Baba po wybuchu. Wokół piętrzyły się sterty wełny drzewnej, skrzynek, papierów, kufrów, mebli, akcesoriów malarskich, butelek wina, obrazów, fotografii, bielizny pościelowej, szkła weneckiego, jedwabiu z Asolo i przyborów kuchennych. Po dwunastu godzinach ogłosiliśmy zakończenie akcji. Byłam zmordowana. Paul spędził dzień zakopany w papierzyskach. Wypełniał rozmaite formularze, na przykład FS-446: „Zawiadomienie dla Wydziału ds. Podróżnych", przygotowywał do zwrotu talony na gaz i do konsumu wojskowego, organizował transport mienia osobistego, wypłatę pensji itd.

Ta gorączkowa krzątanina uświadomiła nam, że naprawdę przecinamy pępowinę łączącą nas z Paryżem. O, my nieszczęśni!

Simca i Louisette urządziły dla nas pożegnalne przyjęcie obiadowe u Bertholle. Zjawiło się około tuzina gości, a wśród nich — niespodzianka — sam Curnonsky! Gdy tylko staruszek mnie zauważył, padliśmy sobie w objęcia. Simca i Louisette ubłagały Paula, aby przyniósł ze sobą aparat, ale nie chciały zdradzić, dlaczego tak im na tym zależało. Teraz wszystko się wyjaśniło: chciały, żeby sfotografował Les Trois Gourmandes wraz z *le prince*. Paul pstryknął więc kilka fotek, używając nowego gadżetu zwanego lampą błyskową.

Nastrój wieczoru był bardziej radosny niż melancholijny, bo ja i Paul postanowiliśmy, że nie będziemy skupiać się na tym, iż opuszczamy ukochany Paryż, lecz na tym, że wyruszamy ku wspaniałej nowej francuskiej przygodzie. Co najważniejsze, Dorothy de Santillana napisała, że jest „oczarowana" naszym maszynopisem, a Houghton Mifflin gotów zaproponować nam umowę wydawniczą — juuuhuuu!

Przez prawie dwa miesiące od dnia, w którym wysłałyśmy Ivesowi Washburnowi maszynopis, nie otrzymałyśmy ani słowa odpowiedzi od któregokolwiek z redaktorów. Kompletny brak profesjonalizmu. Pod koniec stycznia powiadomiłyśmy wydawnictwo listem poleconym o rezygnacji ze współpracy. Po paru dniach dostałam arogancki list od Putnama, który przynajmniej kończył się kurtuazyjnym „Życzę Paniom powodzenia".

Houghton Mifflin miał wypłacić nam 750 dolarów zaliczki na poczet honorarium w wysokości dziesięć procent zysków ze sprzedaży. Zaliczka była płatna w trzech ratach po 250 dolarów.

— Nie przejmujcie się Ivesem Washburnem — powiedziałam moim zdenerwowanym koleżankom. — To zysk, nie strata. Houghton Mifflin to dużo lepszy wydawca.

Simca i Louisette niepewnie pokiwały głowami.

* * *

Nazajutrz powietrze było ciepłe, niebo miało barwę błękitu w odcieniu kamienia księżycowego, a my wyruszyliśmy na południe, pod prąd nieprzerwanego strumienia wracających ze Szwajcarii samochodów z nartami na dachu. W przydrożnych rowach i w lasach od północnej strony leżał jeszcze śnieg, ale pola były zalane słońcem i upstrzone figurkami chłopów obsiewających swoje poletka.

ROZDZIAŁ CZWARTY

Bouillabaisse à la Marseillaise

I. TERRA INCOGNITA

Przyjechaliśmy do Marsylii otwarci na nowe doświadczenia, z nadzieją w sercach i kubkami smakowymi gotowymi na nowe doznania. Był 2 marca 1953 roku, krótko przed siedemnastą, kiedy wyładowany po brzegi Tulipe Noire doturlał się wreszcie przed nasz malutki hotel. Ludzie z amerykańskiego konsulatu byli zbulwersowani, że zatrzymujemy się — i to z wyboru! — w takim maleńkim, niedrogim hoteliku. Wielkie, eleganckie i zupełnie pozbawione lokalnego uroku pałace nigdy nie były jednak w naszym guście. Pracowaliśmy jak dwa silniki parowe, aż wreszcie udało nam się rozładować samochód, wtaszczyć do środka nasze rupiecie i — do wpół do siódmej — wszystko to ułożyć. Fiu!

Rozejrzałam się dokoła. W przyciemnionym świetle ukazała się tapeta z motywami kwiatowymi, bidet i skromne łóżko — nic więcej nie było nam trzeba. Z jedynego stołu w pokoju spoglądał na sterty pudeł, toreb i walizek nasz mały bożek domowy, Shao Pan-Tzu. Ach, gdyby tylko udzielił mi się jego spokój!

Przed kolacją poszliśmy na spacer wzdłuż brukowanego nadbrzeża Vieux Port. Powietrze było rześkie

i czerstwe, ale nad przystanią unosiła się woń ścieków i gnijących ryb. Roiło się tu od marynarzy, żołnierzy, Arabów, uliczników, dziwek, złodziei kieszonkowych, sklepikarzy, turystów i wszelkiej maści obywateli, którzy krzątali się i pokrzykiwali. Chyba z połowa mężczyzn wyglądała tak, jakby wzorowali się na gangsterach z hollywoodzkich filmów, a ich panienki przypominały „dziewczyny gangsterów". Klaksony samochodów, ryk ciężarówek i buczenie motorów tworzyły istny harmider. Na ulicach i w rynsztokach walały się śmieci. Była ich masa. Uznaliśmy, że to z pewnością pozostałość po średniowiecznym zwyczaju wywalania odpadków przez okno. Na nadbrzeżu przycumowanych było kilka tuzinów łodzi rybackich, rufą do przodu, a pomarszczeni staruszkowie i postawne handlarki ryb sprzedawali plony ostatniego połowu z małych straganów, a niekiedy wprost z ruf swoich łodzi. Ciemnoskóra załoga dwumasztowego szkunera z Palma de Mallorca bez pośpiechu rozładowywała skrzynki jasnopomarańczowych mandarynek.

Gorący zgiełk Marsylii tak bardzo różnił się od chłodnego wyrafinowania Paryża. Dla wielu naszych przyjaciół z północnej Francji była to *terra incognita*: miejsce, gdzie się człowiek nie zapuszcza, barbarzyńskie, dzikie „południowe rubieże". Na mnie jednak zrobiło wrażenie gęstej esencji żywiołowego, emocjonalnego, nieskrępowanego Życia — prawdziwego „miasta-*bouillabaisse*", jak ujął to Paul.

Marsylski oddział USIS mieścił się w amerykańskim konsulacie, pięciopiętrowym willowym domu z ogrodem przy Place de Rome 5, dużym placu w pobliżu centrum miasta. Paul został mianowany „konsulem". Ten honor nie robił na nim wrażenia, bo pamiętał innych, poznanych przez siebie konsuli. Wolał swój poprzedni tytuł, bardziej tajemniczo brzmiący *directeur régional*. Kiedy wpadliśmy do konsulatu, jego pracownicy powitali nas serdecznie i obsypali radami, gdzie najlepiej robić zakupy, jak wynająć mieszkanie i jak manewrować w gąszczu krętych miejskich uliczek oraz osobliwych śródziemnomorskich obyczajów. Przyjemna odmiana po bezosobowej atmosferze panującej w ambasadzie amerykańskiej w Paryżu. Tutaj mieliśmy poczucie, że oto wszyscy znaleźliśmy się na małej, wysuniętej placówce i musimy się wzajemnie o siebie troszczyć.

Dni nowego PAO szybko wypełniły się do granic możliwości dziwnymi decyzjami, nonsensami i drobnymi triumfami. Paul skarżył się na „zatrucie papierowe" — niestrawność pamięci i biurokratyczne nudności. Korciło mnie, żeby w czasie, kiedy był w pracy, wychodzić i odkrywać miasto, ale zmuszałam się do regularnych „dyżurów" w hotelu, żeby pchnąć pracę naprzód. Zaprzyjaźniłam się z moją przenośną maszyną do pisania Royal. Prace domowe ani zakupy nie

zaprzątały mojej uwagi, mogłam więc nadrabiać zaległości w korespondencji i kontynuować gromadzenie materiałów do naszej książki.

Pogoda w Marsylii była niesamowita. Z początku dzień po dniu niebo było czyste jak w Kalifornii, a powietrze chłodne. Któregoś popołudnia słońce skryło się jednak za grubymi, ciemnymi chmurami, a mnie dopadł smutek i niepokój. Bez słońca nie było sensu płynąć łodzią do sławnego zamku d'If ani zwiedzać *villages-perchés*, położonych wysoko miasteczek, w *arrière-pays*, wnętrzu kraju, o których tak wiele słyszeliśmy. Kina pękały w szwach. Nie mogliśmy pójść do domu, żeby upiec ciasto, ponieważ nie mieliśmy kuchni. Paul nie mógł udać się do swojego studia i namalować obrazu, ponieważ nie miał studia ani farb. Nie mogliśmy wychodzić i spotykać się z ludźmi, bo nie mieliśmy znajomych. Pisałam wszystko, co było do napisania. Czytałam wszystko, co wpadło mi w ręce. Spałam tak długo, jak się dało. Uświadomiłam sobie, że ogarnęła mnie... nuda. Na domiar złego oboje nagle znów dostaliśmy dolegliwości gastrycznych. Wiedziałam, że topienie smutków w winie i *bouillabaisse* tylko pogorszy sprawę. I co tu robić?

Obeszłam nasz hotelowy pokoik — był śliczny, ale potrzebowaliśmy więcej przestrzeni, więc żeby ukoić skołatane nerwy, zdecydowałam się przejrzeć oferty wynajmu mieszkań. Pierwsze, które zobaczyłam, zrobiło na mnie wrażenie imitacji chatki gnoma w stylu art nouveau. Później odwiedziłam zatęchłą dziurę z przełomu wieków, w bardzo złym guście. Na koniec obejrzałam nieduże mieszkanie na piątym piętrze kamienicy w Vieux Port, z widokiem na przystań rybacką. Należało do szwedzkiego dyplomaty, który wrócił do kraju podleczyć gruźlicę i zastrzegł sobie, że gdy tylko poprawi się stan jego zdrowia, może w każdej chwili się o nie upomnieć. Nie brzmiało to zachęcająco, ale po kilku następnych dniach życia na walizkach w ciemnym i ciasnym pokoiku hotelowym postanowiliśmy wynająć mieszkanie niedomagającego Szweda, dopóki nie znajdziemy sobie pewniejszego gniazdka.

Powoli zaczynałam odnajdywać się w labiryncie Marsylii. Natrafiłam na niesamowitą uliczkę, przy której stały same burdele. Dowiedziałam się, że szeroka aleja wiodąca z dworca kolejowego do portu, La Canebière, była znana amerykańskim żołnierzom jako „Can o'Beer", puszka piwa. Poza tym odkryłam dwie sympatyczne restauracyjki specjalizujące się w daniach z ryb.

Jedną z nich, bardzo dobrą restaurację przy rue de la Paix, Chez Guido, prowadził sam Guido, przemiły szef kuchni. Pracował w zawodzie, od kiedy skończył dziesięć lat. Był dżentelmenem w każdym calu i absolutnym perfekcjonistą. Zasługiwał na przynajmniej dwie gwiazdki w przewodniku Michelina, ale jego lokal istniał od tak niedawna, że nie zdążył jeszcze na nie zapracować.

Guido z dumą i radością opowiadał nam o lokalnej kuchni. Podał nam nazwisko swojego rzeźnika, a kiedy Paul zauważył, że niektóre miejscowe wina smakują jak ocet, Guido skontaktował nas ze znakomitym do-

stawcą win. Urzekający ośmioletni synek Guido, Jean-
-Jacques, miał hopla na punkcie kowbojów i Indian
z „Wild Westu". To podsunęło nam pewien pomysł.
Guido był nam niezwykle przychylny; chcieliśmy mu
się jakoś odwdzięczyć, ale nie w nazbyt oczywisty sposób. Paul poprosił więc Charliego, zeby przysłał nam

dla małego Jean-Jacquesa pióropusz wojenny Siuksów albo duży kapelusz kowbojski.

Pierwszy list, jaki otrzymaliśmy w Marsylii, był od Avis De Voto. Po obejrzeniu zdjęć, które jej wysłaliśmy, napisała: „Przyjemnie na Ciebie patrzeć, jesteś taka ciepła, energiczna i ładna. Zdziwiło mnie trochę, że jesteś taką dużą dziewczyną. Sześć stóp: fiu fiu! Uwielbiam wysokie kobiety (…). Moim zdaniem oboje wyglądacie po prostu wspaniale".

Potem zajęła się kwestią naszego rozdziału o sosach: „Przetestowałam *beurre blanc* na wszystkie sposoby i niedobrze mi z przejedzenia. Przytyłam 5 funtów, co przy mojej figurze niezbyt mi służy. Nie wyglądam źle, ale lubię czuć się swobodnie w moich ciuchach, zamiast pękać w szwach. Oprócz tego zrobiłam majonez według Waszego ściśle tajnego przepisu. Wyszedł bombowo, pomimo że zepsuły mi się obie elektryczne ubijaczki i musiałam posłużyć się trzepaczką. Jest pyszny i śliczny i sprawił mi wielką radość. Nie znoszę przestrzegać diety! Niech Was licho".

Ogromnie polubiliśmy Avis. Dziwne, ale czasem czujesz, jakbyś kogoś dobrze znała, choć nigdy nie zdarzyło się wam spotkać.

II. ŚCIŚLE TAJNE DO RĄK WŁASNYCH

Nasza przeprowadzka do Marsylii szalenie skomplikowała mi pracę nad książką, ale też otworzyła przede mną nowe zagadnienia, do których nie miałam dostępu w Paryżu. Oprócz zup zgłębiałyśmy teraz z Simcą temat ryb, o którym nie wiedziałam zbyt wiele, ale który powoli stawał się moją nową pasją, zwłaszcza że w Marsylii stale jadło się ryby.

Poświęciłam się „badaniom ichtiologicznym", a ściśle rzecz biorąc, próbom usystematyzowania na użytek naszych czytelników nomenklatury i przydatności w kuchni francusko-angielsko-amerykańskiej różnych gatunków ryb. Tłumaczenie nazw nie zawsze było rzeczą oczywistą. To, co Amerykanie nazywają *catfish*, sumem, Brytyjczycy określają mianem *dogfish*. Albo weźmy *le carrelet* — w brytyjskim angielskim to gładzica, ale według amerykańskiego słownika także płastuga albo sola. Ale jeśli sprawdzisz słowo „płastuga" w słowniku angielsko-francuskim, dowiesz się, że to nie tylko *carrelet*, ale także *limande, calimande* oraz *plie*. Przekonałam się, że między trzema narodami występowały różnice nawet w nazwach łacińskich, które przynajmniej w teorii powinny być uniwersalne. Ogromną pomocą okazał się kupiony mi przez Paula dwutomowy 1488-stronicowy słownik angielsko-francuski i francusko-angielski, obejmujący dane leksykalne z Anglii i Ameryki.

Trzeba było dokonać także przekładu kulturowego. Niekiedy stworzenia, które we Francji i Anglii uważano za jadalne, a wręcz smakowite, w USA cieszyły się wątpliwą sławą niejadalnych i szkodliwych. Wiele gatunków europejskich ryb nie występowało w Stanach i *vice versa*. Musiałyśmy zatem znaleźć w USA ekwiwalenty niektórych składników, takich jak choćby rybek *rascasse* (skorpenowatych), używanych przez Francuzów w zupach rybnych.

Uwielbiałam tego rodzaju dociekania, bo prowadziły do wielu interesujących odkryć. Po napisaniu do francuskich i amerykańskich ekspertów od rybołówstwa dowiedziałam się, że rządy obydwu krajów pracują nad rozwiązaniem tych właśnie problemów (przy okazji odkryłam, że rząd USA zatrudniał „koordynatora do spraw ryb" — cudne miano). Okazało się, że specjaliści od rybołówstwa rokrocznie dostawali setki listów od szefów kuchni, właścicieli stacji wylęgowych, fabryk konserw i tak dalej, i tak dalej, których wprawiał w konfuzję brak międzynarodowych standardów. Może UNESCO zrobi porządek w tej wieży Babel. Na razie nad sprawą pracowały Łasuchy.

Rozczarowałam się na wieść, że nasza nowa redaktorka Dorothy de Santillana pozwoliła swojej przyjaciółce, niejakiej pani Fairbanks, wypróbować — bez poproszenia nas o zgodę — przepis z rozdziału o sosach. Tyle się natrudziłyśmy przy opracowaniu tych przepisów. Pewna ich część to były, moim zdaniem, prawdziwe nowości, ale przede wszystkim nasza własność intelektualna. Miałam w pamięci opowieści Irmy Rombauer i doświadczenia moich koleżanek z panem Rippergerem i czułam, że mamy wszelkie powody obawiać się kradzieży owoców naszej ciężkiej pracy.

Może odezwały się we mnie stare instynkty z czasów pracy dla OSS, a może naturalny instynkt samozachowawczy, ale wysyłając Dort przepisy do wypróbowania w jej kuchni w San Francisco, napisałam:

Załączam fragment naszej książki kucharskiej, wycinek z rozdziału o sosach. Tak mocno się zaangażowałyśmy w naszą pracę, że nie jesteśmy już w stanie spojrzeć na nią obiektywnie. Poza tym bardzo są nam potrzebne inteligentne komentarze Amerykanek, ludzi takich jak Ty. Ciekawi nas, jak podoba się TOBIE.

Naturalnie nie wolno pokazywać tych materiałów prawie nikomu, bo inaczej nie będą żadną nowością. Forma, jak się nam wydaje, jest nowa, a niektóre z objaśnień, jak choćby te dotyczące naszego ukochanego majonezu, są wynikiem naszych osobistych odkryć etc. Możesz je pokazać jednej czy dwóm ze swoich najbliższych przyjaciółek, które darzysz absolutnym zaufaniem i o których wiesz ponad wszelką wątpliwość, że nie mają, nigdy nie miały i nigdy nie będą mieć nic wspólnego z branżą wydawniczą i są nieskażone jakimikolwiek powiązaniami z tym fachem (…). Proszę, nie wypuszczaj tekstu z rąk, nie zostawiaj go nigdzie na wierzchu i nikomu nie pożyczaj.

Może Ci się to wydawać nadmierną ostrożnością, ale nie chcę ryzykować, kiedy już włożyłyśmy w to tyle pracy.

Bądź, proszę, brutalnie szczera, bo może książka wcale Ci się nie spodoba. W takim wypadku chciałybyśmy o tym wiedzieć.

Do tego listu dołączyłam kilka „zwykłych" przepisów, ale także specjalną partię trzech, które schowałam między różowe okładki i oznaczyłam etykietą

„TYLKO DLA DOROTHY COUSINS — TAJNE — trzymać pod kluczem i nie zdradzać nikomu".

Na tych Ściśle Tajnych i Ocenzurowanych Stronach zapisane były nasze rewolucyjne przepisy na sos holenderski, majonez oraz *beurre blanc*. O ile było nam wiadomo, nigdy jeszcze nie ukazały się drukiem, a zaproponowane przez nas metody przyrządzania pierwszych dwóch stanowiły kulinarną rewolucję. Ciekawiło nas, czy nasze wskazówki są jasne i czy typowa amerykańska gospodyni będzie umiała przygotować według nich udany sos. Trzeci z nich, *beurre blanc*, na który przepis zawdzięczałam wizycie u Mère Michel, był przepyszny i nigdy dotąd nie wytłumaczono go porządnie w żadnej książce.

Wysyłałam paczkę z duszą na ramieniu, choć wiedziałam, że siostrze mogę ufać. Dla pewności, że nie będzie przecieków, przypomniałam Simce i Louisette, aby traktowały przepisy w różowej oprawce jako „objęte klauzulą tajności", jako „strategię wojenną".

Któregoś dnia pojechałam z Paulem w podróż służbową do Cannes, położonego jakieś cztery godziny jazdy samochodem na wschód od Marsylii. Podróż zajęła nam sześć godzin, ponieważ postanowiliśmy pozwiedzać smagane wiatrem boczne uliczki. Cóż za piękny krajobraz. Wzgórza wznoszące się nad wybrzeżem były całe w złocie kwitnących mimoz. Zatrzymaliśmy się na południowy piknik w małym nadbrzeżnym miasteczku o nazwie La Ciotat, które Charlie i Paul odwiedzili w latach dwudziestych. Siedzieliśmy w pieką-

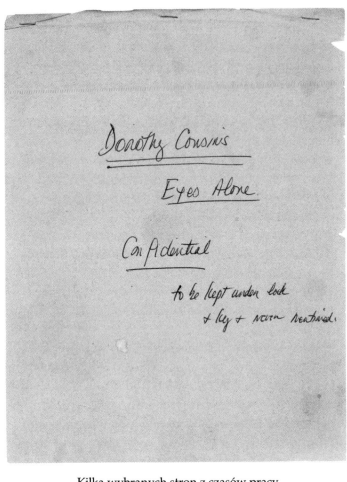

Dorothy Cousins

Eyes Alone.

Confidential

to be kept under lock
& key & never neatured.

Kilka wybranych stron z czasów pracy
nad maszynopisem

Top Secret

BEURRE BLANC (Continued)

Ingredients (Count on 3 to 4 TB per person if served with fish, this is for about 1 cup or 4 servings.)

3/4 to 1 cup butter, cold and hard, and cut into pieces of about 1/2 ounce, or 1 TB.
1/8 TB each, salt & ground pepper (white pepper if possible)
1/4 cup white wine vinegar (as this is difficult to procure, substitute :
     3 TB wine vinegar & 2 TB lemon juice ;
   or :   3 TB wine vinegar & 4 TB dry white wine ;
   or :   (for vegetables) 4 TB lemon juice)
1/4 cup fish STOCK (optional)
1 TB finely minced shallot

Method: Place cold butter at your elbow, but away from heat, and add with fingers, when the time comes. Choose a light-weight enamel saucepan, which will react quickly to heat and cold. Place in it the salt, pepper, shallots and liquids, and reduce over high heat until just about 1/2 TB of the liquid remains. Remove from heat and add 2 pieces of butter. Beat with wire whip, and as butter melts and creams, add another piece, beating. Set saucepan over low heat and add butter gradually, beating. Just as each addition is almost absorbed, add more, and continue until all butter is used. Taste for seasoning, add more salt and pepper if necessary. Remove from heat. Sauce should be thick and creamy. Nap hot fish with sauce and serve immediately.

Keeping and re-heating. Sauce is difficult to re-heat. So, as it takes only about 5 minutes to make, it should be done just at the last minute. When it cools off, it remains in its creamy state. But to heat, chill the cold sauce. Start out with a new reduction of vinegar, and more hard, cold butter. When this has taken well, add the cold sauce 1 TB at a time.

Left-Over Sauce. This is a rare occurence. It can be used like SHALLOT BUTTER, for grilled fish or the buttering of fish sauces.

Turned Sauce. This is when butter melts and becomes limpid. When it has cooled, it will beat into a cream. Chill it, and beat it into fresh BEURRE BLANC, as in "Re-Heating", above, or use as SHALLOT BUTTER.   *Top Secret*

How it works. The acid of the vinegar acts on the milk solids in the butter in such a way that when the butter and vinegar are beaten together over heat these solids remain in suspension. In other words, instead of becoming clear and melted, the butter becomes creamy. This precipitation process cannot be hurried, so the butter is added a bit at a time; and to control the heat factor, the butter is very cold.
Curnonsky, Prince Elu des Gastronomes, considers Mère Michel's BEURRE BLANC the best of all; and this is her manner of making it.

from page 53

Top Secret

Mayonnaise Legere:

Method II. (for about 1 cup of sauce)

In a clean dry bowl over hot water, beat until light and foamy (about 5 minutes):	1 whole egg pinch of salt
Remove from heat and immediately beat in:	1/2 tsp. prepared mustard or wine vinegar
Immediately beat in, drop by drop and continue as for MAYONNAISE:	2/3 cup oil
Add seasonings to taste:	salt, pepper, mustard, vinegar, minced herbs, etc.

Top Secret

Nov. 1, 1952
FRENCH HOME COOKING
Top Secret
SAUCES:
The Hollandaise Family. 2.
pg. 36

SAUCE HOLLANDAISE, Continued.

FOR: Vegetables, fish, eggs, where a delicately-flavored sauce is desired

THE BOILING BUTTER METHOD. This is the easy "off the stove" method, which flares the nostrils and raises the eyebrows of the classicist, but is certainly "Hollandaise without tears". It is used for ordinary standard butters, takes about 5 minutes or less to make, and, if served within a few minutes, presents no heating up problems at all.

Ingredients for about 3/4 to 1 cup, or 6 to 8 servings.
    2 tsp. lemon juice (or, for a more strongly flavored sauce:
                         2 TB wine vinegar, 2 TB water or dry
                         white wine, 1 tsp, minced shallot,
                         reduced to 2 tsp.)
    2 egg yolks (2 TB, or 1 ounce)
    8 to 12 TB butter (4 to 6 ounces)
    1/8 tsp. salt; ground pepper.

Method: Lay a damp dish cloth on a flat surface and place on it a small bowl or enamelled saucepan. (Cloth keeps recipient from sliding about.)

    Place the egg yolks in the recipient and beat until yolks become thick and sticky (about 1 minute). Beat in the lemon juice, salt and pepper (1/2 minute).

    Place butter over moderate heat to melt, then raise heat and bring to the boil. Boil is reached just when butter begins to crackle loudly, indicating its water-content has started to evaporate. Immediately remove from heat at this moment, (on no account let it brown.) Holding butter-pan in left hand, wire whip in right hand, pour the boiling butter in a thin stream of droplets onto the egg yolks, beating so all butter is being continuously absorbed. The hot butter cooks and thickens the yolks as they absorb it. For most purposes, sauce should have enough body to hold its shape as a mass in a spoon. Taste for seasoning. Add more lemon juice if necessary.

Serving: Serve in a warm sauce-bowl, not a hot one, as a too hot recipient can make the sauce turn. If food is to be presented, napped with HOLLANDAISE, and food is very hot, it is wisest to beat a TB of VELOUTE or BECHAMEL into the sauce, which will help to bind it.

Top Secret

cym słońcu na płaskich skałach nad samym morzem, w silnym wietrze. Niedaleko stały dwie wielkie płyty ze zbrojonego betonu, ustawione przez Włochów albo Niemców dla obrony przed desantem aliantów. W trawie na tyłach plaży leżały rdzewiejące pierścienie drutu kolczastego z czasów wojny, obok walały się gruzy po zniszczonych domach. A pośród tych wojennych relikwii stały obsypane cudownym, różowym kwieciem drzewa migdałowe.

Nazajutrz, po wizycie u konsula amerykańskiego w Nicei, wysłuchaniu wykładu amerykańskiego dyplomaty i sfotografowaniu się dla „Le Nice-Matin", ruszyliśmy w drogę powrotną do Marsylii przez postrzępione granie w *arrière-pays* (w głębi kraju) — ich wierzchołki były oprószone śniegiem jak cukrem pudrem — i lasy sosen oraz dębów korkowych.

Prowadzenie samochodu we Francji zawsze było sportem wyczynowym, ale jazda na południu to już doświadczenie na miarę sportów ekstremalnych. Drogi były strome, wyrzeźbione w urwistych klifach i ledwie na tyle szerokie, by mogły się na nich minąć jedna wielka ciężarówka i jeden mały samochód. Próżno szukać ograniczeń prędkości czy policji drogowej. Znaków drogowych jak na lekarstwo. Ciężarówki jeździły środkiem drogi i ani myślały zrobić ci miejsce. Auta wymijały je z obu stron, pędząc na oślep po krętych drogach pod górę z prędkością stu dziesięciu kilometrów na godzinę, trąbiąc z wszystkich sił i o włos wymykając się śmierci. Nikt nie zawracał sobie głowy włączaniem kierunkowskazów. Na ostrych zakrętach nie było barierek, a starsi przechodnie, kobiety z wózkami, rowerzyści i chłopi na furmankach mieli w zwyczaju wchodzić bądź wjeżdżać niemal prosto pod koła. Miejscowi zdawali się kompletnie głusi na bezustanne trąbienie i znieczuleni na ten brutalny styl jazdy, ale biedny Paul wyszedł z tej ciężkiej próby z poszarpanymi nerwami. Jechaliśmy jak zawsze ostrożnie, z nadzieją, że dotrzemy do Marsylii w jednym kawałku.

III. HILL IMBECYL

Nasze nowe mieszkanie mieściło się przy Quai de Rive Neuve 28-A, na piątym piętrze jasnobeżowego secesyjnego budynku z pofalowanymi metalowymi balustradami. Było malutkie, ale urokliwe, i miało wspaniały, szeroki widok na Stary Port i zacumowaną w nim flotyllę kutrów rybackich.

Paul zdjął ze ścian koszmarne szwedzkie malunki i zawiesił kilkanaście własnych fotografii, a mieszkanie wreszcie zaczęło nabierać atmosfery prawdziwego domu. Tak bardzo ulżyło mi, że mam wreszcie kuchnię (co prawda wielkości kambuza), że już w dniu przeprowadzki upichciłam na lunch magiczną *soupe de poisson*, zupę rybną. Tego samego popołudnia kupiłam na targowisku piękny, solidny, stary dębowy kubełek; po prostu mi się spodobał. Wykorzystaliśmy go jako kosz na śmieci.

Tego wieczoru siedziałam do po północy i pisałam listy, a tuż pod naszym oknem sapał holownik.

Z biegiem czasu poznawaliśmy osobliwości naszej kamienicy. Nie działało ogrzewanie. Ciśnienie w kranie to spadało, to się podnosiło. Paul utknął w windzie między piętrami. Ale nic to: nareszcie mieliśmy własny kawałek podłogi.

Paul pracował po dwanaście godzin dziennie i śmigał z miejsca na miejsce — a to żeby spotkać się z konsulem generalnym Hillem, a to na rozmowę z miejscowym nauczycielem fizyki, który chciał studiować w MIT, a to żeby towarzyszyć inspektorowi do spraw weteranów podczas niezapowiedzianej wizyty u sześciu amerykańskich żołnierzy, którzy studiowali na lokalnych uniwersytetach (podejrzenia inspektora, że dwóch z nich nielegalnie wykorzystuje pieniądze rządowe do pomocy żonom w założeniu firm potwierdziły się; żołnierze nie okazali skruchy). Spędzał tak dużo czasu na powietrzu, że blada paryska skóra na jego łysej głowie zbrązowiała i nabrała zdrowego połysku od wiatru i słońca.

Konsul generalny Heywood Hill — którego Abe Manell nazywał „Hillem-Imbecylem" — zabrał Paula na spotkanie z lokalnym prefektem, *monsieur* Pairą. Spowity obłokiem dymu papierosowego, za rokokowym biurkiem, na którym stały trzy ważnie wyglądające telefony, Paira, Korsykanin z dużym podbródkiem, rozpoczął spotkanie atakiem na USIS za to, że jego zdaniem walczy z komunistami, zamiast informować Francuzów o USA. W miarę słuchania jego idiotycznego monologu Paul wpadał w coraz większy gniew, ale gdy spróbował powiedzieć coś na swoją obronę, Paira po prostu huknął o jeden decybel wyżej i perorował dalej. Hill siedział bez słowa i bawił się zegarkiem, rękawiczkami i kapeluszem, zdenerwowany — wedle opisu Paula — „jak dziewica w burdelu". Potem spotkali się z merem miasta, *monsieur* Carlinim, jeszcze jednym twardzielem, który otaczał się brzuchatymi lokajami wystrojonymi w złote łańcuchy. Carlini załatwił cały protokół w jakieś cztery minuty. To tyle, jeśli chodzi o wspaniałe inicjatywy dyplomatyczne Stanów Zjednoczonych w Marsylii.

Stary Hill faktycznie okazał się palantem. To typ, którego umieliśmy rozpoznać po latach pracy na stanowiskach rządowych: głupawy, ale spostrzegawczy i niebywale czuły na krytykę. Jako doświadczony biurokrata i wychowawca krnąbrnych nastolatków, Paul wypracował sobie odpowiednie podejście: udawał, że bierze go na poważnie, nawet kiedy tamten stroił fochy, i popierał go nawet wtedy, gdy Hill zapędzał się w kozi róg (czyli często). Jak na razie przynosiło to dobre rezultaty, ale Paul tylko czekał, aż Hill odwróci się niespodziewanie i pryśnie mu w oczy jadem.

Nasze obawy budzili też kongresmeni — orędownicy cięć w budżecie, którzy przedzierali się z maczetami przez gąszcz struktury Służby Zagranicznej, i beztrosko, nie bacząc, co robią, wycinali i zdrowe pędy, i suche gałęzie. Przyjaciele w Paryżu mówili, że od czasu naszego wyjazdu morale w ambasadzie spadało na łeb na szyję. Im więcej słyszeliśmy podobnych relacji, tym bardziej się martwiliśmy, że liczykrupy szykują się do ataku na naszą maleńką marsylską placówkę, by ściąć nasz śliczny kwiat.

W wielkanocny weekend pojechaliśmy naszym La Tulipe Noire na wzgórza *arrière-pays*. Z dala od bitych turystycznych traktów nie było wielkiego ruchu, mogliśmy więc sunąć naprzód bez pośpiechu. Oglądaliśmy ciemne wąwozy i jasne klify, pola migdałowców obsypanych delikatnym bladoróżowym kwiatem i odcinających się na tle ciemnych jak serża gór, fioletowo-szare krzewy lawendy, splątane gałęzie drzew oliwnych wznoszących się na ogrodzonych tarasach, przycupnięte tu i ówdzie ule i farmy jedwabników schowane w stodołach. W niewielkiej *village-perché*, wysoko położonym miasteczku, o nazwie Gassin zjedliśmy piknik w lesie korkowym. Potem Paul zrobił kilka zdjęć dwóm czarno-białym kociętom, które bawiły się na figowcu. W powietrzu unosił się żywiczny aromat. Było to niewiarygodnie spokojne, oddalone od zgiełku miejsce. Na parę godzin zapomnieliśmy o wszystkich naszych stresach i bolączkach.

W nieco większej wiosce Moustier przekazaliśmy, w imieniu konsulatu, pudło książek stareńkiemu bibliotekarzowi — samoukowi, który od lat cierpliwie prosił o jakiekolwiek publikacje. „Chronił" książki w wilgotnym, ciemnym, jednopokojowym lokalu, oprawiając je w zwykły szary papier (i zasłaniając w ten sposób tytuły). Były poukładane na nieoheblowanych regałach z ręcznie wyciosanych desek. Półki sięgały aż do sufitu i wymagały użycia rozchwianej drabiny, na którą nawet on sam nie ważył się wchodzić. Z braku katalogu kartkowego wymyślił własny system: „Układam książki wedle rozmiaru!" — oznajmił z dumą. Jak się domyślaliśmy, od bardzo dawna nie miał zbyt wielu — a może nawet żadnych — odwiedzających. Potem, w samochodzie, nie mogliśmy się powstrzymać przed porównaniem tej smutnej, małej biblioteki z bibliotekami w większości amerykańskich miasteczek, które były jasne, dobrze zorganizowane i tętniły życiem.

Gdy zjeżdżaliśmy w stronę wybrzeża, z mgły wynurzyło się Saint-Tropez — rzędy różowych, żółtych, białych i rdzawych willi w stylu śródziemnomorskim, ciągnących się wzdłuż wybrzeża. Przed pięćdziesięciu laty musiał to być piękny, prosty port rybacki. Teraz jednak na plażach i w kawiarenkach pełno było drobnych cwaniaczków, pseudorybaków, artystów estradowych i urlopowiczów, którzy przyjechali tutaj oglądać i być oglądani. Z dwóch wielkich autobusów wysypali się turyści z Niemiec i Danii. Lśniące samochody na rejestracjach z kilkunastu krajów sunęły wolno wąskimi uliczkami. W przystani tłoczyły się jachty. To wybrzeże było świadectwem zmiażdżenia Natury przez Człowieka. Nas bardziej pociągało prostsze, rustykalne wnętrze Prowansji.

Zdążyłam już zobaczyć całe wybrzeże Morza Śródziemnego na wschód od Marsylii, ale ciągle jeszcze nie znalazłam takiego miejsca nad wodą, w którym chciałabym zbudować swój *château*. Rzadko miewałam nieprzyjemność oglądania takich pochlapanych gipsem pudełkowatych domów w stylu neośródziemnomorskim i jaskiń zbytku wciśniętych pomiędzy niezliczone pułapki na turystów, tanie sklepiki z bibelotami, szyldy

coca-coli i obskurne bistra podające *bouillabaisse*, zupę
rybną. Tfu! Wątpię, czy polubiłabym *la belle France*, gdybym znała tylko takie jej oblicze.

IV. „ŚLEDCZY"

Po powrocie do konsulatu, przeglądając stos listów,
Paul natknął się na notkę od jednego z naszych znajomych z ambasady, Charliego Moffleya, który pilnie
prosił o telefon. Kiedy Paul wreszcie się do niego dodzwonił, Moff wyjaśnił zdyszanym głosem, że w Paryżu rozpętało się piekło: dwóch przysłanych przez
senatora McCarthy'ego śledczych węszyło wszędzie
za „czerwonymi". Nikt nie był wolny od podejrzeń;
w korytarzach ambasady unosił się zapach strachu
i gniewu. Tego wieczoru wsiedliśmy do „Mistrala" jadącego do Paryża, żeby załatwić parę spraw, które zostawiliśmy na ostatnią chwilę.

Nazajutrz rano Paul dygotał w ulewie (było dziesięć
stopni), a my właśnie czyniłyśmy ostatnie przygotowania do sesji fotograficznej Trois Gourmandes we wciąż
nie wynajętym Ru de Lu. O dziewiątej trzydzieści
przyjechały Simca i Louisette z torbami pełnymi ryb,
jaj i warzyw. Zabrałyśmy się do pracy w kuchni, a Paul
robił nam zdjęcia na potrzeby kampanii promocyjnej.
Pozowałyśmy we trójkę, a Paul zużył dwanaście żarówek błyskowych. Pomyślałyśmy, że można by wykorzystać te fotki jako ilustracje do naszej książki.

Na lunch pomaszerowaliśmy do Le Grand Comptoir. Paul siedział w kąciku, odseparowany od ludzi niczym tybetański pustelnik, a my dyskutowałyśmy o książko-pichceniu, naszej nowej umowie, sosach, rybach i o podziale zadań. Uświadomiło mi to, jak ogromnie było mi brak tego żywego towarzystwa.

Więcej o śledczych McCarthy'ego dowiedzieliśmy się od Abe Manella przy obiedzie. Byli to dwaj prawnicy, najwyżej dwudziestosześcioletni, o nazwiskach Cohn i Schine. Typowe zbiry, które jednemu z jego francuskich znajomych przypominały agentów gestapo. Ściśle rzecz biorąc, nie prowadzili żadnego dochodzenia, ale przyjechali do Paryża, żeby pokazać, że są „zajęci" zbieraniem „faktów" na miejscu. Była to szopka i hańba. Jak wspomniał Abe, Cohn i Schine nie uprzedzili, jak nakazywałaby grzeczność, o swoim przybyciu. W piątek w ambasadzie odebrano telefon: „Baczność — są w drodze!". Przylecieli w sobotę i już na lotnisku urządzili konferencję prasową, na której rzucali wszystkie możliwe, niejasne, brudne i nieuzasadnione oskarżenia, na przykład: (1) USIS prowadzi politykę prokomunistyczną, czego dowodzą niezbicie książki w naszych bibliotekach; (2) USIS marnuje pieniądze podatników na dotacje i budowanie imperium; (3) personel USIS nie dba o bezpieczeństwo i jest zdominowany przez komunistów i/lub zboczeńców seksualnych.

Cohn i Schine ogłosili, że w niedzielę wielkanocną chcieliby przesłuchać naszego ambasadora Drapera i najwyższych urzędników USIS w związku z książkami w bibliotece ambasady. Wszyscy zmienili plany urlopowe, ale ani Cohn, ani Schine nie stawili się w niedzielę w ambasadzie. Wreszcie, o szesnastej trzydzieści zostali odnalezieni w swoim apartamencie w Hôtel de Crillon (opłaconym bez wątpienia przez amerykańskich podatników) w trakcie śniadania! Młodzi geniusze łaskawie poświęcili ambasadorowi piętnaście minut, a wyższym urzędnikom z USIS po dziesięć minut na osobę. Większość czasu spędzili na jedzeniu jajecznicy i dyskutowaniu, czy następnie powinni pojechać do Londynu, czy też może do Wiednia. W końcu wylecieli do Bonn, nie uprzedzając nikogo o swoim przybyciu. Bezczelność „śledczych" i niesprawiedliwe zarzuty w związku z tym, co „znaleźli", były oburzające.

„O ile mi wiadomo — rzucił z ironią Paul — «gromadzili dane» przede wszystkim wieczorem w Wielką Sobotę, wśród gołych *girls* z Montmartre'u".

Nie było jednak wątpliwości, że ci dwaj młodzi dranie zasiali ziarno trwogi w korpusie dyplomatycznym, a w naszym domu odbyła się kolejna rozmowa z cyklu „A jeśli…?": a jeśli Paul straci pracę? Zdecydowaliśmy, że porzucimy pracę rządową i urządzimy się w świecie książkowo-kulinarno-nauczycielskim. Będzie to dużo bliższe naszej naturze!

V. MISTRAL

SZUUUUUUU! Gdy wysiedliśmy z pociągu w Marsylii, niemal zwalił nas z nóg dotkliwie zimny, niosący tumany kurzu, dziki wicher, który wydostał się z Syberii, z wyciem przemierzył Alpy, śmignął doliną Rodanu i w dół naszych karków. Pudełka, beczki, skrzynki, śmieci i gazety płynęły w powietrzu i uderzały o ściany domów. Wiatr zrywał dachówki, wpadał do kominów i wyrywał okiennice z zawiasów. Morze w Starym Porcie było wściekłe i spienione, a przez zatokę przetaczały się trzydziestometrowe bałwany. Łodzie tuliły się do siebie jak owce, maszty flotylli rybackiej przechylały dramatycznie, a olinowanie wydawało odgłosy podobne do gwizdu pociągu. Musieliśmy z Paulem zmrużyć oczy i zgarbić plecy dla ochrony przed podmuchami. Ledwie zdołaliśmy przejść wzdłuż nadbrzeża. Gdy w końcu dobrnęliśmy do domu, przekonaliśmy się, że okna naszego mieszkania, sześć kondygnacji nad ulicą, były kompletnie oszronione od soli z pyłu wodnego.

Był to nasz pierwszy mistral, sławny huraganowy wiatr, tak emocjonujący, że aż mącił umysł. Jakbyśmy znaleźli się pod ostrzałem artyleryjskim.

Na drugi dzień w ogóle nie było wiatru. Niewiarygodne. Nasze szyje i uszy wciąż były przyczernione od zawiewającego z boku kurzu. U wejścia do zatoki mężczyźni wielkimi grabiami oczyszczali wodę ze stert glonów, desek, pomarańcz i innych pływających przedmiotów, które się tam nazbierały. Szykowaliśmy się na kolejne uderzenie. Kiedy na pikniku obleżą cię mrówki, czujesz potem, że wędrują ci po nodze, choć wcale ich tam nie ma. Było to mniej więcej coś takiego.

W połowie kwietnia Paul został mianowany jednym z wysłanników konsulatu na festiwal filmowy w Cannes. Przed wyjazdem na jego otwarcie umówiliśmy się z Simcą, że zatrzymamy się w domu jej matki, willi o nazwie „La Brise" w Mandelieu, na pogórzu, około ośmiu kilometrów od Cannes. Podobnie jak jej córka, *madame* Beck była wysoka, miała bladą normańską skórę i surowe spojrzenie. Obie tryskały energią, były tak samo życzliwe, niezwykle elokwentne, nie znoszące sprzeciwu i wielkoduszne. Mówiły dwa razy szybciej i głośniej od większości Amerykanek, co mi nie przeszkadzało, ale wyczerpywało Paula.

Willa „La Brise" była ogromna, miała mnóstwo zakamarków i chyba tysiące bibelotów. Na parapecie naszej sypialni, w oknie otwartym na pysznie chłodne powietrze, stała buteleczka Air Wicka z wysuniętym do samej góry knotkiem. A to niespodzianka — dotąd uważałam Air Wicka za typowo amerykański towar konsumpcyjny. I tak oto nasz pierwszy wieczór w tej cudownej starej francuskiej willi zaczął się od kumkania wiosennych żab i upajania się zapachem Air Wicka.

Paul tak naprawdę miał w nosie cały splendor otaczający festiwal, lecz jako oficjalny przedstawiciel rządu amerykańskiego musiał brać udział w dużych uroczystościach. Na promenadzie Croisette pokazywały się oczywiście przede wszystkim gwiazdy filmowe, które przyjechały z Francji, Hiszpanii, Brazylii, Meksyku, Szwecji, Finlandii i Hollywood. Zostawałyśmy z Simką w „La Brise", żeby pracować nad książką, a Paul w tym czasie sączył szampana w słońcu na hotelowym tarasie i oglądał przechodzące sławy: Olivię de Havilland (która miała, jak zauważył, piękną, otwartą, „prawdziwą" twarz), Lanę Turner (starannie zrobiona, arcysztuczna fasada), Edwarda G. Robinsona (człowiek w typie Małego Cezara), najnowszego Tarzana (wysoki, gruba szyja, falowane ciemne włosy, narcystyczna twarz bez wyrazu) i Jeana Cocteau (posunięty w latach, dystyngowany, ale wyniszczony, w wełnianym szalu z frędzlami i błękitnych spodniach).

Wieczorem dołączyłyśmy do Paula i tysiąca pięciuset innych osób na koktajlu, po którym odbyła się kolacja z udziałem dużej grupy z konsulatu, a później projekcja dwóch amerykańskich filmów — krótkometrażowego dokumentu Disneya *Ptaki wodne*, który ogromnie nam się spodobał, oraz thrillera Hitchcocka *Wyznaję* z Montgomerym Cliftem, który wcale nas nie poruszył. Dowlekliśmy się do łóżka o drugiej nad ranem.

Następnego dnia zjedliśmy późne śniadanie i rozkoszowaliśmy się leniwym porankiem w „La Brise". Pierwszy raz od wielu dni mogliśmy odpocząć od pracy. Po południu wybraliśmy się na przejażdżkę wzdłuż klifów, jarów i wąwozów, aż do maleńkich *villages perchés* usytuowanych na szczytach gór — między innymi Gourdon, najwyżej położonej wioski w całym nadmorskim pasie Alp. Wysokości przyprawiały o zawrót głowy i przestraszyły biednego Paula, ale ja, Simca i jej matka byłyśmy w siódmym niebie. Gdy jednak *madame* Beck zaczęła wykrzykiwać pod adresem Paula rozkazy, jak i gdzie powinien robić zdjęcia, ten zapałał gniewem na „tę napoleońską generałową". Później zdrowo się uśmialiśmy, bo przyznał, że jej docinki pomagały mu zapomnieć o zawrotach głowy.

Po powrocie do Marsylii ogłosiłam, że od tej pory będę pracować wedle „bardzo sztywnego harmonogramu": poranki przeznaczone na zakupy i prace domowe, popołudnia zarezerwowane na pracę nad książką, wieczory na czytanie i odpoczynek. Ten program był bardzo efektywny, przynajmniej na początku. Ale Paul był ciągle na festiwalu, a ja, kinomanka, nie mogłam przestać myśleć, że bawi się na Croisette. Wreszcie nie wytrzymałam i kiedy wpadł do domu dla zaczerpnięcia oddechu, zapytałam: „No to kiedy wracamy do Cannes na ten ostatni koktajl?". Tak oto o ósmej rano następnego dnia wsiadłam z nim do pociągu do Cannes. Zdawało się, że niebo było w dwójnasób błękitne, a my jechaliśmy trzy godziny przez skaliste krajobrazy i lasy sosnowe. W Cannes słońce było gorące, a szampan zimny. Jak przyjemnie było siedzieć i rozglądać się dokoła. Na eleganckim koktajlu wydanym tego wieczoru przez delegację amerykańską Paul dał się oczarować rozbłyskującym tu i ówdzie hiszpańskim i brazylijskim gwiazdeczkom, a ja straciłam głowę dla wyluzowanego i uroczego Gary'ego Coopera. Kiedy tuż po północy wymknęliśmy się do domu, zabawa trwała w najlepsze.

Skrzynki z naszymi rzeczami z Paryża przyjechały do Marsylii, ale w naszym mieszkanku mieliśmy miejsce tylko na jedną czwartą naszych drobiazgów.

Spędzałam całe dnie na sortowaniu, wieszaniu, wpychaniu do szaf, przestawianiu rzeczy i zaprowadzaniu w naszym mieszkanku choćby złudzenia porządku. Wreszcie *batterie de cuisine*, naczynia kuchenne, i książki kucharskie zostały ustawione w ordynku w kuchni. Paul powiesił kilka swoich obrazów w salonie. Każde z nas miało stół do pracy. Reszta naszych rzeczy powędrowała do składziku, a zacna łajba Childów wypłynęła w morze!

Mimo ciasnoty pokochaliśmy to nasze orle gniazdo. Dosłownie tuż za oknem mieliśmy żywy teatr Vieux Port. Któregoś majowego wieczoru z ulicy na dole dobiegły nas rozemocjonowane okrzyki: flotylla rybacka miała dobrą passę. Kutry z tuńczykami przybijały do nadbrzeża tuż za naszym oknem i do północy rozlegały się bezustanne okrzyki i mokre plask!

Widok z naszego mieszkania w Starym Porcie

plask! plask! ciężkich ryb, które zrzucano z łodzi na kamienne nadbrzeże, a następnie ładowano do wyłożonych lodem ciężarówek. Rybacy korzystali z dobrego połowu i uwijali się dniem i nocą. Wieczorem z naszego balkonu roztaczał się piękny widok — tysiące lśniących, srebrnych tuńczyków, wszystkie mniej więcej tej samej wielkości, trzepocące w zaróżowionej wodzie w blasku lamp łukowych, i potężni faceci o pałąkowatych nogach, bosonodzy i w rybaczkach, którzy dźwigali i pchali ciężary, ogarnięci czymś w rodzaju atawistycznego ferworu.

Nie mogłam się powstrzymać i kupiłam wielki płat tuńczyka o jasnoczerwonym mięsie. Panie z targu poradziły mi namoczyć go w wodzie z octem, żeby pozbyć się nadmiernie rybiego smaku. Zostawiłam go w tej zalewie na pięć godzin. Mięso zrobiło się prawie białe. Wtedy udusiłam je z *purée de tomates*, przecierem pomidorowym, *oignons étuvés à l'huile*, cebulą smażoną w oleju, grzybami, *vin blanc* oraz różnymi ziołami. Rewelacja!

VI. ZUPA

Teraz gdy wyjęłam ze składziku wszystkie moje miedziane garnki, podjęłam trudną decyzję: zamiast wypuszczać się z Paulem w teren, zostanę w domu i będę pracować. Czekało go sześć podróży służbowych i choć uwielbialiśmy jeździć, oglądać i porównywać ze sobą różne rzeczy, pochłonęłoby to mnóstwo czasu. Książka była teraz moim priorytetem.

Simca została u mnie na kilka dni, żebyśmy mogły pogadać, poeksperymentować i napisać o jajkach, jajkach i jeszcze raz jajkach. Pracowałyśmy nad jajkami w sosie *soubise*, jajkami z *purée* grzybowym, *en cocotte à la crème*, w kokilkach ze śmietaną, *moulés*, w foremkach, jajkami z sosem *périgueux* — by wspomnieć tylko niektóre. Miałyśmy cudowny przypływ natchnienia.

Simca była silną dziewczyną i wyznawała etykę pracy. Zaczęłam ją nazywać „La Super-Française", bo reprezentowała typ dynamicznej, samodzielnej, przebojowej Francuzki, który tak podziwiałam. W czasie choroby zamieniała swoje łóżko w biuro, obstawiając się w nim telefonem, maszyną do pisania, stertami książek i stosami papierzysk. Siedziała niczym królowa, wzywając gości, planując posiłki i poprawiając strony maszynopisu.

Louisette tymczasem należała do innego typu klasycznych Francuzek — była niska, ładna i o wiele łagodniejsza. W dalszym ciągu uczyły z Simką w ramach École des Trois Gourmandes w jej świeżo wyremontowanej paryskiej kuchni, ale udział Louisette w pracy nad książką był minimalny. Pokazywałyśmy jej jednak wszystko, nad czym pracowałyśmy, poświęcając jej sugestiom należytą uwagę.

Zostałyśmy zaproszone we trójkę do Confrérie des Chevaliers du Tastevin, najsłynniejszego ze starych stowarzyszeń degustatorów win z siedzibą w Burgundii. Stowarzyszenie miało cały szereg skomplikowanych odznaczeń i rytuałów. Zostałyśmy wpisane do grona *chevaliers*, czyli członków, co potwierdzały specjalne certyfikaty. Miałyśmy nadzieję, że ten zaszczyt pomoże nam ustalić naszą pozycję jako autorek książki kucharskiej (później dowiedziałyśmy się, że do stowarzyszenia mógł przystąpić każdy, kto znalazł sponsora i był gotów wybulić sześćdziesiąt tysięcy franków, o czym wiedziało niewielu Francuzów, nawet tych związanych z gastronomią).

Wieczorem zabraliśmy Simkę na kolację do Chez Guido. Szef kuchni ucieszył się na nasz widok, zwłaszcza kiedy Paul sprezentował małemu Jeanowi-Jacques'owi nasz podarek: skórzany pas kowbojski z dwoma lśniącymi kapiszonowcami w kaburach (Paul tak się nim zachwycił, że nie chciał mu go oddać!). Prezent został uroczyście otwarty, a Jean-Jacques przez resztę wieczoru maszerował od stolika do stolika, kręcił pistoletami, mierzył do gości z nowej broni i w ogóle wybornie się bawił. Papa Guido promieniał z uciechy. Czuliśmy, że ten prosty, serdeczny gest okazał się dobrym podziękowaniem za jego życzliwość.

* * *

W śródziemnomorskim klimacie łatwo przyzwyczaiłam się do używania lokalnej „bazy smakowej" z pomidorów, cebuli, czosnku i ziół prowansalskich. Przeszłam do rozdziału o zupach — najpierw zajęłam się rozpracowywaniem *soupe de poisson*, prostej zupy — a właściwie bulionu rybnego — przyrządzanej z rybnych skrawków albo podrobów (głowy, ogona i szkieletu), albo wielu drobnych „byle jakich" rybek, na przykład skorpen, które gotuje się z bazą smakową, a potem odcedza. Powstały w ten sposób wywar jest cudownie aromatyczny. Podaje się go z grzankami posmarowanymi czosnkowo-paprykowym sosem *rouille.*

Gromadząc materiały, włóczyłam się po targach rybnych — szczególnie lubiłam bazar pod gołym niebem niedaleko rue de Rome, a także Criée aux Poissons, targowisko hurtowników przy Vieux Port. Było tam chyba z dziesięć milionów cudnie kolorowych wodnych stworzeń, wiele z nich występujących tylko w tych wodach. Moim zadaniem było znaleźć dla nich amerykańskie (i angielskie) zamienniki.

Uczyłam się o wielu gatunkach ryb i prawdę mówiąc, im mocniej zagłębiałam się w temat, tym bardziej utwierdzałam się w przekonaniu, że autorzy książek kucharskich wymieniali w przepisach ryby, o których nie zebrali informacji. Dlaczego, do licha, określali małego kongera mianem *fielas*, bez jakiegokolwiek wytłumaczenia? Może handlarki z targu rybnego pomogą rozwiać moje wątpliwości.

Uwielbiałam te panie. Stanowiły jedyny w swoim rodzaju gatunek: postawne, głośne i zaborcze, wrzeszczały na siebie z nosowym akcentem. „Kiedy jedna z nich umiera, od razu pojawia się następna, identyczna jak tamta i gotowa zająć jej miejsce" — powiedział mi stary *pêcheur,* rybak. Handlarki były dla mnie wspaniałym źródłem informacji, choć nie zawsze się ze sobą zgadzały. Wielka *rascasse* (paskudna ryba) według jednych z nich nazywała się *chapon.* Drugie z kolei wskazywały na inną rybę — płaską, czerwoną i wiel ką, z wodnistymi oczami — i identyfikowały ją jako *rascasse*. Hm.

— Czy to *rigor mortis*, stężenie pośmiertne? — zapytałam jedną z tych kobiet, wskazując na sztywną, srebrnozieloną rybę.

— Nie — odparła z obojętną miną. — Makrela.

Kiedy już przyswoiłam sobie *soupe de poisson*, bulion rybny, logika podpowiadała, że przyszła pora skoczyć w miejscowy klasyk, *bouillabaisse à la marseillaise*. Jest to zupa rybna. Miejscowi rybacy robią ją z tego, co akurat mają pod ręką, ale danie to może być całkiem wykwintne. Idealna *bouillabaisse* ma wyjątkowy smak i konsystencję, które zawdzięcza wykorzystaniu szerokiej gamy najświeższych ryb, jakie można znaleźć. Wypróbowaliśmy z Paulem wiele wersji tej zupy w całym mieście i przekonaliśmy się, że niektóre sporządzano na bazie wody i doprawiano wyłącznie szafranem, inne zaś były dość skomplikowane, gotowane na bazie bulionu rybnego i pełne małży, przegrzebków, łodyg kopru włoskiego i tym podobnych.

Tylko który z przepisów był Tym Jedynym? Musiałam przekopać się przez mnóstwo bredni na ten temat. Okazało się, że „prawdziwych" przepisów na *bouillabaisse* jest tyle, ilu jest kucharzy. Bawiło mnie, kiedy po zadaniu pytania o *la vraie recette*, „prawdziwy" przepis, słyszałam francuski dogmatyzm w najgorszym wydaniu.

Uważano, że jako cudzoziemka nie mam o niczym pojęcia — nie wiem nawet, skąd się biorą ryby. „No więc — zaczęła jedna z kobiet — my, prawdziwi miesz-

kańcy rejonu Morza Śródziemnego, nigdy nie doda-
jemy pomidorów do zupy rybnej, nigdy!". Bzdura.
Sprawdziłam „prawdziwy" przepis „prawdziwego"
cuisinier provençal, Reboula (autora książki *Cuisinier
Provençal*) — w jego wersji do *bouillabaisse* dodaje się
pomidory. No właśnie! Drażnił mnie taki dogmatyzm,
wynikający z ignorancji i okraszony dużą dozą pusto-
słowia (było to jedyne, co tak naprawdę miałam do
zarzucenia Francuzom). W istocie, ponieważ wszystko dogłębnie studiowałam, zwykle wiedziałam o po-
trawie więcej niż Francuzi, co często zdarza się obco-
krajowcom.

Według mnie niepowtarzalny smak *bouillabaisse* bierze się z dwóch rzeczy: prowansalskiej bazy — złożonej
z czosnku, cebuli, pomidorów, oliwy, kopru włoskiego,
szafranu, tymianku, liścia laurowego, a także zazwyczaj odrobiny suszonej skórki pomarańczowej — no
i oczywiście ryb: nietłustych, tych o twardym mięsie
i tych o miękkim, galaretowatych, i skorupiaków.

Zupa ugotowana na dziesięć osób zwykle smakuje lepiej niż taka na cztery osoby, bo można dodać do
niej więcej różnych gatunków ryb. Ale czy powinno się
dodawać ziemniaki, a może tylko mąkę ziemniaczaną,
albo w ogóle z nich zrezygnować? Kiedy do bulionu
należy wrzucać kraby? Czy wywar należy odcedzać
częściowo, w całości, czy może wcale? Trwały na ten
temat niekończące się debaty, a ich uczestnicy prezen-
towali swoje poglądy z wielką przyjemnością — oto
jeden z powodów, dla których *bouillabaisse* jest doskonałym odbiciem samej Marsylii.

Złapana przez mistral

Któregoś dnia miasto niespodziewanie zaroiło się od dwumetrowych dziewiętnastoletnich amerykańskich marynarzy ubranych w białe letnie stroje. Przypłynął lotniskowiec USS „Coral Sea", więc bary i burdele pracowały pełną parą. Tymczasem miejscowi komuniści okleili miasto antyamerykańskimi plakatami i w alarmistycznych nagłówkach swoich gazet ostrzegali przed *bombes atomiques*.

Paul prawie zamęczył się na śmierć, próbując utrzymać międzykulturową dobrą wolę; organizował mecze koszykówki, tańce, nabożeństwa, sesje fotograficzne, wycieczki dla dziennikarzy, a nawet zwiedzanie lotniskowca przez czterdzieścioro francuskich sierot.

Kilka dni później sytuacja się powtórzyła, tyle że tym razem jej sprawcą był lotniskowiec USS „Tarawa". W drugim dniu jego pobytu w porcie rozszalał się mistral. Niebo było lśniąco błękitne, ale temperatura spadła raptem z około trzydziestu pięciu stopni do kilkunastu, a szalony wicher dął nad miastem dniem i nocą. Jaaaah! Fiuuuueeeeuuuh! Powietrze znowu wypełniło się wirującym kurzem i pyłem wodnym, a wiatr trzaskał, szarpał i miotał wszystkim z obłąkańczą siłą. Nieszczęśnicy z „Tarawy" nie mogli opuścić pokładu i zabawić się na lądzie.

Któregoś popołudnia, brnąc w huraganie, wdrapaliśmy się z Paulem na skalisty klif, skąd mogliśmy patrzeć, jak mistral spienia fale na morzu, tworząc białe bałwany. Było to zarazem olśniewające i wyczerpujące. Wiatr rozdarł rąbek mojej spódnicy, potem rozwiązał krawat na szyi Paula, wywrócił na lewą stronę mankiety jego spodni i zabielił mu włosy solą morską.

Kilka dni później upadł kolejny francuski rząd. Tym razem poszło o kwestię reformy konstytucyjnej. Zdawało się, że Francuzi mieli niespożyte siły, kiedy przychodziło do robienia zamieszania i zawiązywania frakcji jeden przeciwko drugiemu.

Spektakl, w którym ten cudowny naród, obdarzony tak wielkim bogactwem rolniczym i kulturalnym, szkodził sam sobie, nasunął mi pytanie, czy Francja aby nie cierpiała na coś w rodzaju narodowej neurozy.

Choć jako Amerykanie wcale nie mieliśmy powodów do dumy, bo w kraju senator McCarthy dalej rozwalał nam USIS. Rozeszła się pogłoska, że cała instytucja może upaść jeszcze przed końcem roku. Nasi koledzy spadali jak zgniłe jabłka z drzewa. Jedni dostawali wymówienie, inni — przeważnie starsi i bardzo doświadczeni, dobrzy specjaliści — w poczuciu odrazy zwalniali się sami. Zakupy książek przez agencję zostały zredukowane z dwudziestu tysięcy do 1592 egzemplarzy na miesiąc. Wydawało mi się, że nawet prezydent Eisenhower dał się zastraszyć. Jak moi rodacy zareagują na takie poczynania senatora?

Pomimo tego koszmaru zorientowałam się, że tęsknię za Ameryką. Poznaliśmy w Marsylii mnóstwo miłych ludzi, ale nie mieliśmy tam żadnych przyjaciół od serca. Moja tęsknota rosła przy tych rzadkich okazjach, gdy widywaliśmy się z naszymi powiernikami, starymi przyjaciółmi i rodziną, przy których mogliśmy naprawdę wrzucić na luz.

W czerwcu pojechaliśmy na dziesięciodniowy urlop do Portugalii, w odwiedziny do George'a i Betsy Kublerów, naszych znajomych historyków sztuki z New Haven. Były to cudownie odprężające wakacje. Spodobali nam się szorstcy Portugalczycy i ich pobielone domy. Niestety, nigdy nie można uciec tak naprawdę. W połowie naszego urlopu Hill-Imbecyl wezwał nas z powrotem do Marsylii (w związku z jakąś niecierpiącą zwłoki sprawą), a świetną sekretarkę i bibliotekarkę Paula odesłał do Stanów (cięcia budżetowe).

Nigdy specjalnie nie dbałyśmy o roboczy tytuł nadany przez Sumnera Putnama, „Domowa kuchnia francuska", i nazywałyśmy nasze *opus magnum* po prostu Książką. A Książka w ostatnim czasie rosła, zdaniem Paula: „jak dąb — leniwie, ale i zdecydowanie".

Nasz system pracy polegał na opracowywaniu przepisów w domu (Simca w Paryżu, ja w Marsylii), a potem na gorączkowej wymianie notatek drogą pocztową lub osobistych odwiedzinach. Specjalnością Simki były ciasta, ale miała też do zaoferowania wiele innych rzeczy ze swoich nieprzebranych zasobów wiedzy kulinarnej. Wypróbowywałam wszystko i jako Jankeska rezydentka byłam odpowiedzialna za sam proces pisania. Przy tej całej obustronnej wymianie nasza maszynopisanina rozrosła się do całkiem sporych rozmiarów.

Przeprowadziłam szybkie obliczenia i wyszło, że — w zależności od czcionki, formatu stron, liczby ilustracji i tak dalej — książka może dobić do siedmiuset stron. Trochę nas to zmartwiło: czy Houghton Mifflin zechce tak długą i szczegółową książkę kucharską? Czy zechce ją Ameryka?

Nie miałyśmy pojęcia, co z tym zrobić. Bardzo trudno było skrócić przepis i nie pominąć żadnego kroku koniecznego do tego, żeby potrawa się udała. Stara-

łyśmy się zamieścić we wskazówkach mnóstwo pożytecznych informacji, a zarazem nadmiernie ich nie
zagęszczać, żeby czytelnik nie musiał wracać do notek
z poprzednich stron. No i chciałyśmy przedstawić sporo interesujących tematów i wariacji na temat, unikając
przy tym nudnych repetycji.

Pisanie to jednak ciężka praca. Nie zawsze przychodziło mi z łatwością, ale kiedy się już rozkręciłam,
narracja zaczynała płynąć wartko. Tak jak nauczanie
pisanie musi być żywe, zwłaszcza kiedy pisze się tak
techniczne i potencjalnie nudogenne teksty jak przepisy kulinarne. Starałam się, aby mój styl był zajmu-
jący i niepedantyczny, ale też klarowny. Byłam swoją
najbardziej wymagającą czytelniczką: chciałam wiedzieć, co się dzieje na kuchence i w jaki sposób można
wpłynąć na rezultaty. Zakładałam, że nasza idealna
czytelniczka lub czytelnik — samodzielna amerykańska kucharka, która lubi od czasu do czasu zrobić coś
wspaniałego do jedzenia — będzie czuć podobnie.

Houghton Mifflin miał nadzieję wydać książkę do
czerwca 1954 roku, ale ja sama nie wierzyłam, że nastąpi to wcześniej niż w czerwcu 1955.

15 sierpnia 1953, dzień moich czterdziestych pierwszych urodzin, był gorący jak turecka łaźnia w „La
Brise". Obejrzałam się w lustrze w poszukiwaniu
oznak niedołężnienia: miałam wrażenie, że łokcie jakby powoli usychały, ale przynajmniej nie zauważyłam
jeszcze siwych włosów. Moim największym zmartwie-
niem była prostota. Może gdybyś skoncentrowała się

na fakcie, że masz czterdzieści jeden lat — napomnia-
łam własne odbicie w lustrze — pamiętałabyś o tym,
żeby być bardziej wyrafinowana!

Przyjaciele wyciągnęli Paula na włóczęgę przez spalone słońcem kłujące zarośla, dzięki czemu oderwał się
od czytania, a tymczasem Simca i ja zmagałyśmy się
z maszynopisem. Przejrzałyśmy szkic rozdziału o zupach już co najmniej dwadzieścia razy. Zdawało mi się,
że lada chwila utonę w zupie.

Postanowiłyśmy zrobić sobie przerwę od tekstu
i spędzić trochę czasu w realnym świecie zup. Ugotowałyśmy pierwszorzędną *aïgo bouïdo*, zupę czosnkową, w której wykorzystałyśmy szesnaście ząbków
czosnku, a także szałwię, tymianek i grzanki z serem.
Czosnkowy posmak nie był ostry, a całość wyszła wyborna i aromatyczna. Tego wieczoru mlaskałyśmy nad
nią z zachwytu. *Aïgo bouïdo* podobno dobrze wpływa
na wątrobę, krążenie, kondycję fizyczną, a nawet zdrowie duchowe. Paul i jego przyjaciele, głodni jak wilki,
dotarli wreszcie do domu po całodziennej wyprawie,
podczas której zresztą trochę pobłądzili. Orzekli, że
zupa czosnkowa wspaniale przywraca siły, a my bez
wahania włączyłyśmy *aïgo bouïdo* do Książki.

VII. BOULEVARD DE LA CORDERIE

Próbowaliśmy bezskutecznie nakłonić naszego
szwedzkiego gospodarza gruźlika do zdeklarowania
się, czy ma zamiar wrócić do Marsylii, czy nie. Uwielbialiśmy jego mieszkanie. Trudno znaleźć drugie miej-

sce z takim dramatem i emocjami, jakich dostarczał nam widok Starego Portu za oknem. Tyle że nasze gniazdko było takie malutkie, że połowa sprzętów domowych ciągle pokutowała w składziku. W dodatku było w nim tak zimno, że w czasie pracy zakładałam na moje dzienne ubrania wielki czerwony szlafrok.

Usłyszałam o większym mieszkaniu do wynajęcia na wzgórzu i postanowiłam je obejrzeć. Mieściło się na siódmym piętrze nowocześnie wyglądającego budynku przy zielonym Boulevard de la Corderie. Roztaczał się z niego panoramiczny widok na całe stare miasto, dzielnicę slumsów, port, morze i fort Vauban. Od strony północnej i południowej były małe balkoniki, a przez okna od strony podwórza przez całe popołudnie wlewało się słońce. Mieszkanie miało sześć pokoi, podłogi kryte czerwonymi płytkami, wielką kuchnię, a w piwnicy dość miejsca do przechowywania win. Wszystko było jasne, czyste, nadające się do użytku i utrzymane w dobrym guście. Tylko czynsz wynosił niemal tyle, co nasza dieta rządowa. Ale i tak je wzięliśmy.

Pierwszego dnia przy Boulevard de la Corderie 113 usiedliśmy na nasłonecznionym balkonie od podwórza, zdjęliśmy koszule i zjedliśmy lunch. Było tak przyjemnie, że obiecaliśmy sobie robić to przy każdej nadarzającej się okazji. Po południu tego samego dnia, wnosząc na schody wielką pustą skrzynię, pokonałam chwiejnym krokiem kilka stopni, potknęłam się o stertę książek i wywróciłam na skrzydło przeszklonych drzwi, które prowadziły na frontowy balkon: Łuup! Trrrach!... Brzęk... brzęk... ęk. No nie. Szkło warte 21 i pół dolara poszło w mgnieniu oka. Jakby tego było mało, nazajutrz o piątej rano wyrwała nas ze snu żałosna seria hejnałowa, dobiegająca przez pustą futrynę drzwi z pobliskiego fortu. Pobudka rozbrzmiała ponownie o piątej piętnaście, szóstej, szóstej piętnaście i o siódmej, gdy wreszcie podnieśliśmy się z łóżka.

I znów wprowadzamy nowe zasady: gdzie wieszać ubrania i kiedy włączać ogrzewanie, gdzie trzymać jedzenie i czym udekorować ściany. Zasiedlenie domu chwilę potrwa, ale kuchnia na pewno nie może czekać. Większość francuskich kuchni została zaprojektowana z myślą o tym, że pracować w nich będzie służba domowa — *ergo* miejsca te były nieatrakcyjne, niefunkcjonalne i słabo oświetlone. Ale moja kuchnia była moim biurem. Lubiłam, żeby garnki i rondle wisiały w zasięgu ręki, a w zasięgu wzroku stały książki kucharskie, zaś układ mebli był sensowny (z mojego punktu widzenia). Opracowaliśmy więc razem nowy rozkład oświetlenia, półek, blatów i szuflad, aby nowa przestrzeń dobrze nam służyła. Po tylu przeprowadzkach powoli stawaliśmy się ekspertami w projektowaniu kuchni.

Pierwszymi gośćmi, którzy dostąpili zaszczytu zjedzenia kolacji w naszym nowym domu, byli Clifford i Leonie Whartonowie, nowy amerykański konsul generalny i jego żona. Tworzyli serdeczną, szczerą i swobodną parę. Głowiliśmy się tylko, skąd pochodzą. W końcu okazało się, że oboje byli Mulatami: Cliff był podobno „pierwszym murzyńskim konsulem generalnym" w Służbie Zagranicznej; oprócz tego był rosłym, elokwentnym i energicznym prawnikiem, który szedł przez życie przebojem, nie dbając o subtelności. „Taaa! Rozumiem!" — wykrzykiwał i szarżował dalej, ale był inteligentny i dynamiczny, dzięki czemu szybko zdobywał przyjaciół. Leonie była mniejsza, cichsza i działała bardziej instynktownie. Podaliśmy tego wieczoru cztery rodzaje win pierwsze jako *apéritif*, drugie do ostryg, trzecie do kurczaka, a ostatnie do serów. Rozmowa toczyła się wartko, zwłaszcza kiedy zeszła na temat bałaganu w FBO.

Typowy biurokratyczny galimatias sprawił, że Whartonowie mieszkali w hotelu. Zawdzięczali to rządowej agendzie, amerykańskiemu Biuru Budynków Zagranicznych (FBO). Tworzyli je architekci, dekoratorzy wnętrz, inżynierowie i agenci pośrednictwa nieruchomości, którzy odpowiadali za kupno, sprzedaż i urządzanie budynków na użytek amerykańskich misji dyplomatycznych na całym świecie. W roku 1947 FBO kupiło w Marsylii dwie działki: na jednej zamierzano wybudować konsulat (dotychczas mieścił się w wynajętym, tymczasowym lokum), na drugiej miał powstać dom konsula generalnego. Na potrzeby tego pierwszego FBO kupiło ładną tanią parcelę w samym środku najbardziej obskurnej, mieszczącej najwięcej barów i burdeli dzielnicy czerwonych latarni.

Z myślą o drugim nabyto działkę na samym szczycie najbardziej niedostępnej, pozbawionej dróg dojazdowych granitowej Annapurny w okolicy („Ale przecież są tam takie fantastyczne widoki!"). Teraz rząd amerykański nie miał pojęcia, co zrobić z tymi

Widok z naszego mieszkania przy Boulevard
de la Corderie

dwiema chybionymi inwestycjami, które stały się po-
śmiewiskiem i przekleństwem Służb Zagranicznych.

Któregoś dnia typ z FBO przyjechał z samego Paryża, teoretycznie po to, aby pomóc rozwiązać problem
mieszkaniowy Whartonów. Kiedy facet zaczął gadkę
o tym, jak wiele są warte obie nietrafione inwestycje
FBO, Wharton potraktował go kilkoma cudownie do-
sadnymi sentencjami w stylu: „Pierdzeniem przez płot

nie użyźnisz pięcioakrowego pola!", co skutecznie za-
mknęło mu usta. „Słuchajcie, mogę wytrzymać, jeśli
facet sika mi na stopę, ale na Boga, kiedy mi wmawia,
że to deszcz, to już zbyt wiele!" — zżymał się po wyjściu urzędasa.

Nasze nowe mieszkanie było pod wieloma względami wspaniałe, ale chyba nie znałam drugiego miejsca, które miałoby tyle nieszczelnych rur, wystających
kabli, dymu w windzie i innych dziwnych problemów. Zdarzało się, że kiedy włączałam kuchenkę,
gasły światła. Sprowadziliśmy elektryka, który coś
tam pomajstrował i jakoś zlikwidował problem, ale
nawet nie potrafił nam powiedzieć, co zrobił. *„Mais,
il y des mysterès dans la vie"* — stwierdził, zakłada-
jąc beret i zapalając papierosa. Właśnie. Są w życiu
tajemnice.

Pewnego razu nasza sąsiadka z dołu przydrepta-
ła do nas w brązowych kapciach i oznajmiła: „Proszę
pani, już nie wiemy, co wy tam całą noc wyprawiacie,
ale to brzmi jak bęben!".

Poszłam więc na dół do jej mieszkania, sprawdzić,
jak brzmi ten hałas. Na mój sygnał moja przemiła pomoc domowa Paulette nieco pohałasowała i rzeczywiście — brzmiało to trochę jak werble. Przeprosiłam
sąsiadkę i kupiłam małe gumowe podkładki pod nogi
krzeseł, stołków i stołów, a do tego prawdziwe francuskie kapcie, żebyśmy mogli szurać po domu jak stare
burżuazyjne małżeństwo. Teraz będziemy tak cicho, że
wszyscy pomyślą, iż nie ma nas w domu!

Któregoś wieczoru, mniej więcej za piętnaście jedenasta, gdy jak zwykle cichutko płukałam naczynia, znienacka oderwał się kawałek kuchenki. Próbując go złapać, przewróciłam żelazny kosz na śmieci i wrzasnęłam. Paul, który myślał, że wypadłam przez okno, rzucił się na ratunek i w biegu przewrócił dwa krzesła. Ha! To tyle, jeśli chodzi o Nową Ciszę.

VIII. *ADIEU*

15 stycznia 1954 roku zaskoczyłam Paula w biurze ślicznym tortem z jedną jedyną świeczką. Był to dzień jego pięćdziesiątych drugich urodzin, o czym usilnie starał się zapomnieć. Gdy jednak cały jego personel włączył się do śpiewu, ucieszył się jak dziecko. Podarowałam mu książkę o Breughlu, która podziałała na niego tak inspirująco, że zapragnął rzucić pracę i resztę swoich dni poświęcić malowaniu.

1 lutego ziemię przykryła dziesięciocentymetrowa kołderka śniegu, a Marsylia dziwnie zaczęła przypominać Pragę. Na zewnątrz było minus sześć stopni i zamarzło wszystko, co mogło zamarznąć, w tym rury z wodą, ostrygi przed sklepem rybnym i kilku kloszardów przycupniętych w zaułkach. Tramwaje nie mogły wjechać pod górę. Taksówki nie miały łańcuchów, więc przestały kursować. Autobusy wpadały w poślizg, więc także przestały jeździć. Niepocieszeni marsylczycy wychodzili z domów na arktyczny ziąb i sapiąc oraz dysząc, próbowali odśnieżać brukowane uliczki i uginające się pod czapą śniegu palmy.

McCarthy znów wpędzał nas w depresję. W „Look", „The Reporter" i innych magazynach przeczytaliśmy, że wspierają go teksascy potentaci naftowi, a cały Waszyngton śmiertelnie się go boi. Nie pojmowałam, jak ktoś, kto rozumiał ideały będące u podstaw naszego kraju, mógł się z nim identyfikować. Gdy zwierzyłam się z tego w liście tatkowi, odpisał w ten sposób:

> *Boicie się, co Europa pomyśli o Ameryce (…). Nie-* *świadomie pomagacie planom czerwonych — siania* *niezgody i podejrzeń w szeregach wroga — gdy kpicie* *z wysiłków zmierzających do rozbicia tajnych struktur* *działających w każdym organie rządowym (…). Tych lu-* *dzi z czerwonym godłem trzeba zdemaskować. To ciężka* *i brudna robota, która musi zostać zrobiona i trzeba do* *niej kogoś tak prostolinijnego jak McCarthy. Czasem tro-* *chę przesadza z tą gorliwością, ale to już nasza sprawa.* *Mogę śmiało powiedzieć, że znakomita większość ludzi* *tu, w ojczyźnie, podziela moje zdanie. Myślę, że pora,* *abyście przyjechali na urlop do domu, przekonali się, co* *myślą Amerykanie, i zapomnieli o tym, co próbują wam* *wmówić socjalistyczne elementy w Europie.*

Tatko był niereformowalnym republikaninem; on i Phila po prostu nie znali i nie chcieli znać innych demokratów poza nami. Dla tatka Nowy Ład był czymś w rodzaju Nowej Zagłady. Kipiał wręcz z nienawiści do socjalizmu. Uważał Roosevelta za socjalistę. Ike w jego mniemaniu też sprzedał się wrogom. W istocie wszystko schodziło na psy, oczywiście z winy jajogłowych i lewicowców, którzy lubili cudzoziemców. Jeśli USA uda się powrócić do „solidnych fundamentów" izolacjonizmu z lat dwudziestych — uważał tatko — wszystko wróci do normy.

Był to prymitywny sposób myślenia, który nie doceniał zmian, jakie zaszły w świecie. Dla mnie ta bitwa ideologii w Ameryce była najbardziej brzemienna w skutki z wojen toczących się na świecie.

Nawet moja Alma Mater, Smith College, nie uniknęła polowania na czarownice. Niejaka pani Aloise B. Heath, przewodnicząca uczelnianego „Komitetu na rzecz rozważnego wyboru", napisała pismo, w którym bez żadnych dowodów oskarżyła pięcioro wykładowców o związki z organizacjami „zdominowanymi przez komunistów" lub też stanowiącymi „przykrywkę dla komunistów". Nie dość, że komitet pani Heath oskarżył tę piątkę o „zdradę", a college o „świadome ukrywanie" zdrajców, to jeszcze upublicznił swoje zarzuty, nie przedstawiwszy ich wcześniej rektorowi Smitha ani zarządowi uczelni do zbadania, jak wymagał tego statut uczelni.

Wpadłam w taką złość, że podwoiłam mój roczny datek na rzecz uczelni i napisałam do pani Aloise B. Heath wściekły list — który był w pewien sposób także gorzkim potępieniem mojego ojca:

Jedną z często stosowanych w dzisiejszej Rosji metod pozbywania się opozycji jest stawianie ludziom niepopartych dowodami oskarżeń o zdradę, czyli coś, co i Wy robicie. W Stanach Zjednoczonych takich metod stoso-

wać nie wolno (…). Ośmielam się stwierdzić, że Pani
działalność wyrządza szkodę zarówno uczelni, jak i całe-
mu krajowi (…). W gorączce pogoni za wrogiem wielu
ludzi zapomina, o co walczyli. Walczymy o naszą z tru-
dem zdobytą wolność i swobodę, o naszą Konstytucję
i egzekwowanie prawa w duchu jej zasad, o prawo do
różnienia się w poglądach, religii i polityce. Jestem prze-
konana, że w ferworze bitwy z naszymi wrogami Pani
także zapomniała, o co walczyła.

W ciągu wielogodzinnej pracy nad Książką wpadliśmy z Paulem na pomysł nowatorskiego zilustrowania
przepisów: pomyśleliśmy, że zamiast standardowego
obrazka kucharki krzątającej się przy stole można by
zobrazować, dajmy na to, związywanie kurczaka do
pieczenia, ale z p e r s p e k t y w y k u c h a r z a. Paul
zwrócił uwagę, że rysownik musiałby właściwie siedzieć kucharzowi na kolanach, żeby osiągnąć technicz-
ną dokładność i idealny punkt widzenia. Rozwiązaniem, jak się wydawało, byłyby fotografie. Druk setek
fotosów ilustrujących kolejne etapy przygotowania
dań byłby zbyt kosztowny, ale zdjęć można było użyć
jako podstawy dla prostych szkiców pokazujących dłonie kucharki i wszelkie potrzebne produkty i narzędzia. Poza tym rysunek mógł być prostszy i bardziej
klarowny, a także, co oczywiste, bardziej estetyczny
w połączeniu z drukiem niż zdjęcie.

Plan wykluł się w trakcie rozmowy: ja będę gotować,
a Paul będzie zaglądał mi przez ramię i robił zdjęcia.
Odbitki wyślemy grafikowi, który opracuje rysunki do

Książki. Na eksperymentach w kuchni upłynęły nam dwie bardzo przyjemne godziny. Omawialiśmy kąt padania światła, ustawienia aparatu, odpowiednie tła, sposób ułożenia rąk, pozwalający jak najlepiej przedstawić daną technikę, czas naświetlania i wszystkie inne zmienne, które należało zharmonizować. Potem Paul wyciągnął swojego grafleksa, włączył nowiutkie, jasne reflektory i pstryknęliśmy na próbę osiem ujęć (Paul chętnie sam zrobiłby rysunki, ale po prostu nie miał czasu!).

Kilka dni później poświęciliśmy całe popołudnie na fotografowanie kolejnych etapów czyszczenia i filetowania kurczaka. Salonik tonął w plątaninie kabli od reflektorów, kurzych wnętrznościach, rolkach filmu, notatnikach i nożach oraz w zwojach wielkiej plandeki. Aparat tkwił na wysokim trójnogu, a Paul stał za nim na krześle, usiłując wyostrzyć kadr i się nie przewrócić. Hen w dole, na podłodze, na desce do krojenia leżał kurczak. Ja też leżałam — na brzuchu z wyciągniętymi rękami, usiłując zademonstrować prawidłowy sposób krojenia.

Nie mogliśmy się doczekać rezultatów, ale gdy Paul zaniósł kliszę do pobliskiej pracowni fotograficznej, okazało się, że prowadziła ją banda matołkowatych amatorów. Na widok negatywów ze śladami spinaczy, a także zdjęć upapranych odciskami palców i wydrukowanych na żółtym papierze Paul wpadł w taką furię, że chwilowo zapomniał swojego francuskiego.

— Dość tego! — warknął. — Następna partia jedzie do Paryża! — gdzie czynił cuda ulubiony drukarz

Paula, Pierre Gassman (cieszył się on światową sławą i wywoływał zdjęcia sławnych fotografików pokroju Capy i Cartiera-Bressona).

USIS nazywało się teraz USIA (Agencja Informacyjna USA), a cięcia kadrowe zredukowały personel Paula z dwunastu do czterech osób – z których dwie były na zwolnieniu chorobowym, a pozostałe dwie w delegacji. Paul został więc sam na piętrze konsulatu, skazany na odbieranie pięciu telefonów i płynących szerokim strumieniem listów, depesz, przesyłek lotniczych, notatek urzędowych i specjalnych próśb.

Jednym z dwójki „chorych" był Henri Pousset, asystent prasowy, aktualnie *non compos mentis*, niespełna rozumu z powodu zaginięcia ojca. Jego staruszek był emerytowanym marynarzem floty handlowej o dużym temperamencie. Wyglądało na to, że pozazdrościł starszemu bratu Henriego (i/lub go nienawidził), który nie mógł bądź nie chciał znaleźć sobie pracy. Gdy matka stawała w obronie syna, ojciec robił się zazdrosny, co w połączeniu z brakiem pieniędzy i Bóg wie czym jeszcze, od dwóch lat potęgowało napięcie w domu. W końcu ojciec po prostu wyszedł z niego i nie wrócił.

Henri był uroczym burżujem i z początku nie chciał się przyznać Paulowi, który natychmiast kazał mu iść na policję. Przecież jego ojciec może popełnić samobójstwo.

„Nie, to niemożliwe" — odparł Henri, ale w porannej poczcie znalazł list ojca do matki z wszystkimi dokumentami identyfikacyjnymi i notką, na której papa drukowanymi literami wypisał jedno słowo: ADIEU.

Henri zadzwonił na policję.

Kilka godzin później konsulat odebrał telefon od policji w Mentonie, pięć godzin drogi z Marsylii. Właśnie zwinęli staruszka, który stał na klifie i zamierzał rzucić się do morza! Henri wskoczył do pociągu i pojechał po ojca. Po powrocie do Marsylii cała rodzina przeżyła emocjonalne pojednanie. Kilka dni później Henri powiedział Paulowi: „Nie maszsz pojęcia, jak fantasticznie się zrhobiło u mnie w domu. Ociec pierwsi rhaz od dwóch lat uścisnął brhatu rhękie!".

Pod koniec lutego uświadomiliśmy sobie, że jesteśmy w Marsylii już cały rok, a dopiero zaczynamy się aklimatyzować. Czas mijał tak szybko. Pocieszaliśmy się myślą, że mamy przed sobą jeszcze przynajmniej rok pobytu tutaj. Paul złożył podanie o urlop na sierpień, żebyśmy mogli odwiedzić Charliego i Freddie w Maine. Przypomniano nam jednak, że zostaliśmy przeniesieni do personelu Służby Zagranicznej na mocy „ograniczonej nominacji", która wygaśnie we wrześniu. Zważywszy na batalie budżetowe, Paul może w czasie naszego urlopu stracić pracę. Wyglądało to na chwyt poniżej pasa.

— *Merde alors!* — krzyknął Paul, odwołując nasze plany.

To uczucie ciągłej niepewności i braku wpływu na przebieg własnego życia zaczęły być męczące nawet dla takich poszukiwaczy przygód jak my.

Zaledwie kilka tygodni później Charlie Moffley, obecnie wicedyrektor USIA w Europie, przekazał nam wiadomość, której się obawialiśmy: wkrótce, może nawet do końca czerwca, będziemy musieli opuścić Marsylię i ustąpić miejsca nowemu PAO.

Niemożliwe! Mieszkaliśmy we Francji już prawie pięć i pół roku, ale zdawało się, że dopiero co osiedliśmy w Marsylii. Jak mogli nas stąd wyganiać t e r a z? To bez sensu! Paul wreszcie poznał wszystkie miejscowe szychy, pracował z lubianym przez siebie konsulem generalnym i właśnie odkrywał tajemnice prowadzenia biura tak, aby działało bez zarzutu. To niesprawiedliwe! Nareszcie doprowadziliśmy do porządku nasze urocze mieszkanko, wcale niemałym kosztem. Przyzwyczaiłam się do nowej kuchni i robiłam postępy z Książką. A teraz mówili nam „won"! To chyba było do przewidzenia. „Uważajcie — przestrzegał nas jeden z kolegów — zawsze tak jest, że ledwie się gdzieś rozgościsz, przenoszą cię gdzie indziej".

Gdzie nas teraz wyślą? Najbardziej realna perspektywa, RFN, nie wydawała się nam zbyt zabawna. Sugerowaliśmy, że Hiszpania albo Włochy to bardziej logiczne rozwiązanie, „ponieważ mówią tam językami romańskimi" (w rzeczywistości te kraje po prostu podobały nam się bardziej niż Niemcy). Ale nie mieliśmy nic do gadania, tym razem nawet Abe Manell nie mógł pomóc.

Idealnie byłoby żyć w przekonaniu, że „jestem w służbie mojego kraju" i być gotowym jechać wszędzie, w każdym czasie. Jednak po perturbacjach ostatnich kilku lat straciłam ten szlachetny *esprit de corps*. Czułam, że w każdej chwili mogą nas oskarżyć o komunizm i zdradę, a nikt w kwaterze głównej nie kiwnie palcem w naszej obronie.

Moje nowe stanowisko było takie: musimy zabiegać o najlepsze, bo nikt tego za nas nie zrobi. Szokowało mnie, jak intensywne potrafię żywić uczucia. Ujawniałam je tylko przed Paulem i Dort.

W prima aprilis nadeszła wiadomość z Waszyngtonu: „Podjęto kroki celem przeniesienia Childa do Bonn w charakterze urzędowego kuratora wystaw".

A zatem wysyłano nas do Niemiec.

Przeniesienie to mogło się dla Paula okazać prawdziwym sukcesem — Bonn było dziesięć razy ważniejsze od Marsylii, a tamtejszy wydział wystawowy dużo ważniejszy od tego w Paryżu. A jednak wolelibyśmy zostać w naszym ślicznym małym zaścianku!

Mieliśmy opory przed nauką niemieckiego, mieszkaniem w jednym z tych wszechamerykańskich kompleksów militarnych i unoszącym się nadal w powietrzu fetorem śmierci. Odbyliśmy jeszcze jedną dyskusję na temat rzucenia pracy w Służbie Zagranicznej i pozostania w *la belle France*. Ja miałam pracę nad Książką, ale co by robił Paul? Bawił się myślą o zostaniu niezależnym fotografem. Sprzedawał dawniej odbitki wielkim nowojorskim agencjom prasowym i znał ludzi, którzy mogli ułatwić mu wstęp do tego świata. Ale też wiedział o wrzodach i terminach, które prześladowały tych modnych fotoreporterów na Grenlandii czy w Dien Bien Phu, i uznał, że takie życie jest do bani.

Decyzja zapadła: zostaniemy przy pracy w rządzie i zobaczymy, dokąd nas ona zaprowadzi.

Myśl, że nieodwołalnie opuszczamy Francję, sprawiała nam przykrość. Paul mieszkał tu w sumie jedenaście lat, ja z górą pięć. Mówiłam płynnie po francusku, umiałam robić zakupy i gotować jak Francuzka. Gdybym musiała, potrafiłabym też prowadzić samochód jak rodowita Francuzka. Jeszcze zanim wyjechaliśmy z Marsylii, ogarnęła nas nostalgia.

Może kiedyś — marzyliśmy — kupimy sobie mieszkanie w Paryżu albo dom w Prowansji i co roku będziemy spędzać tam kilka miesięcy.

Tymczasem zaplanowaliśmy kilkumiesięczny urlop w USA. Charlie i Freddie mieli nas przywitać w porcie w Nowym Jorku. Nie mogłam się doczekać, kiedy ich wreszcie zobaczę i postawię stopę na amerykańskiej ziemi. Między nami mówiąc, wyglądałam też chwili, kiedy zatopię zęby w prawdziwym, soczystym amerykańskim steku!

CZĘŚĆ DRUGA

ROZDZIAŁ PIĄTY
Francuskie przepisy dla amerykańskich kucharek

I. ZAGMATWANA SYTUACJA

Był początek października 1954, niebo szare, a powietrze chłodne. Zbliżaliśmy się do niemieckiej granicy. Myśl o życiu w kraju potworów przyprawiała mnie o *le cafard*, chandrę. Drżałam jak liść, ale stało się: przekroczyliśmy granicę. Pojechaliśmy prosto do Bonn i zjedliśmy lunch w małej restauracyjce. Po ośmiu lekcjach odebranych przed wyjazdem z Waszyngtonu umiałam powiedzieć: „Cześć, jak leci? Nazywam się Child. Ile to kosztuje? Poproszę mięso i kartofle. Uczę się niemieckiego". Wykorzystałam wszystkie te zwroty od razu, przy zamawianiu piwa, mięsa i kartofli. Kelnerka zrozumiała mnie doskonale i z miłym uśmiechem postawiła przed nami dwa olbrzymie, pieniące się kufle. O raju, co to było za piwo!

Po południu skierowaliśmy się do Plittersdorfu na przedmieściach Bad Godesberg, do naszego nowego domu przy Steubenring 3. Na jego widok zamarły nam serca. Uważałam, że skoro będziemy w Niemczech, powinniśmy mieszkać wśród Niemców. A to nie było ani odrobinę niemieckie! To mogło być miasteczko „Gdziekolwiek" w USA: było tam kino, dom towarowy, kościół kolonialny i szereg nowoczesnych, beżowych, trzypiętrowych budynków z betonu z czerwonymi listwami wykończeniowymi, dachami krytymi brązową dachówką i antenami radiowymi. Hm.

Pokazano nam dziewięć mieszkań. Wszystkie były ciasne, ciemne i pozbawione uroku. Wybraliśmy mieszkanie numer 5, z meblami w najjaśniejszym kolorze. Kuchnia była w porządku, ale miała elektryczną kuchenkę, co niezbyt mi odpowiadało, bo trudniej na takiej kontrolować temperaturę. Co najgorsze, ktoś, kto wchodził do domu frontowymi drzwiami, dokładnie na wprost miał łazienkę. Ale co tam. Będziemy mieszkać tuż nad Renem, który jest kolorowy od łódek, i jeśli zmrużyć oczy, wygląda jak Sekwana. Po drugiej stronie drogi wznosiło się ładne zielone wzgórze z przycupniętymi pod szczytem ruinami w klimacie iście wagnerowskim.

Jakże tęskniłam za naszymi marsylskimi balkonami, rozległymi widokami i palącym słońcem!

Żałowałam, że zamiast w smutnym Plittersdorfie nad Renem nie zamieszkaliśmy w Monachium albo Berlinie, w jakimś cywilizowanym miejscu. Miałam wrażenie, że niemiecki to trudny i szczeciniasty język, ale obiecałam sobie nauczyć się w nim komunikować. Chciałam robić porządne zakupy, bo lubiłam to zajęcie bez względu na miejsce zamieszkania. Zaczęłam od kursu językowego dla żołnierzy armii amerykańskiej. Paul chciał do mnie dołączyć, ale porwał go wir pracy.

Paul został attaché kulturalnym na całe Niemcy Zachodnie, to znaczy najważniejszym w tym kraju przedstawicielem rządu USA do spraw wystawowych. Jego zadaniem było informowanie Niemców o Stanach Zjednoczonych. Wrócił więc do organizowania ekspozycji, wycieczek i wymiany kulturalnej. RFN, które było przyciśnięte do samej żelaznej kurtyny, miało olbrzymie znaczenie geopolityczno-propagandowe, dlatego roczny budżet jego wydziału wynosił dziesięć milionów dolarów — więcej niż budżet wszystkich pozostałych programów informacyjnych USIA razem wziętych. Była to wielka praca, ogromny zawodowy skok w górę, a ja byłam z Paula dumna.

Jego biuro mieściło się w ogromnym siedmiopiętrowym budynku wielkości prawie połowy Pentagonu. Paul miał liczny i kompetentny personel, a ponieważ w gruncie rzeczy żyliśmy i pracowaliśmy w amerykańskiej enklawie, jego pracownicy byli jedynymi Niemcami, których naprawdę poznaliśmy. Swoim zwyczajem Paul traktował ich jak indywidualności, nie podwładnych, którymi się pomiatało. „Wydają się bardziej świadomi mojej wartości niż Amerykanie" — zauważył.

Morale było niskie. Szefem Paula był samolubny, niedojrzały emocjonalnie facet, którego nazywaliśmy „Drewnianogłowym". Jego asystent był znany jako Drewnianogłowy Drugi. Służbie Zagranicznej i wojskowym typom nigdy nie było po drodze, ale w Plittersdorfie wyjątkowo rzucało się to w oczy. Rodziny armijne nie wykazywały prawie żadnego zainteresowania krajem ani jego obywatelami, co było przygnębiające. Nawet po kilku latach pobytu większość nie mówiła po niemiecku. Panie były przemiłe, ale konwencjonalne, pozbawione ciekawości i konserwatywne; panowie mówili z południowym akcentem, zazwyczaj o seksie i piciu.

Pili piwo, ale wyłącznie jaśniejsze odmiany, w amerykańskim stylu. Jaki wstyd! Otaczały ich jedne z najlepszych piw na świecie (a także, przy trzynastoipółprocentowej zawartości alkoholu, jedne z najmocniejszych), lecz oni twierdzili, że tradycyjne niemieckie piwa są „za ciężkie". Nam one bardzo zasmakowały. Naszym faworytem było miejscowe piwo Nüremberger Lederbrau o zdecydowanym smaku.

W weekendy jeździliśmy do Bonn na zakupy, każde z kieszonkowym słownikiem w ręku. Podczas pierwszej wyprawy kupiliśmy kurczaki, fasolę, jabłka, żarówki, przedłużacz, oliwę, ocet i gumową pieczątkę ze słowami „Pozdrowienia ze starówki nadreńskiego Plittersdorfu". Zawsze miałam bzika na punkcie pieczątek i nie mogłam się doczekać, kiedy wykorzystam ten nowy nabytek w listach. Buch, buch, buch! Przy lunchu najpierw przez pół godziny głowiliśmy się nad jadłospisem, a potem zamówiliśmy wędzoną kiełbasę, kiszoną kapustę i piwo. Było przepyszne. Znów nas zaskoczyło, jak bardzo sympatyczni są Niemcy. Usiłowałam pogodzić jakoś obrazy Hitlera i obozów koncentracyjnych z tymi miłymi obywatelami. Czy to naprawdę ci sami ludzie, którzy kilka lat temu pozwolili Hitlerowi sterroryzować świat?

W miarę doskonalenia języka zaczęłam też badać okolicę. Lokalne sklepy były dobrze zaopatrzone w wędliny. Oprócz zwykłych kiełbas, kotletów i steków oferowały spory wybór sarniny i dziczyzny. Można było też kupić pokrojonego zająca, idealnego do przyrządzenia *civet de lièvre*, potrawki z zająca. W Bad Godesberg był elegancki targ o nazwie Krämers, gdzie wybrałam do upieczenia świeżego młodego indyka. O rany! Całe zaplecze sklepu było wyładowane niezliczonymi rzędami tłustych gęsi, kaczek, indyków, kurczaków i bażantów! Były ułożone w schludne piętra, a każdy ptak miał przywieszkę z nazwiskiem klienta. Naprawdę piękny widok.

Mimo to, jak na moje podniebienie, niemiecka kuchnia nie umywała się do francuskiej. Niemcy nie zostawiali mięsa na hakach na tyle długo, żeby zdążyło skruszeć (a takie właśnie uwielbiałam), i nie marynowali go. Odkryłam jednak, że jeśli kupiło się mięso, powiesiło je i samemu zamarynowało, można było przygotować naprawdę wyborne danie.

Niebawem wróciłam do stukania w klawisze. Naszą Książkę nazywałyśmy teraz „Francuskie gotowanie w amerykańskiej kuchni". Skończyłyśmy z Simką rozdziały o zupach i sosach, a rozdziały o jajkach i rybach uważałyśmy za prawie ukończone. Teraz ja miałam skupić się na drobiu, a Simca na mięsie.

Simca była niesłychanie pomysłową kucharką i kipiała energią. Zawsze majstrowała przy czymś tam w kuchni o szóstej trzydzieści rano albo do północy stukała w maszynę do pisania. Jej zaangażowanie przeszkadzało Paulowi („Gdybym z nią mieszkał, biegałbym po lesie z dzikim wrzaskiem" — oświadczył), ale dla mnie było skarbem. Uzgodniłyśmy, że ona bę-

dzie ekspertką od wszystkich francuskich spraw —
pisowni, składników, zwyczajów itd., a ja ekspertką
od spraw amerykańskich. Pracowałyśmy razem jak
w amoku!

Chociaż z początku żałowałam, że dzieli nas taka
odległość, przekonałam się z czasem, że to szczęście
w nieszczęściu. Mogłyśmy pracować niezależnie, bez
wchodzenia sobie w drogę. Stale naradzałyśmy się listownie i regularnie się odwiedzałyśmy.

Tak samo uparte i kapryśne, zdążyłyśmy przywyknąć do swoich odmiennych nawyków: ja lubiłam miał-
ką sól, ona wolała gruboziarnistą; ja lubiłam pieprz biały, ona preferowała czarny; Simca nie cierpiała rzepy, ja
ją uwielbiałam; była zwolenniczką dodawania do mięsa sosu pomidorowego, a ja nie. Te drobne różnice nie
miały jednak znaczenia wobec naszego entuzjazmu do
gotowania.

W styczniu 1955 roku zaczęłam eksperymentować
z drobiem. W tym temacie mieszczą się niemal wszystkie podstawowe aspekty kuchni francuskiej, niektóre
z najlepszych sosów i kilka prawdziwych kulinarnych cudów. *Larousse gastronomique* wymienia przeszło dwieście różnych przepisów na dania z kurczaka.
Większość z nich wypróbowałam, podobnie jak wiele
innych, które nam się nazbierały, ale moim faworytem
pozostał zwykły kurczak pieczony. Co za zwodniczo
proste danie. Z czasem doszłam do wniosku, że kom-
petencje kucharza czy kucharki można ocenić po pie-
czonym kurczaku jego/jej roboty. Przede wszystkim
powinien smakować jak k u r c z a k i być tak smaczny,

aby nawet to banalnie proste danie stanowiło rozkosz dla podniebienia.

Niemieckie ptaki nie smakowały tak dobrze jak ich francuscy kuzyni. Kupione przez nas w lokalnym supermarkecie mrożone holenderskie też nie. Amerykański przemysł drobiarski umiał wyhodować w rekordowym czasie ładnego brojlera w rozsądnej cenie, ale nikt nie wspominał, że taki produkt smakował zwykle jak wnętrzności pluszowego misia.

Spędziłyśmy z Simką mnóstwo czasu na analizowaniu różnych odmian amerykańskich i francuskich kurczaków oraz badaniu, w jakiej wersji sprawdzi się najlepiej każdy z nich — pieczony, gotowany, *sauté*, w potrawce, z rusztu, duszony na małym ogniu, jako *coq au vin*, kurczak w winie, *à la diabolique*, po diabelsku, albo *poulet farci au gros sel*, kurczak faszerowany i gotowany, z grubą solą. Musiałyśmy bardzo starannie dobrać przepisy, które wykorzystamy w naszej książce. Danie nie tylko powinno wywodzić się z tradycyjnej *cuisine française*, ale również powinno być skomponowane z łatwo dostępnych w Ameryce składników. I jak zawsze ważne było opracowanie tematu i kilku wariacji na temat. Chciałyśmy na przykład, żeby kurczak *sauté* wystąpił w kilku wersjach: chrupiący, w potrawce i podgotowany na wolnym ogniu, ale nie chciałyśmy z kolei, żeby z przepisów na dania z kurczaka zrobiła się nam cała odrębna książka.

Chociaż poświęcałyśmy naszemu dziełu czterdzieści godzin tygodniowo, praca postępowała bardzo wolno. Zbieranie informacji o każdym przepisie, testowanie go i spisywanie zdawało się trwać w nieskończoność. Ale też nie widziałam innego sposobu. Ach!

Wkład Louisette w pracę był niestety minimalny. Louisette miała uciążliwego męża, dwoje dzieci i dom na głowie; mogła zaoferować najwyżej trzy godziny w tygodniu na uczenie w L'École des Trois Gourmandes (którą w dalszym ciągu kierowała Simca) i sześć godzin tygodniowo na zbieranie materiałów do Książki. Rozumiałam ją, ale intensywny wysiłek, jaki wkładałyśmy w nasze *opus magnum*, nie pasował do stylu Louisette, która nadawała się raczej na autorkę niewielkiej książeczki o eleganckich przekąskach. Bolesna prawda, której nie miałam odwagi wyjawić nikomu poza Paulem i Simką, była taka, że Louisette nie była na tyle dobrą kucharką, żeby przedstawiać się jako równoprawna autorka. Ten drobny fakt stawał mi ością w gardle.

Miałyśmy przed sobą jeszcze przynajmniej rok pracy. Uznałam, że powinnyśmy formalnie określić zakres obowiązków każdej z nas. Nasz prawnik stwierdził, że już za późno na wprowadzanie zmian w umowie z Houghton Mifflin. Uzgodniliśmy więc wspólnie, że odtąd Simca i ja będziemy występować oficjalnie jako „współautorki", a Louisette zostanie „konsultantką". Szczegóły finansowe zgodziłyśmy się dograć, kiedy (i jeśli) Książka wyjdzie drukiem. Był to trudny temat do dyskusji, ale ulżyło mi, kiedy zobaczyłam wszystko na piśmie.

Czułam, że w sprawach biznesowych musimy myśleć tak jasno i profesjonalnie, jak to tylko możliwe, nawet ryzykując niezadowolenie przyjaciółki. Kiedy Simca trochę się zawahała, odpisałam: „Musimy działać z zimną krwią".

W kwietniu 1955 roku Paul dostał polecenie przyjazdu do Waszyngtonu, gdzie miał się stawić najpóźniej w poniedziałek (wiadomość dotarła w czwartek). Nie podano powodu, ale wedle naszych przypuszczeń ktoś w kwaterze głównej wreszcie się obudził i zdał sobie sprawę, że pora awansować mojego męża. Może zostanie szefem wydziału? Może wreszcie dostanie podwyżkę? Czy odwołują nas do Stanów, aby powierzyć nam ważne zadanie w Waszyngtonie? Paul wsiadł w samolot i poleciał dowiedzieć się, co jest grane.

Właśnie wybierałam się na wycieczkę do Paryża, gdy w trakcie pakowania dostałam telegram od Paula: „Sytuacja zagmatwana".

Nikt nie potrafił, albo nie chciał, powiedzieć mu, po co go wezwano. Kazano siedzieć i czekać w anonimowych biurach na różnych nieuchwytnych VIP-ów. Zasugerował mi, żebym przełożyła wizytę w Paryżu na później, co też zrobiłam.

„Sytuacja jak z powieści Kafki" — depeszował.

W środę uświadomiłam sobie, co jest grane. Paul nie był awansowany, był p r z e s ł u c h i w a n y. W jakiej sprawie? Przez kogo? Chcą go aresztować?

Nie mogłam się z nim skontaktować, więc zaczęłam gorączkowo obdzwaniać naszych przyjaciół w Służbie Zagranicznej. Wisiałam na telefonie do czwartej nad ranem. Wreszcie udało mi się dowiedzieć, że Paul spędził cały dzień i część wieczoru na przesłuchaniu, które prowadzili agenci z Biura Bezpieczeństwa USIA, jednostki kierowanej przez niejakiego R.W. McLeoda, podobno protegowanego J. Edgara Hoovera.

Jak się okazało, śledczy zebrali spore *dossier* na temat Paula Cushinga Childa. Atakowali go pytaniami o patriotyzm, znajomych liberałów, czytane przez niego książki i o związki z komunistami. Roześmiał się, kiedy zapytali, czy jest homoseksualistą, ale gdy poprosili o „spuszczenie spodni", bez wahania odmówił. Nie miał nic do ukrycia, co im oświadczył, i w końcu śledczy dali mu spokój.

Nie ulegało jednak wątpliwości, że ktoś w donosie oskarżył Paula o zdradę połączoną z homoseksualizmem. Kto i dlaczego mógł zrobić coś takiego? Wszystko to było upiornie dziwne i trąciło amatorszczyzną oraz nieuczciwością. Biorąc pod uwagę okoliczności, Paul zdołał odeprzeć oskarżenia, a nawet wystąpić w roli „wcielenia niewinności". Później, wskutek jego nalegań, USIA przekazała mu dokument stwierdzający oddalenie zarzutów, ale i tak ten haniebny epizod zostawił niesmak i na zawsze zapadł w pamięć.

Co się działo z Ameryką? Skutki polowania na czarownice nie ominęły naszych przyjaciół i kolegów z pracy. McCarthy rujnował ludziom kariery, a nieraz całe życie. Nawet prezydent Eisenhower wyraźnie nie miał ochoty mu się przeciwstawić. Doprowadzał mnie tym do szału i kiedy po zawale serca ogłosił, że będzie się ubiegał o drugą kadencję, nie miałam wątpliwości, iż Adlai Stevenson byłby lepszym (i zdrowszym) prezydentem. Ike po prostu nie był inspirujący: miałam wrażenie, że z jego wypowiedzi wyziera pustka. Mówił jak pies Pluto, który zaczął nagle wydawać ludzkie dźwięki. Prawie wszyscy Republikanie brzmieli jak kłamliwi sprzedawcy mydła, z wyjątkiem Herberta Hoovera; trzeba przyznać, że podczas niedawnej podróży po Europie zrobił wielką furorę. Z drugiej strony, Stevenson miał szlachetne ideały, z którymi się utożsamiałam. Po prostu, do diaska, lubiłam jajogłowych!

Przy okazji pobytu w Stanach Paul postanowił wpaść do Nowego Jorku, gdzie spotkał się Edwardem Steichenem z Muzeum Sztuki Nowoczesnej. Mieli uzgodnić warunki sprowadzenia do Berlina cudownej wystawy tego fotografika, *Rodzina człowiecza*. Paul zaprzyjaźnił się ze Steichenem, kiedy stacjonowaliśmy w Paryżu, a Steichen kupił sześć jego fotografii do kolekcji Muzeum. Był to wielki sukces, choć skromny Paul oczywiście go bagatelizował.

Tymczasem ja spakowałam się na trzytygodniowy wyjazd do Paryża. Gotowałam z Bugnardem, uczyłam w Les Trois Gourmandes, obiadowałam z Baltrusami i zagłębiałam się w książce o pichceniu z Simką. Było to jak haust świeżego powietrza.

Na początku jesieni 1955 roku skończyłam pracę nad drobiem. W któryś weekend trochę przesadziłam, kiedy w przypływie eksperymentatorskiego zapału zjadłam naraz prawie dwie całe nadziewane kaczki (jedną na gorąco, duszoną, a drugą na zimno, w cieście). Co tu kryć, najadłam się jak świnia i przez kilka dni miałam mdłości. Dobrze mi tak. Prowadziłam także serię eksperymentów z risotto (by znaleźć idealny stosunek wody do ryżu), a także z użyciem szybkowaru do gotowania wywarów (by określić czas gotowania i porównać rezultaty użycia korpusów drobiowych i kości wołowych) oraz rozmaitymi deserami. Tego rodzaju dociekania stanowiły wyzwanie dla naszych nieustających wysiłków w walce z brzuszkiem.

„Ktoś, kto je *paellę*, a zaraz potem *apfelstrudel*, nie straci na wadze" — zauważył Paul po zjedzeniu powyższego.

Z niepokojem zauważyliśmy, że urocze brzuszki nosi coraz więcej ludzi w Stanach. W Niemczech tusza odzwierciedlała pozycję społeczną. Naszym celem było, wzorem Francuzów, jeść dobrze, ale rozsądnie. Oznaczało to małe posiłki i zróżnicowaną dietę, a także unikanie przekąsek. Najlepszą radą na schudnięcie był jednak opatentowany przez Paula System Kontroli Brzucha: „Po prostu mniej żryj, do jasnej cholery!".

W święta Bożego Narodzenia powaliło Paula przykre zakaźne zapalenie wątroby. Po wczasach rehabilitacyjnych w Rzymie na początku 1956 roku (gdzie odkryłam sałatkę z kopru włoskiego i apetyczny, malutki rzymski groszek), zdecydowaliśmy, że będziemy jeść ostrożnie, intensywnie ćwiczyć i wystrzegać się alkoholu. W rezultacie Paul schudł cztery i pół kilo i ważył teraz 78 kilogramów. Ja straciłam pięć kilo i ważyłam 71, dzięki czemu czułam się mniej staro niż wcześniej w Ameryce.

Na początku lutego cały wolny czas poświęcaliśmy na komponowanie tekstów do setek kartek walentynkowych, które wysyłaliśmy w różne zakątki globu. Walentynki stały się naszą tradycją, wynikłą stąd, że nigdy nie mogliśmy się zorganizować i w porę powysyłać kartek bożonarodzeniowych. Przekonaliśmy się, że zaprojektowane ręcznie przez Paula kartki walentynkowe (zwykle w formie drzeworytu albo rysunku, czasem fotografii) to miły sposób na podtrzymanie kontaktu z naszym stale powiększającym się gronem rodziny, przyjaciół i kolegów ze Służby Zagranicznej. Kartki bywały pracochłonne. Któregoś roku Paul zaprojektował witrażyk złożony z okienek w pięciu kolorach, które trzeba było pomalować akwarelami. Trwało to wiele godzin. W roku 1956 zaproponowaliśmy inny, lżejszy motyw: korzystając z samowyzwalacza, zrobiliśmy sobie walentynkowe zdjęcie w wannie, mając na sobie jedynie sprytnie rozmieszczone bąbelki piany.

Wiosną 1956 roku orzekliśmy, że najwyższa pora wrócić do podejmowania gości. Ale pierwsze przyjęcie obiadowe pokazało, że nasz niezrównany niegdyś duet gospodyni/kucharka i gospodarz/podczaszy kompletnie wyszedł z wprawy. Nie mieliśmy widelców do sałaty, zapominaliśmy dyskretnie sprzątać kieliszki ze stołu i cały wieczór upłynął nam na uwijaniu się jak w ukropie. To było poniżej naszych standardów. Lubiliśmy traktować gości po królewsku, aby być w pełnej gotowości, gdy wezwą nas do podjęcia obiadem prawdziwych monarchów!

Now comes that season of delight
When Paul and Julia's hearts take wing
So through this migratory flight
A dual warmth of love we bring.

1959

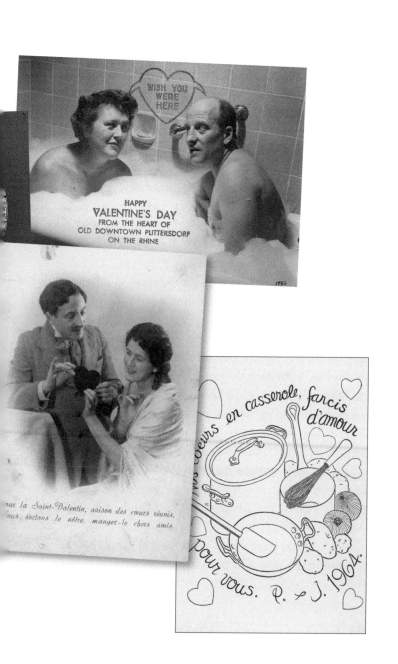

WISH YOU
WERE
HERE

HAPPY
VALENTINE'S DAY
FROM THE HEART OF
OLD DOWNTOWN PLITTERSDORF
ON THE RHINE

1956

...ur la Saint-Valentin, saison des cœurs réunis,
...ous sortons le nôtre, mangez-le chers amis.

...s cœurs en casserole, farcis d'amour

...pour vous. R. & J. 1964.

Na drugim przyjęciu podałam *les barquettes de champignons glacées au fromage,* glazurowane kapelusze pieczarek z serem, kaczkę w pomarańczach i *glace maison aux marrons glacés,* domowe lody z glazurowanymi kasztanami. Tydzień później przygotowałam dla przyjaciół *boeuf à la mode,* wołowinę duszoną z warzywami, *endives braisées,* duszoną endywię, oraz deser o nazwie *désirés du roi.* Wreszcie stare dobre przedsiębiorstwo rozrywkowe „Pulia" stanęło na nogi.

Dostałam liścik od *le prince* Curnonsky'ego, który jesienią złamał sobie kilka żeber. Lekarze, jak pisał, przepisali mu *un régime terrible,* który wykluczał śmietanę, sól, sosy i wina. Taka mdła dieta musiała być dla starego smakosza istną torturą.

W ostatnim czasie sporo myśleliśmy o zdrowiu. W wielkanocny weekend musiałam pójść do prywatnej kliniki w Bad Godesberg na operację. Dwa lata wcześniej przeszłam w Waszyngtonie zabieg usunięcia cyst na macicy, ale najwidoczniej nie rozwiązał on problemu. Mówiłam, że czuję się dobrze, lecz niemiecki lekarz upierał się, że konieczna jest operacja. Jego klinika mieściła się we wspaniałej, pomalowanej na biało wiktoriańskiej rezydencji. Był to rutynowy zabieg. Ja się nie przejmowałam, ale biedny Paul wmówił sobie, że „Julia umiera na raka". Wiedział oczywiście, że to nieprawda, a jednak tak się zamartwiał, że tamtej nocy prawie nie zmrużył oka i nawet dostał lekkiej gorączki.

Paul myślał o śmierci o wiele więcej niż ja, po części zapewne z powodu przedwczesnego odejścia jego

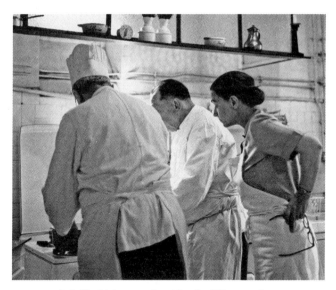

Avis De Voto z szefami kuchni Bugnardem
i Thilmontem

ojca, matki i starszej siostry. Paul przeszedł też traumę
śmierci Edith „Slingsby" Kennedy, jego dziewczyny
sprzed wojny. Była to dystyngowana starsza kobieta,
z którą mieszkał (bez ślubu!) w Paryżu i w Cambridge w stanie Massachusetts. Zmarła na raka tuż przed
wybuchem wojny, a jej śmierć do tej pory nie dawała
Paulowi spokoju. Nasi przyjaciele też się starzeli, a niektórzy — jak Bernard De Voto (którego nawet nie zdą
żyliśmy dobrze poznać) — niedawno odeszli.

Po śmierci Benny'ego Avis De Voto, która miała pod
opieką dwóch synów, przez kilka miesięcy reorganizowała swoje życie, a potem, wiosną 1956, dla zregenero

wania sił przyjechała na urlop do Europy. Szczęśliwym trafem też akurat mieliśmy wtedy urlop, umówiliśmy się więc z nią w Londynie. Czas upłynął nam miło, na spacerach, zakupach i spotkaniach towarzyskich.

Avis była filigranową, ciemnowłosą i bardzo stanowczą kobietką. Im lepiej ją poznawaliśmy, tym większą czuliśmy do niej sympatię. Któregoś wieczoru przedstawiła nas dwumetrowemu mamutowi, harwardzkiemu ekonomiście nazwiskiem John Kenneth Galbraith. Mieliśmy z sobą sporo wspólnego i spotkaliśmy się w gwarnej restauracji w podziemiach, gdzie wymienialiśmy uwagi o naszych pobytach w Indiach, sztuce i polityce globalnej. Widać było, że przebywanie wśród żywiołowych przyjaciół dobrze wpływa na Avis. Po udrękach Plittersdorfu dla nas również było błogosławieństwem.

Któregoś pięknego dnia razem z Avis i Paulem wróciliśmy na drugą stronę kanału La Manche, żeby spotkać się z Simką i Jeanem Fischbacherami w Rouen, gdzie wreszcie remontowano zniszczoną wojną katedrę. Energiczna jak zawsze Simca zadzwoniła wcześniej do Hôtel de Dieppe, aby zamówić dla nas specjalny lunch. Specjalnością tamtejszego szefa kuchni Michela Guéreta była *canard à la rouennaise*, prasowana kaczka, rzadko współcześnie przyrządzana. Co za doświadczenie!

Zaczęliśmy od pstrąga faszerowanego małymi rybkami i cudownego sosu z ziół, białego wina i masła. Wreszcie pora na sławnego, rytualnego *canard*, kaczkę. Sama kaczka to specjalna rasa wyhodowana z połączenia domowej samicy i dzikiego samca, które daje piękne, apetyczne ptaki o ciemnym upierzeniu i wydatnej piersi. Sprawia się je w sposób nieco inny niż tradycyjny. Guéret upiekł dla nas na rożnie dwie takie kaczki, cały czas polewając je wspaniałym sosem, który przygotował na stole z boku. Ptaki pokryły się z zewnątrz smakowitą brązową skórką, a w środku pozostały bardzo krwiste. Po upieczeniu Guéret zgrabnie odkroił nogi i skrzydła, obtoczył je w musztardzie i bułce tartej i odesłał z powrotem do kuchni do usmażenia na ruszcie.

Bardzo ostrożnie obrał pierś ze skórki i pokroił mięso w cienkie plastry, które posypał drobno siekaną szalotką. Miały zostać uduszone w sosie własnym, z odrobiną wina i delikatnymi przyprawami, dla podkreślenia naturalnego smaku. Następnie Guéret przyprowadził do naszego stolika wielką srebrną prasę na kółkach, przypominającą nieco gaśnicę z okrągłym pokrętłem na górze. Rozkroił korpus, włożył go do cylindrycznego kanistra prasy i pokręcił uchwytem koła. Płyta prasy schodziła powoli w dół. Guéret dolał do prasy porcyjkę czerwonego burgundzkiego wina, obracał kołem, żeby wycisnąć z korpusu wszystkie soki. Niesamowicie było oglądać ten rytuał. Obserwowaliśmy każdy ruch Guéreta jak urzeczeni.

Wreszcie czas na jedzenie! Zaczęliśmy od delikatnych plastrów piersi polanych sosem. Potem przyjemnie chrupiące, kruche nóżki i skrzydełka z rusztu. Popiliśmy te specjały fantastycznym pommerolem, a potem jeszcze uraczyliśmy się deską serów, szklaneczką bardzo starej jabłkowej brandy i kawą. Majstersztyk.

Normandia była pełna kwitnących jabłoni i kasztanowców, a także ciepłych, ziemistych aromatów wczesnej wiosny. Pojechaliśmy wolno w stronę Paryża, rozkoszując się krajobrazami, zwiedzając ruiny opactwa cystersów i wędrując po starych wioskach, gdzie domki nadal były kryte strzechą.

Paryż był przepiękny i tłoczny. Zabraliśmy Avis na drinka do Deux Magots i zjedliśmy kolację we wspaniałym stylu w L'Escargot, w otoczeniu bogatych Amerykanek wystrojonych w futra z norek. Ucztowanie zakończyliśmy idealnie dojrzałymi truskawkami i szampanem. Potem przeszliśmy do Notre Dame, którą teraz oświetlały nocą rzędy wielkich reflektorów, co stwarzało dość dramatyczny efekt. Na koniec zawędrowaliśmy do Le Caveau des Oubliettes Rouges, gdzie do pierwszej nad ranem śpiewaliśmy francuskie piosenki ludowe. Wyszliśmy przepełnieni czystym szczęściem.

Wsadziłyśmy Paula do pociągu do Niemiec, a potem wpadłyśmy z Avis do Mère Michel, sprawdzić, czy jej słynny sos *beurre blanc* wytrzymał próbę czasu. Odpowiedź: owszem, chociaż nie smakował lepiej niż nasz.

Podczas gdy ja odnawiałam kontakt z Bugnardem, Baltrusami i Aschami, Avis spędziła rozkoszny dzień w La Forêt de Rambouillet z Simką i Jeanem Fischbacherami. Wieczorem wróciła do hotelu z wielkim naręczem konwalii i uśmiechem na twarzy.

Po powrocie do Niemiec powitał mnie jedenastostopniowy chłód i wilgoć. Musieliśmy wyciągnąć z szafy nasze angielskie tweedowe płaszcze. Spojrzeliśmy po sobie z westchnieniem: po wspaniałościach *la belle France*, gdzie towarzystwo przyjaciół intensyfikowało wszelkie doznania, trudno było nie zauważyć, że Plittersdorf to żałosna dziura.

W lipcu 1956 przeczytaliśmy w „Paris Herald" o śmierci naszego serdecznego przyjaciela Curnonsky'ego. *Prince élu des gastronomes*, książę smakoszy, zmarł po upadku z balkonu. Wypadek czy samobójstwo?

Widziałam się z nim krótko w Paryżu. Nie wyglądał dobrze i skarżył się na surową dietę, którą przepisali mu lekarze. W pewnej chwili wymamrotał: „Gdybym tylko miał odwagę podciąć sobie żyły...". Co za tragiczny i gorzki koniec. Nie mogłam się oprzeć wrażeniu, że jest teraz szczęśliwszy niż w swoich ostatnich dniach, a jego odejście zakończyło pewną epokę.

W sierpniu, około moich czterdziestych czwartych urodzin, Paul pracował w Berlinie przy wielkiej wystawie na temat amerykańskiego programu kosmicznego. Wystawa nosiła tytuł *Przestrzeń bez granic*, przyciągała ogromne tłumy i została okrzyknięta „fenomenalnym wydarzeniem". Przez wiele tygodni prawie nie widziałam mojego męża i czułam się jak słomiana wdowa. Cóż — upominałam samą siebie — Avis jest prawdziwą wdową. Wyobraź sobie, jak ona musi się czuć.

Sukces Paula przy *Przestrzeni bez granic* nie uszedł uwagi decydentów i jesienią 1956 roku postanowili, że pan P. Child jest znów potrzebny w Waszyngtonie.

Główny dział wystawowy USIA od pewnego czasu przypominał szopkę. Paul miał temu zaradzić. A więc wracamy do Stanów! Świetna wiadomość. Nie mogłam się doczekać, kiedy powiem *Auf Wiedersehen* Drewnianogłowemu i plittersdorfskiemu stylowi życia. A więc znowu pakowanie i przygotowania do przenosin. Istni nomadzi! I znowu to przyjemne łaskotanie podniecenia i niepokoju jednocześnie w związku z powrotem na ojczystą ziemię — która była teraz krajem „Elvisa-Pelvisa", zwolenników Nixona i innych przedziwnych zjawisk. Tym razem jednak coś nie dawało nam spokoju. Od czasu śledztwa w sprawie Paula powoli, acz systematycznie, rosło nasze rozczarowanie pracą na rzecz amerykańskiego rządu. Paul czuł, że wykonuje ważną, ale lekceważoną pracę, a ja miałam serdecznie dosyć powtarzających się co parę lat przeprowadzek.

„Może — powiedzieliśmy sobie — życie to coś więcej?" Ale co innego moglibyśmy robić? I gdzie?

II. MARZENIE

Przyjechaliśmy do Waszyngtonu w listopadzie 1956 roku i niemal od razu zajęliśmy się remontem naszego malutkiego, ślicznego domku przy Olive Avenue 2706. Był to liczący sto pięćdziesiąt lat, dwupiętrowy drewniany budynek na przedmieściach Georgetown. Kupiliśmy go jeszcze w 1948. Przez ostatnich osiem lat wynajmowaliśmy go lokatorom, więc zdążył już się trochę wyeksploatować. Na szczęście zaoszczędziliśmy dość pieniędzy z czynszu, żeby wyszykować dla mnie gabinet/sypialnię gościnną i pracownię dla Paula na górnym piętrze, przerobić instalację elektryczną, zlikwidować zaciek na suficie i poszerzyć kuchnię. Wspaniale było urządzać nasze gniazdko, jedyne, które naprawdę było nasze.

Z pieniędzy z niewielkiego spadku po matce kupiłam nową zmywarkę i zlew wyposażony w „elektryczną świnię", czyli młynek do odpadków (służącej już dziękujemy!). Potem zdecydowałam, że potrzebna jest mi nowa kuchenka. Któregoś dnia byliśmy w odwiedzinach u naszego znajomego smakosza, Shermana Kenta, którego nazywaliśmy „Starym Bizonem". Sherman ceremonialnym gestem pokazał mi swoją kuchenkę. Była to profesjonalna kuchnia gazowa i gdy tylko ją zobaczyłam, wiedziałam, że muszę ją mieć. A więc Stary Bizon sprzedał mi swoją. Była to niska, szeroka i przysadzista czarnulka z sześcioma palnikami z lewej i małą stalową blachą do pieczenia na wolnym ogniu z prawej strony. Zapłaciłam mu za nią 412 dolarów i tak pokochałam, że przyrzekłam zabrać ze sobą do grobu!

Paul tymczasem wreszcie awansował z FSS-4 (czwartej rangi w Służbie Zagranicznej) do FSS-3. Zarabiał teraz na organizowaniu wystaw bajońskie 9 660 dolarów rocznie.

Formalnie rzecz biorąc, okolica, w której mieszkaliśmy, znajdowała się w granicach miasta, ale miała sympatyczną atmosferę małego miasteczka, ponieważ wszyscy robili zakupy w tym samym miejscu i spotykali się na poczcie albo u fryzjera. Choć w trakcie pracy nad „Francuskim gotowaniem w amerykańskiej kuchni" wolałabym mieszkać w Paryżu, powrót do Stanów miał jedną dużą zaletę: mogłam na miejscu sprawdzać, jakiego rodzaju produkty i sprzęt są dostępne naszym czytelniczkom.

„Powrót i zamieszkanie tutaj daje mi taką radość. Nigdy nie umiałam zasmakować w tym miejscu, gdy byliśmy tu tylko przejazdem — doniosłam Simce. — Uwielbiam robić zakupy w tych wielkich supersamach, gdzie (…) wchodząc, bierzesz druciany koszyk na kółkach, jeździsz i możesz patrzeć i macać do woli. (…) Fajnie jest móc samemu wybrać każdą pieczarkę. (…) Wydaje mi się, że jest tu wszystko, co potrzebne do pracy dobrej francuskiej kucharce".

Ale półki amerykańskich supermarketów uginały się pod ciężarem produktów oznaczonych etykietką „dla smakoszy", które były nimi tylko z nazwy: a więc ciasta w proszku, gotowe dania „do jedzenia przy telewizorze", mrożonki warzywne, grzyby w puszce, paluszki rybne, galaretki, cukierki piankowe, bita śmietana w sprayu i w ogóle koszmarna wałówka. Dało mi to do myślenia. Czy w Stanach znajdzie się miejsce dla takiej książki jak nasza? A może byłyśmy żałośnie zapóźnione?

Postanowiłam bez względu na wątpliwości ciągnąć nasze przedsięwzięcie dalej. Nie pozostało mi nic innego, poza tym uwielbiałam *la cuisine bourgeoise*, kuchnię mieszczańską. Może paru innym osobom też się spodoba.

Simca tymczasem cierpiała wskutek *la tension*, nadciśnienia i stresu. Był to dla mnie delikatny temat, bo moja matka zmarła młodo na nadciśnienie. „Musisz zadbać o zdrowie" — upominałam ją. Simca źle przyjmowała krytykę, więc spróbowałam posłużyć się przykładem brata bliźniaka Paula, Charliego Childa: „Wszystko robi na najwyższych obrotach, jest jak startująca rakieta" — napisałam. Charlie przeżywał każdą chwilę, „jakby była najważniejsza i wymagała od niego angażowania całej energii. Jesteś taka jak on. W niektórych sprawach (…) musisz sobie odpuścić, zamiast napinać się do kresu wytrzymałości. (…) Zmuszaj się do tego, by od czasu do czasu się zrelaksować. Nie trzeba robić wszystkiego, jakby zależały od tego twoje życie i honor". Wątpię, czy moje słowa miały na nią jakikolwiek wpływ.

Wiosną 1957 roku zaczęłam dawać lekcje gotowania grupce kobiet z Waszyngtonu, które spotykały się w poniedziałkowe poranki i wspólnie gotowały lunch dla swoich mężów. Kilka miesięcy później raz w miesiącu dojeżdżałam do Filadelfii, gdzie prowadziłam podobny kurs dla ośmiu uczennic. Typowy jadłospis zawierał *oeufs pochés duxelles*, jajka w koszulkach z siekanymi grzybami, *poulet sauté portugaise,* duszonego kurczaka z grzybami i pomidorami, *épinards au jus*, szpinak w sosie oraz *pommes à la sévillane,* jabłka z sosem pomarańczowym.

Byłam już doświadczoną nauczycielką. Wieczorem przed każdymi zajęciami pisałam na maszynie menu i listę składników (zwykle przesyłałam kopie tych jadłospisów Simce, która uczyła w Paryżu grupkę żon pilotów amerykańskich sił powietrznych). Nauczanie dawało mi wielką satysfakcję, a moje dni wkrótce przebiegały w kojąco regularnym rytmie.

Większość czasu pochłaniały mi korekty i przepisywanie naszego maszynopisu, który miał już ośle uszy, był wypełniony dopiskami i poplamiony jedzeniem. Testując ponownie niektóre z potraw w moim amerykańskim kuchennym laboratorium, odkryłam, że prawie nikt nie używał tutaj świeżych ziół, że amerykańska cielęcina była mniej delikatna od francuskiej, że nasze indyki były sporo większe od francuskich ptaków, a Amerykanie zjadali dużo więcej brokułów niż Francuzi. Wiedziałam, że te obserwacje „z terenu" miały kluczowe znaczenie dla powodzenia naszej książki, ale mogły też nas wpędzić we frustrację.

„CO NAS PODKUSIŁO, ŻEBY SIĘ DO TEGO W OGÓLE ZABIERAĆ?" — zawodziłam w liście do Simki, po tym, jak odkryłam, że moja ukochana *crème fraîche*, śmietana, była w Ameryce prawie nie do zdobycia.

W styczniu 1958 roku Simca i Jean przyjechali po raz pierwszy do Stanów Zjednoczonych. Jean mógł zostać tylko na chwilę, za to Simca została trzy miesiące. Nie zwolniła tempa ani na moment i w pośpiechu odwiedzała znajomych oraz byłe kursantki w Nowym Jorku, Detroit, Filadelfii i Kalifornii. W Waszyngtonie jeździłyśmy na ekspedycje zakupowo-badawcze i dałyśmy kilka żywiołowych lekcji w naszej kuchni przy

Olive Avenue, gdzie demonstrowałyśmy takie dania, jak *quiche aux fruits de mer*, quiche z owocami morza, *coq au vin*, kurczak w winie i *tarte aux pommes*, placek z jabłkami. Simca zachwyciła się Ameryką, z wielkim entuzjazmem kosztowała naszych potraw i napojów, w tym tuńczyka z drugstore'u, mrożone bliny i — jej ulubionego — burbona.

Świetnie się razem bawiłyśmy, ale nasz maszynopis był wciąż daleki od ukończenia. Obiecałyśmy pokazać redaktorom z Houghton Mifflin to, co już napisałyśmy, ale miałyśmy lekką tremę, bo to siedemset stron ze szczegółowymi opisami samego drobiu i zup! Na domiar złego nasze przepisy nie przypadły do gustu amatorom posiłków w typie „obiad z mrożonki przy telewizorze plus ciasto". Odkryłyśmy ten szokujący dla nas fakt, podejmując próbę zamieszczenia niektórych naszych przepisów w popularnych czasopismach. Żadne nie wyraziło zainteresowania owocami naszej pracy. Ich wydawcy zdawali się uważać francuską troskę o szczegół za stratę czasu, a nawet za formę obłędu.

A jednak spotkałam wiele Amerykanek, które pojechały do Francji i zachwyciły się cudownym smakiem tamtejszych potraw — „Och, ten soczysty pieczony kurczak!" — wykrzykiwały. „Ach, ta *sole normande*!". Choć niektóre wracały do Stanów z przekonaniem, że takie cuda można wyczarować tylko wtedy, gdy człowiek urodzi się Francuzką. Te bardziej zmyślne zdawały sobie sprawę, że głównym składnikiem tych pysznych dań była ciężka praca połączona z odpowiednią techniką.

Niestety, redaktorzy książek kucharskich w Ameryce nie mieli nawet dostatecznej wiedzy, aby docenić ten fakt.

Nasze uczennice w większości podróżowały i gotowały od lat, ale nie wiedziały, jak się przyrządza dania *sauté*, nie umiały szybko kroić warzyw i nie miały pojęcia, jak odpowiednio obchodzić się z żółtkiem jaja. Wiedziałam (ponieważ mi o tym powiedziały), że chcą tych informacji i są chętne, aby posiąść tę wiedzę. Stąd moje przekonanie, że znajdą się odbiorcy dla naszej książki. Czy Houghton Mifflin się ze mną zgodzi?

W dniach poprzedzających nasze spotkanie ćwiczyłam argumenty, które miałam przedstawić w Bostonie, w korespondencji z Johnem Leggettem, nowojorskim redaktorem wydawnictwa. Jego wątpliwości budził zakres i szczegółowość „Francuskiego gotowania w amerykańskiej kuchni". „Kuchenne zombi nie przygotuje dobrego francuskiego jedzenia" — napisałam do niego. Żeby osiągnąć odpowiednie rezultaty, trzeba być gotowym się nad nimi napocić; należy prawidłowo wykonać czynności wstępne i nie pominąć żadnego szczegółu. „Nasza książka jako jedyna spośród książek napisanych po angielsku czy po francusku podaje takie wyczerpujące instrukcje" — tłumaczyłam. „Stanowi nowoczesny elementarz klasycznej kuchni francuskiej — coś w rodzaju uaktualnionego Escoffiera dla amerykańskiego amatora, wyznającego zasadę «bądź swoim własnym francuskim szefem kuchni»".

23 lutego, na dzień przed naszym umówionym spotkaniem w siedzibie Houghton Mifflin, sypał tak

obfity śnieg, że odwołano wszystkie pociągi do Bostonu. Wymieniłyśmy z Simką spojrzenia. Czy po tylu latach ciężkiej pracy włożonej we „Francuskie gotowanie w amerykańskiej kuchni" zatrzyma nas zwykła zamieć śnieżna? *Non!* Poprzysięgłyśmy sobie, że dostarczymy maszynopis.

Przed południem wsiadłyśmy w autobus. Godzinami telepał się i ślizgał na drodze na północ przez zacinający śnieg, a my na zmianę, raz jedna, raz druga, ściskałyśmy leżące na kolanach tekturowe pudełko z naszym cennym maszynopisem. Około pierwszej w nocy wreszcie dowlokłyśmy się do domu Avis De Voto przy Berkeley Street w Cambridge.

Nazajutrz ciągle sypał śnieg. Dotarłyśmy na Park Street 2 w Bostonie i weszłyśmy na długie schody. Trzymałam pod pachą nasze bezcenne pudełko, nie mając pojęcia, jak zostanie przyjęte. W jednym z pokojów redakcyjnych odnalazłyśmy Dorothy de Santillana, która okazała się miła i bezpośrednia, znała się na gotowaniu i wydawała się podchodzić do „Francuskiego gotowania" z entuzjazmem. Jej koledzy, niestety, go nie podzielali. Jeden fuknął: „Amerykanie nie chcą encyklopedii. Chcą ugotować coś szybko, najlepiej z proszku".

Zostawiłyśmy im nasze siedemset stron na temat zup i drobiu, zeszłyśmy powoli po owych długich schodach i wróciłyśmy przez śnieg do Avis, prawie się nie odzywając.

Po kilku tygodniach przyszedł list od Dorothy de Santillana:

Nasz zespół poświęcił temu, co ewidentnie jest owo-
cem pracy wykonanej z potrzeby serca, najwyższą uwa-
gę (…), a problem, przed którym stanęliśmy, jest zło-
żony. (…) Z największym szacunkiem dla Waszego do-
konania (…) musimy od razu powiedzieć, że nie jest to
książka, którą zakontraktowaliśmy, a więc publikacja
w jednym tomie, która nauczy amerykańską gospodynię
domową gotować po francusku.

Od tej chwili musimy rozmawiać o wydawaniu, nie
o gotowaniu. (…) Coś, co w naszym przekonaniu mogło-
by się sprzedać (…) to może seria niewielkich książeczek
poświęconych poszczególnym częściom posiłku. Taka se-
ria zostałaby zaprezentowana czytelnikowi w logicznej
sekwencji (…), na przykład zupy, sosy, jajka, przystaw-
ki, etc. (…) Powinna spełniać rygorystyczne standardy
prostoty i zwięzłości i z pewnością być mniej rozbudowa-
na niż Wasze dotychczasowe tomy, które choć w naszym
przekonaniu bezbłędne, niezaprzeczalnie wymagają cza-
su i skupienia od kucharki, która jakże często jest matką,
pielęgniarką, kierowcą i sprzątaczką w jednej osobie.

Wiem, że ta reakcja będzie dla Was rozczarowaniem,
ale zastanawiam się, czy nie czas, byście przemyślały
ponownie ten projekt, który (…) wyewoluował w coś
znacznie bardziej skomplikowanego i trudnego do objęcia
niż oryginalna książka.

Ach, nasz biedny Gargantua. Co z nim będzie?

To prawda, że nie dostarczyłyśmy książki, którą
zamówił u nas Houghton Mifflin. Prawdą było też, że
w USA ludzie żyli coraz szybciej i dążyli do ułatwia-

nia sobie życia. Żadnej z tych rzeczy nie uwzględniłyśmy w naszym siedmiusetstronicowym traktacie. To prawda, że sugerowana przez wydawcę seria uproszczonych książeczek skierowanych do gospodyń domowych/szoferek spodobałaby się szerszej publiczności. Jednak publikacja, którą wyobrażał sobie Houghton Mifflin, i książka, która interesowała Simkę i mnie, to nie była jedna i ta sama książka. Czułyśmy, że magazyny kobiece i większość książek kucharskich od dawna doskonale spełniały potrzeby masowych odbiorców. O wiele bardziej interesowały nas czytelniczki, które poświęcały się poważnemu, twórczemu gotowaniu. Wiedziałyśmy, że jest to publiczność, która potrzebowała i pragnęła naszej uwagi. Poza tym branża wydawnicza była w kryzysie.

Co tu robić?

Simca i ja zgodziłyśmy się, że choć możemy — w granicach rozsądku — okroić maszynopis, to nasz cel się nie zmienia. Chcemy przedstawić podstawy klasycznej kuchni francuskiej na tyle szczegółowo, aby każdy amator mógł wedle zawartych w książce przepisów stworzyć doskonały francuski posiłek. Houghton Mifflin najwidoczniej miał inne oczekiwania. Możliwe — a nawet prawdopodobne — że żaden inny wydawca nie podejmie się tak ryzykownego przedsięwzięcia. Jednak przed porzuceniem marzenia chciałyśmy trochę rozpropagować nasz pomysł.

Simca zaglądała mi przez ramię, a ja napisałam na maszynie list do pani Santillana z propozycją zwrotu wydawnictwu pierwszej transzy zaliczki w wysokości 250 dolarów i rozwiązania umowy na „Francuskie gotowanie w amerykańskiej kuchni". „Wielka szkoda, że nasza współpraca musi się oficjalnie zakończyć — napisałam. — Ale mamy w głowach materiał na dobre trzydzieści, czterdzieści lat pisania o kulinariach, więc może kiedyś uda się nam jeszcze spotkać".

Ufff! Tej nocy poszłam spać z uczuciem pustki.

Następnego dnia zgniotłam list w kulkę, wsunęłam do maszyny do pisania świeżą kartkę i napisałam trochę inaczej: „Postanowiłyśmy na razie odłożyć nasze marzenie na półkę i zaproponować opracowanie krótkiej i chwytliwej książki skierowanej do nieco bardziej wyrafinowanej gospodyni domowej/szoferki".

Była to niesłychanie trudna decyzja, ale w końcu zgodziłyśmy się z Simką, że sensownie będzie skondensować naszą „encyklopedię" do jednego, liczącego około 350 stron tomu autentycznych francuskich przepisów — od przystawek do deserów — zamiast polować teraz na nowego wydawcę. „Wszystko będzie uproszczone, ale nie nużące — napisałam. — W krótkich przepisach będziemy kłaść nacisk na to, co należy przygotować wcześniej, co można odgrzać. Może nawet uda się nam przemycić nutkę dobrego nastroju i pewną dyskretną elegancję, co będzie przyjemną odmianą". Ponieważ sprawdziłyśmy już przepisy, obiecałam dostarczyć gotowy maszynopis w ciągu sześciu miesięcy.

Pani de Santillana zaaprobowała nasz nowy plan.

Wiedziałyśmy, że będziemy musiały skupić się na *cuisine bourgeoise*, nie na *grande cuisine*. W końcu nasze potencjalne czytelniczki nie miały moździerzy do tłuczenia skorup homarów ani miedzianych misek do ubijania jajek i nie przywykły do traktowania sosów z taką pieczołowitością jak Francuzi. Może z czasem to się zmieni, ale na razie widziałam wyraźnie, że naszym zadaniem będzie zasypać kulturową przepaść między Francją i Ameryką. Najlepiej będzie to zrobić poprzez skupienie się na podstawowych zasadach gotowania i na przekazaniu wiedzy, którą zdobyłam od Bugnarda oraz innych szefów kuchni — między innymi tego, że przygotowanie posiłku powinno być zabawą i namiętnością!

III. W OSLO

Paul obiecał sobie, że po skończeniu sześćdziesiątki, w 1962 roku, odejdzie z posady państwowej, aby poświęcić się malowaniu i fotografowaniu. Tylko do czego — i dokąd — teraz wracać? Nie lubiliśmy Waszyngtonu na tyle, by chcieć tam pozostać, a Kalifornia była za daleko od naszych najbliższych krewnych i przyjaciół. Omówiliśmy problem pod wszystkimi kątami i po kilku wizytach u Avis de Voto w Cambridge w Massachusetts powiedzieliśmy sobie: „No, na to miejsce możemy się zgodzić".

Paul dorastał w Bostonie i jego okolicach, a w latach trzydziestych uczył w Shady Hill School i czuł się tam komfortowo. Ja przekonałam się, że Cambridge ma pewien wyjątkowy nowoangielski czar i obfituje w interesujących jajogłowych. W weekend Święta Niepodległości w 1958 roku przyjaciel Avis, który był agentem pośrednictwa nieruchomości, oprowadził nas po wąskich, krętych uliczkach za kampusami Harvardu i Radcliffe. Nie znaleźliśmy niczego, co przypadłoby nam do gustu, ale przy pożegnaniu Avis obiecała mieć oczy i uszy otwarte.

W Waszyngtonie Paul został mianowany „p.o. szefa wydziału wystawowego", co oznaczało, że stanął na szczycie hierarchii kuratorów wystaw w USIA. Piastował to tymczasowe stanowisko mniej więcej sześć miesięcy roku 1958 i w tym czasie zaczął uczyć się norweskiego. Mieliśmy zostać oddelegowani do Oslo, gdzie z początkiem roku 1959 Paul miał objąć urząd amerykańskiego attaché kulturalnego.

W czasie pobytu w Waszyngtonie poznałam Johna Valentine Schaffnera, nowojorskiego agenta literackiego, który reprezentował między innymi Jamesa Bearda i panią Brown. Zapytałam go, jak powinnyśmy z Simką przedstawić się szerokiemu gronu potencjalnych odbiorców. Schaffner zwrócił moją uwagę, że świat profesjonalnego gotowania (zarówno we Francji, jak i w Stanach) to zamknięty syndykat, do którego trudno się wedrzeć. Może i tak, ale od początku zamierzałyśmy wejść do niego przebojem. To jasne, że będziemy w lepszej pozycji, mając w ręce gotową książkę. Wzięłyśmy się więc do pracy ze zdwojonym zapałem, rozgrzewając do czerwoności nasze kuchenki i maszyny do pisania.

W styczniu 1959 roku, gdy przygotowywaliśmy się do wypłynięcia do Norwegii, zadzwoniła Avis z wiadomością, że wystawiono na sprzedaż „wyjątkowy dom" w Cambridge, więc powinniśmy rzucić wszystko i natychmiast przyjechać go zobaczyć. Tego dnia padał lodowaty deszcz, ale wskoczyliśmy w pociąg do Bostonu i obejrzeliśmy wielki, kryty szarym gontem dom, który nam opisała. Został zbudowany w roku 1889 przez filozofa Josiaha Royce'a (tak samo jak ja pochodzącego z Kalifornii) i stał przy Irving Street 103, małej, wysadzanej drzewami, bocznej uliczce za dziedzińcem Harvardu. Dom miał dwa piętra, długą kuchnię i podwójną spiżarnię, pełną piwnicę i ogród. Spacerowaliśmy po nim około dwudziestu minut. Paul opukiwał ściany i podłogi, sprawdzając ich solidność, a ja stałam w kuchni i wyobrażałam sobie, jak by się tu mieszkało. Jednocześnie z nami oglądała dom inna rodzina. Oni naradzali się przyciszonym głosem, a my zdecydowaliśmy, że nie znajdziemy nic lepszego i kupiliśmy go od razu, za sumę koło czterdziestu ośmiu tysięcy dolarów. Wymagał remontu i unowocześnienia, ale to żaden problem: opłacimy je z pieniędzy od lokatorów, którym wynajmiemy dom na czas pobytu w Norwegii. Hurrrrra!

Gdy w maju 1959 roku nasz prom z Danii płynął w górę poszarpanych brzegów fiordu Oslo, patrzyliśmy na granitowe głazy i wysokie klify porośnięte sosnami, wdychaliśmy chłodne, słono-sosnowe powietrze i mówiliśmy sobie: „Norwegia jest jak Maine!". Co zarazem było i nie było prawdą.

Można się wcześniej przygotować do wejścia w nową kulturę, ale przywyka się do nowej rzeczywistości dopiero na miejscu. Na tej szerokości geograficznej i o tej porze roku zdumiewająco jasne słońce zachodziło dopiero o 22.30, a wstawało niemal parę chwil później, o czwartej rano, co utrudniało spanie. W dodatku w Norwegii przykrywa się łóżka jedną kołderką z pierza, pod którą jest wprawdzie gorąco jak w piecu, ale mieści się zaledwie połowa ciała. Rozwiązaliśmy ten problem, podciągając ją po brodę i okrywając sobie nogi kocem z samochodu i innymi betami.

Zauważyłam, że brakowało tu kotów, było za to pod dostatkiem psów i więcej rudzielców na metr kwadratowy niż w jakimkolwiek innym znanym mi miejscu. Norwegowie, którzy wydawali się przystojni i zdrowi, roztaczali wokół siebie aurę prostej serdeczności.

Cały personel USIA w Oslo składał się z trzech Amerykanów i jednej norweskiej sekretarki. Gdy do miasta przyjeżdżała jakaś osobistość w rodzaju Buckminstera Fullera, Paul musiał odkładać swoje codzienne obowiązki, aranżować wykłady i konferencje prasowe i odgrywać rolę osobistego szofera oficjela. Tymczasem ambasada USA zmieniła siedzibę i przeniosła się do przyjemnego nowego budynku zaprojektowanego przez Eero Saarinena.

W czerwcu znaleźliśmy nowy dom na przedmieściach. Był to biały drewniany budynek, liczący sobie dwa piętra, z wyglądu dość nowoangielski, z dziwaczną kuchenką elektryczną, rozstrojonym pianinem i mrówkami. Nie cierpiałam mrówek, więc postanowiłam wytruć małe skurczybyki. Dom otaczały zielone żywopłoty, wokół rosły drzewa owocowe i pnące róże. Na krzakach szybko dojrzewały maliny, poza tym mieliśmy i duże truskawki, i malutkie poziomki, niezwykle aromatyczne i naprawdę pyszne (lepsze od tych we Francji, które smakowały jak drewno).

Rozpakowałam moją ogromną *batterie de cuisine* (w sumie siedemdziesiąt cztery przybory, od tarek do sera po miedziane rondle), zaaranżowałam kuchnię zgodnie z własnym gustem i zapisałam się na kurs języka. Już wkrótce mogłam czytać norweskie gazety i robić zakupy. Ryby i chleb były znakomite, tak samo jak truskawki, poziomki i agrest, ale lokalne mięsa — w tym udźce z łosia i renifera — a także dość mizerne warzywa, nie zrobiły na nas wrażenia.

Moim ulubionym miejscem zakupów był sklep z niezwykłą witryną: ułożone na krzyż metrowe łososie, wokół trocie, tu i tam homar, makrela, flądra, halibut, w górze girlanda małych, różowych krewetek. Z czasem dobrze poznałam ten sklep, z jowialnymi rybakami stojącymi wokół skrzynek wyładowanych krabami, z ogromnym, na wpół pokrojonym jesiotrem i żywymi dorszami pływającymi w podłużnych betonowych zbiornikach. Któregoś dnia zauważyłam, jak pewna Angielka przymierza się do zrobienia zdjęcia dorsza. Rybak usłużnie wyciągnął z kadzi gigantyczny okaz, wziął go na ręce, podrapał po brzuchu i zagruchał do niego; ryba odpowiedziała skrzeknięciem. Świetna sztuczka!

Równolegle z gromadzeniem materiałów na temat kuchni francuskiej zaczęłam eksperymentować z lokalnymi produktami. Zbierałam czerwoną porzeczkę i robiłam z niej galaretkę, po raz pierwszy w życiu spróbowałam gravlaksu (najlepiej smakuje z sosem śmietanowo-koperkowym i kartoflami ze śmietaną

oraz gałką muszkatołową), a także przyrządziłam pardwę górską i dużą europejską odmianę kuropatwy zwaną głuszcem.

Jako że w Oslo nie znałam prawie nikogo, tego lata odrobiłam dużą część pracy nad Książką. Listy między Oslo a Paryżem latały tam i z powrotem z dużą częstotliwością. Po prawie ośmiu latach ciężkiej pracy wreszcie widać było koniec! Zagrzewałyśmy się nawzajem do bohaterskich czynów maszynopisarskich.

IV. SZCZĘŚCIE W NIESZCZĘŚCIU

1 września 1959 roku minęła trzynasta rocznica naszego ślubu, a ja chwilę wcześniej skończyłam czterdzieści siedem lat. Bardziej ekscytujące było jednak to, że poprawiona wersja „Francuskich przepisów dla amerykańskich kucharek" była wreszcie gotowa: ta-dam!

Nasze maszynobazgroły wysłałam do przyjaciółki w Waszyngtonie, która przepisała je na czysto. Stamtąd maszynopis miał pojechać do Houghton Mifflin w Bostonie. W obecnym kształcie książka różniła się diametralnie od naszej pierwotnej „encyklopedii" zup i dań z drobiu. Był to elementarz *cuisine bourgeoise* dla poważnych amerykańskich kucharek, obejmujący wszystko: od przystawek w formie surowych warzyw po desery. Wciąż jednak liczył 750 stron, a ja obawiałam się reakcji redaktorów. Ich komentarz miałyśmy usłyszeć dopiero za miesiąc, pozostawało więc zacisnąć kciuki i być dobrej myśli.

Cóż za dziwne uczucie, skończyć książkę. Ciążyła nam przez tyle lat jak kamień, że można by przypuszczać, iż teraz powinnam tańczyć w ekstazie. A ja poczułam się taka wykorzeniona, pusta, zagubiona, tak niesłychanie... zbita z pantałyku.

Ach, jakże tęskniłam za towarzystwem oddanych przyjaciół, z którymi mogłabym świętować. Mieliśmy w Oslo mnóstwo znajomych, ale tak jak w Plittersdorfie całymi miesiącami nie widzieliśmy nikogo, kogo mogliśmy naprawdę u ś c i s k a ć, poza sobą nawzajem. Właśnie tego nie cierpiałam najbardziej w wędrownym życiu dyplomaty.

Gdy w końcu wystarałam się o zaproszenie na duży lunch w kobiecym gronie, podano nam kawałki kurczaka z puszki w smutnym, gęstym sosie i ciasto czekoladowe z proszku. Tfu!

Kiedy pod koniec września otrzymałam entuzjastyczną notkę od Dorothy de Santillana, w mig wrócił mi dobry nastrój.

Spędziłam na studiowaniu maszynopisu całe cztery dni (...), a dla redaktora to bardzo dużo jak na jedną lekturę. (...) Pochłonęła mnie bez reszty. Mam wielki szacunek dla staranności i pieczołowitości, z jaką przeanalizowałyście, rozłożyłyście na czynniki i odtworzyłyście każdy proces w najdrobniejszym szczególe. Nie znam drugiego kompendium tak zdumiewająco, niesłychanie precyzyjnego ani pełnego, bo wydaje mi się ono niemal całkowicie wyczerpujące, mimo Waszego oświadczenia, że [ciasta francuskiego] tam nie znajdziemy!

To nieprawdopodobnie rzetelna praca i wiem, jak wiele włożyłyście w nią swojego życia. Odgadnie to każdy, kto ją przeczyta.

(...) Chciałabym dodać, że przyjrzałam się ostatniej propozycji od Knopfa (...), Klasycznej kuchni francuskiej autorstwa Josepha Donona. W porównaniu z Wami Donon nie tylko nie zasługuje na przymiotnik „klasyczny", ale nawet na określenie „francuski", mimo swojej Legii Honorowej!

(...) Pozostaje czekać na decyzję przełożonych.

Odpisałam natychmiast, żeby dać znać, jak ogromnie nas cieszy, iż jesteśmy krok bliżej do publikacji, a także wyjaśnić sprawę moich współautorek. Wytłumaczyłam, że Louisette przeżywa „problemy rodzinne" (jej mąż okazał się potworem, a Louisette starała się o rozwód), dlatego nie bierze istotnego udziału w pisaniu. Zgodziłyśmy się jednak z Simką, że ważne, aby Louisette została „w zespole", przez wzgląd na wykonaną już pracę, ale też z bardziej praktycznej przyczyny — miała znacznie lepsze koneksje niż my obie, zarówno we Francji, jak i w USA.

Co do Simki, chciałam się upewnić, że jej praca zostanie doceniona. Książka, jak napisałam, „to dzieło wspólne w najprawdziwszym znaczeniu tego słowa, bo żadna z nas nie byłaby w stanie urzeczywistnić tego przedsięwzięcia bez pomocy drugiej". Simca napisała cały rozdział o deserach i wzbogaciła tradycyjne przepisy o autorskie pomysły, dzięki czemu były jeszcze pyszniejsze — na przykład *bavarois à l'orange,* pomarańczowe bavarois, *mousseline au chocolat*, mus czekoladowy, i wspaniała *charlotte Malakoff* z migdałami. Dostarczyła nam niezwykłych sosów, w tym *sauce spéciale à l'ail pour gigot*, specjalny sos czosnkowy do udźca, sos *nénette*, z zagęszczonej śmietany, musztardy i pomidorów, *chaud-froid*, sos z auszpikiem, *blanche neige*, auszpik ze śmietaną. To ona obmyśliła trik, dzięki któremu śmietana w *gratin jurassien*, krojonych w plastry kartoflach zapieczonych w gęstej śmietanie — sekrecie handlowym restauracji Baumanière w Les Baux, nie ulega zwarzeniu, a także opracowała imponujący przepis na *ratatouille*, w oparciu o wielomiesięczny pobyt w Prowansji.

„Wyłącznie dzięki madame Beck i jej długoletniemu zainteresowaniu kuchnią uzyskałyśmy nie tylko zwyczajny zbiór klasycznych przepisów, ale też wiele receptur osobistych i niecodziennych, a zarazem na wskroś francuskich — napisałam. — O ile nam wiadomo, większość nigdy przedtem nie była publikowana".

6 listopada 1959 roku przyszedł pocztą dyplomatyczną list od Paula Brooksa, redaktora naczelnego Houghton Mifflin. Wzięłam do ręki długą, białą kopertę i popatrzyłam na nią przez chwilę. Jej zawartość była dla mnie tak ważna, że bałam się ją otworzyć. W końcu się odważyłam.

Brooks pisał, że szefowie wydawnictwa spotkali się kilka razy w sprawie „Francuskich przepisów dla amerykańskich kucharek" i po długich naradach orzekli, co następuje:

Pani i Pani koleżanki odtworzyłyście i zbadałyście proces gotowania tak wnikliwie, że nie sposób stosować się do Waszych przepisów i nie osiągnąć sukcesu. Wasz maszynopis to nie tylko dzieło sztuki, ale także nauki kulinarnej.

Jednakże, choć wszyscy szanujemy tę pracę jako wielkie osiągnięcie, oczywiste pozostaje, że (...) koszt opublikowania tej książki będzie bardzo wysoki, a nakład środków ze strony wydawcy ogromny. A to oznacza, że wydawca musi być w stanie określić z góry rynek odbiorców i dostrzec szerokie grono czytelników chętnych kupić książkę, która ze względu na koszty produkcji będzie bardzo droga. W tym punkcie moi koledzy mają wątpliwości.

Kiedy pierwszy projekt rozrósł się do rozmiarów encyklopedii, zgodziły się Panie, że książka (...) musi przyjąć formę dużo mniejszej, prostszej publikacji (...). Poprawioną wersję określiły Panie jako „krótką, prostą książeczkę skierowaną do gospodyni/szoferki". W obecnym kształcie książki tej tak określić nie można. To duża, droga książka kucharska, pełna szczegółowych informacji, która dla amerykańskiej gospodyni może okazać się zbyt onieśmielająca. Może chętnie wytnie jeden z tych przepisów z czasopisma, ale przestraszy się książką jako całością.

Zdaję sobie sprawę, że moja odpowiedź Panie rozczaruje i (...) sugeruję, aby natychmiast przedłożyły Panie książkę innemu wydawcy (...). My zawsze z przyjemnością wydamy mniejszą, prostszą wersję. Proszę mi wierzyć, wiem, ile pracy kosztował Panie ten maszynopis. Przesyłam najserdeczniejsze życzenia powodzenia w innym wydawnictwie.

Westchnęłam. Możliwe, że Książka jest po prostu niepublikowalna.

Nie użalałam się nad sobą. Wykonałam robotę, byłam z niej dumna i w dodatku miałam teraz setki niezawodnych przepisów do wykorzystania, poza tym udało mi się przejść przez żmudny proces pisania. Nawet jeśli nasza książka nigdy nie ujrzy światła dziennego, odkryłam swoją rację bytu i zamierzałam kontynuować samodoskonalenie i nauczanie. Kuchnia francuska otwierała prawie nieskończone możliwości: ciągle miałam mnóstwo do nauczenia się o *pâtisserie*, cukiernictwie i chciałam wypróbować jeszcze setki, setki przepisów.

Było mi tylko żal biednej Simki. Pracowały z Louisette nad tym projektem już dziesięć lat i wciąż nic z niego nie miały. „Po prostu wybrałaś do współpracy nie tę Amerykankę co trzeba" — napisałam do niej.

Niemal od razu dostałam pokrzepiający list od Avis, naszej niestrudzonej orędowniczki, z deklaracją: „Walka dopiero się zaczęła".

Przekazała nam też cudowny, pocieszający list, który przysłała jej Dorothy de Santillana: „Przykro myśleć, jakie to rozczarowanie [dla Julii i Simki] (…). Bardzo źle mi z myślą, że doskonały kwiat miłości do sztuki kulinarnej, a zarazem owoc solidnej, wieloletniej pracy, musi prosić o litość. To takie miłe autorki".

Dalej wyświetliła prawdziwe powody decyzji Houghtona Mifflina. Opierała się ona na bardzo sztywnym rachunku: porównaniu kosztów produkcji (bardzo wysokich) z potencjalną sprzedażą książki (niewiadomą, ale przypuszczalnie niską). Nasi rywale produkowali efekciarskie książki kucharskie (jak choćby wydana przez Houghtona Mifflina kuchnia teksaska), a nasza — poważniejsza — propozycja została oceniona jako zbyt ryzykowna. Nasze przepisy były niezawodne, lecz redaktorzy orzekli, że proponowane przez nas dania są zbyt wymyślne.

„Wszyscy byli zdania, że książka nie onieśmieli chyba tylko profesjonalnego kucharza, a przeciętna gospodyni domowa wybierze naszego konkurenta właśnie dlatego, że nie jest tak doskonały — napisała Dorothy. — Uważają, że taka pani chce «dojść do czegoś podobnego na skróty», zaś ta książka jest drogą do absolutu (…). To maszynopis wyśmienitej książki kucharskiej, lepszy od wszystkich innych, jakie znam. Nie mogłam jednak spierać się z mężczyznami o to, czy nadaje się dla gospodyni/szoferki".

Czyżbyśmy więc spóźniły się o dziesięć lat? Czy amerykańska publika naprawdę potrzebowała w kuchni tylko szybkości i magii?

Widocznie tak. Cały przepis na *coq au vin*, kurczak w winie, w jednej popularnej książce kucharskiej, wznowionej już po raz trzeci, brzmiał: „Pokrój dwa brojlery. Usmaż je w maśle z dodatkiem boczku, siekanej cebuli i siekanych grzybów. Zalej czerwonym winem i wstaw na dwie godziny do piekarnika". Hm.

Cóż — może wydawcy mieli rację? W końcu nie było chyba zbyt wielu ludzi, którzy tak jak ja lubili krzątać się w kuchni. Poza tym niewielu Amerykanów

Muszę się z tym przespać!

wiedziało, jak powinny smakować francuskie dania, więc po cóż mieliby zadawać sobie tyle trudu, żeby zrobić coś do jedzenia?

Jeśli chodzi o mnie, interesowała mnie tylko autentyczna francuska kuchnia. Jeśli nie znajdziemy chętnego na nasze *opus*, po prostu zapomnę o nim do czasu powrotu do Stanów.

Charlie Child napisał pocieszająco: „Uważam, że Julia idealnie nadaje się do telewizji, nieważne, czy wyda [książkę], czy nie. Ale to tylko opinia jednego faceta". Zaśmiałam się. Ja w telewizji?! Co za pomysł! Obejrzeliśmy w życiu chyba jeden program i nawet nie mieliśmy telewizora.

Wydawcy z Houghton Mifflin zasugerowali, abyśmy pokazały „Francuskie przepisy dla amerykańskich kucharek" Doubleday, wielkiemu wydawnictwu z własnymi klubami książki, ale Avis wpadła na inny pomysł. Bez konsultacji ze mną i z Simką (ale z naszą pełną aprobatą) przesłała nasze 750 stron staremu przyjacielowi Billowi Koshlandowi, który był sekretarzem redakcji w wydawnictwie Alfred A. Knopf w Nowym Jorku.

Koshland był również świetnym kucharzem amatorem. Widział fragmenty maszynopisu u Avis i wypytywał o niego. Knopf, prestiżowy wydawca, nie miał aktualnie w planie wydawniczym żadnych książek kucharskich.

Utrata Houghtona Mifflina to „szczęście w nieszczęściu", napisała Avis, a tacy wydawcy jak Knopf mieli dużo więcej wyobraźni. „To może potrwać, ale jeszcze doczekacie się publikacji — wiem o tym!"

ROZDZIAŁ SZÓSTY
Doskonalenie się w sztuce...

I. SZCZĘŚLIWY ZBIEG OKOLICZNOŚCI

W maju 1948 roku dwudziestoczteroletnia redaktorka wydawnictwa Doubleday Judith Bailey wyruszyła na trzytygodniowe wakacje do Europy. Przypłynęła z przyjaciółką ze studiów trzecią klasą z Nowego Jorku do Neapolu. Ostatnim punktem jej podróży był Paryż. Nigdy przedtem nie widziała Starego Kontynentu. Mówiła szkolną francuszczyzną, ale nie psuło jej to humoru. Jej przyjaciółka wróciła do domu, a Judith zamieszkała w hoteliku Lenox na Lewym Brzegu, niedaleko od naszego późniejszego domu przy rue de l'Université. Czas płynął szybko, a Judith z każdym dniem coraz bardziej zakochiwała się w Paryżu. „Czekałam na to całe życie — mówiła sobie. — Wszystko mi się tu podoba".

Dwa dni przed planowanym powrotem do Ameryki Judith usiadła w ogrodach Tuileries i pogrążyła się w lekturze. W torebce miała bilet powrotny. Zachód słońca był tak zachwycający, że się rozpłakała. „Dlaczego stąd wyjeżdżam?" — zastanawiała się. Podniosła się z westchnieniem, zabrała książkę i odeszła. Dopiero za zakrętem uprzytomniła sobie, że zostawiła w ogrodzie torebkę, razem z wszystkimi swoimi frankami, czekami podróżnymi, paszportem i biletem powrotnym. Pognała z powrotem do Tuileries, ale torebki nie było.

Zgłosiła kradzież na policji i poszła piechotą do Lenox bez *sou* przy duszy. „Dziwne — pomyślała. — Może to znak, że powinnam zostać?"

Mieszkający w tym samym hotelu stary znajomy z Vermont (rodzinnego stanu Judith) przypadkiem zauważył ją, gdy siedziała w pokoju przy otwartych drzwiach. „Judith Bailey! — zakrzyknął — Co cię tu sprowadza?" — i zabrał ją z kolegami na obiad. Czyż to nie kolejny znak? Poznała też pewnego młodego Francuza, który oprowadził ją po restauracjach i sam był fantastycznym kucharzem. Klamka zapadła.

Kiedy już postanowiła, że nie wraca do Nowego Jorku, udało jej się znaleźć pracę w charakterze asystentki Evana Jonesa — dziewięć lat od niej starszego Amerykanina, redaktora „Weekendu", amerykańskiego popularnego magazynu ilustrowanego, który wyrósł ze „Stars and Stripes". „Weekend" przez pewien czas nieźle sobie radził, ale padł, kiedy paryskie kioski z gazetami zawojowały takie kolosy, jak „Life" i „Look". Ale tymczasem Judith Bailey i Evan Jones się w sobie zakochali.

On pisywał artykuły do gazet i obmyślał powieść, a Judith pracowała dla pewnego podejrzanego Amerykanina, który kupował i sprzedawał samochody dla hollywoodzkich gwiazd i innych bogatych amerykańskich imigrantów we Francji. Wynajęli z Evanem małe mieszkanko i razem uczyli się gotowania. Judith nie miała książek kucharskich ani środków na pójście choćby do Cordon Bleu, ale była z natury ciekawska i miała dobrą rękę do garów. Tak jak ja uczyła się, smakując różnych potraw — a to wspaniałego *entrecôte*, antrykotu, w restauracji, a to maleńkich sercówek w Bretanii. Uczyła się kulinarnych sztuczek, zadając pytania najróżniejszym osobom, na przykład żonie rzeźnika, która pokazała jej idealny tłuszcz do smażenia frytek.

Mniej więcej w tym czasie Paul i ja zadomowiliśmy się w naszym mieszkaniu przy rue de l'Université 81. Całkiem możliwe, że minęliśmy kiedyś Judith i Evana na ulicy albo staliśmy obok siebie na przyjęciu, gdyż wiedliśmy równoległe żywoty. Ale nigdy się w Paryżu nie spotkaliśmy.

Zmęczona pracą u dilera samochodowego, Judith znalazła zatrudnienie jako asystentka redaktora paryskiego oddziału wydawnictwa Doubleday, które kupowało prawa do publikacji europejskich pozycji na rynku amerykańskim. Kiedyś przypadkiem wpadła jej w ręce książka, którą jej szef zamierzał odrzucić. Zaintrygowana fotografią dziewczynki na okładce, otworzyła ją i przeczytała kilka pierwszych linijek. Po kilku stronach historia tak ją zaabsorbowała, że Judith nie mogła się od niej oderwać, póki jej nie skończyła. Zakochana w niej, namówiła redaktora, aby rozważył jeszcze raz swoją decyzję. Doubleday kupił książkę, która ukazała się w Stanach jako *Dziennik Anny Frank*.

W listopadzie 1951 Judith i Evan, już jako małżonkowie, mieszkali znowu w Nowym Jorku. Gdy *Dziennik Anny Frank* stał się światową sensacją, Knopf, który go wcześniej odrzucił, zaoferował Judith pracę redaktorki.

Jej główne zadanie miało polegać na pracy z tłumaczami zakupionych przez Knopfa francuskich książek. Pod koniec roku 1959, kiedy Bill Koshland pokazał nasz maszynopis redaktorom z Knopfa, to właśnie Judith Jones od razu zrozumiała, co knujemy. Wypróbowała z Evanem kilka naszych przepisów w domu, poddając je sprawdzianowi praktycznemu. Ugotowali na przyjęcie obiadowe *boeuf bourguignon*, wołowinę po burgundzku. Wykorzystali naszą supertajną metodę przyrządzania sosów. Nauczyli się smażyć i przewracać omlet w sposób przekazany mi przez Bugnarda (ćwiczyli przewracanie omleta na tarasie, zgodnie z naszą sugestią podrzucając na patelni ziarna fasoli; następnej wiosny odkryli na dachu kiełki). Łapczywie pochłaniali nasze wskazówki co do naczyń kuchennych i wina.

„«Francuskie przepisy dla amerykańskich kucharek» to okropny tytuł — powiedziała do męża Judith. — Ale sama książka to rewolucja. Może stać się klasykiem".

W redakcji oznajmiła swoim nader sceptycznym przełożonym: „Musimy wydać tę książkę!".

Angus Cameron, kolega z Knopfa, który wiele lat temu pomagał wydać *Radość gotowania* w Bobbs-Merrill, zgodził się z nią i zaczęli razem obmyślać strategie promocyjne.

W połowie maja 1960 roku dostałam w Oslo list od pani Jones i znowu trzymałam kopertę od wydawcy, którą bałam się otworzyć. Po tylu latach wielkich nadziei i zawodów byłam przygotowana na najgorsze, ale też, mimo wszystko, dobrej myśli. Odetchnęłam głęboko, wyciągnęłam list z koperty i przeczytałam:

Spędziliśmy nad [Waszą] znakomitą książką o kuchni francuskiej kilka miesięcy (...), studiowaliśmy ją, próbowaliśmy, szacowaliśmy, i tak dalej, aż doszliśmy do wniosku, że z wielką dumą włączymy ją do naszego planu wydawniczego. (...) Zostałam upoważniona do złożenia Paniom propozycji. (...) Niepokoi nas tylko kwestia tytułu, ponieważ uważamy, iż niezwykle ważne jest, aby precyzyjnie określał on, co takiego odróżnia tę książkę od wszystkich innych książek o kuchni francuskiej na rynku. Uważamy ją za najlepszą i jedyną trafioną tego rodzaju publikację, która zrobi dla francuskiej kuchni tu w Ameryce to samo, co niegdyś RADOŚĆ GOTOWANIA Rombauer dla standardowej kuchni, i w ten sposób mamy zamiar ją promować. (...) To bez wątpienia pięknie zorganizowany, klarownie napisany i cudownie pouczający tekst. Już zrewolucjonizowały Panie moją kuchnię, a wszyscy, którym dałam wypróbować przepis albo mówiłam o tej książce, już deklarują, że nie kupią innej książki kucharskiej.

Zamrugałam, a potem przeczytałam list raz jeszcze. W najśmielszych marzeniach nie przypuszczałam, że odpowiedź będzie tak wielkoduszna i zachęcająca. Byłam lekko oszołomiona.

Kiedy Avis zadzwoniła do nas z Ameryki, wręcz piała z radości i zapewniła, że Knopf ubierze książkę w świetną szatę graficzną i będzie dokładnie wiedział, jak najlepiej ją wydać.

Co do strony finansowej, Knopf zaoferował nam tysiąc pięćset dolarów zaliczki na poczet honorarium w wysokości siedemnastu procent ceny hurtowej książki (jeśli sprzedamy więcej niż dwadzieścia tysięcy egzemplarzy, nasze tantiemy wzrosną do dwudziestu trzech procent). Książka będzie kosztowała około dziesięciu dolarów i trafi na rynek jesienią 1961. Dla ułatwienia wydawnictwo podpisze umowę ze mną, a kwestie finansowe uzgodnię z Simką i Louisette prywatnie. Pani Jones nie podobały się schematyczne rysunki (dzieło znajomego), które dołączyłyśmy do maszynopisu i zobowiązała się zatrudnić do wykonania ilustracji najlepszego grafika, jakiego uda się jej znaleźć.

Wszystkie te szczegóły były dla nas, autorek, i dla naszego prawnika do przyjęcia, więc podpisałam umowę, żeby ktoś przypadkiem nie zdążył zmienić zdania.

A więc zrobione. Hurrra!

Nasz słodki sukces zawdzięczałyśmy w dużej mierze przemiłej Avis De Voto. Tak długo nas pchała, naciskała i nam kibicowała. Bóg jeden wie, co by było z naszą książką, gdyby nie ona. Pewnie nic.

Jak się okazało, pani Jones nigdy przedtem nie redagowała książki kucharskiej, a jednak wydawało się, że dokładnie wie, co jej się podoba w maszynopisie, a gdzie czegoś mu brakuje. Podobał jej się nasz sposób pisania, nieformalny, ale bogaty w informacje, a także gruntowne badania nad sprawami ezoterycznymi, na przykład tym, jak uniknąć błędów przy sosie holenderskim. Pogratulowała nam niektórych innowacji, na przykład notek o tym, jak dużą część dania można przygotować z wyprzedzeniem, a także podziału strony na dwie części: po lewej lista składników, z prawej — stosowny do nich tekst przepisu.

Miała jednak wrażenie, że mocno nie doceniłyśmy amerykańskiego apetytu. „Dwa i pół funta mięsa na *boeuf bourguignon* — zauważyła — nie wystarczy na 6–8 osób. Przyrządziłam je któregoś wieczoru i było tak wyśmienite, że pięcioro głodnych ludzi wyczyściło talerze".

Szacując ilość składników, zakładałyśmy oczywiście, że ktoś będzie przygotowywał przynajmniej trzydaniowy posiłek *à la française*. Ale amerykański styl jedzenia był inny, więc musiałyśmy pójść na kompromis.

Judith uważała też, że powinnyśmy dodać kilka potraw z wołowiny (skoro czerwone mięso było w Ameryce tak popularne) i „solidnych dań chłopskich". Moim zdaniem miałyśmy już dość dań chłopskich — *potée normande*, gulasz normandzki z gotowanej wołowiny, kurczaka, kiełbasy i wieprzowiny, *boeuf à la mode*, wołowinę duszoną z warzywami, duszoną jagnięcinę z fasolką, etc. — i że pani Jones podchodzi do tej kwestii zbyt romantycznie. Niemniej po krótkich targach dołączyłyśmy przepis na *cassoulet*, cudowną potrawkę z mięsa i pieczonej fasoli rodem z południowo-zachodniej Francji.

Dla niewprawnego amerykańskiego ucha *cassoulet* brzmiało jak nazwa nieosiągalnej ambrozji, ale tak naprawdę to tylko pożywny wiejski posiłek. Tak jak w przypadku *bouillabaisse*, zupy rybnej, istnieje nieskończona liczba przepisów na *cassoulet*, wszystkie oparte na lokalnych tradycjach.

Swoim zwyczajem zbadałam różne rodzaje fasoli i mięs, których można było użyć, i w końcu wyprodukowałam gruby na przynajmniej pięć centymetrów plik papierów na ten temat.

„O, nie! — warknęła Simca, przeglądając wyniki moich badań. — My, Francuzi nigdy nie robimy *cassoulet* w ten sposób!".

Kością niezgody była *confit d'oie*, gęś duszona długo we własnym tłuszczu. Simca upierała się, że jest ona niezbędnym składnikiem, na co przypomniałam, że dziewięćdziesiąt dziewięć procent Amerykanów nigdy nie słyszało o *confit d'oie*, a już na pewno nie mogło jej kupić. Chciałyśmy, aby nasze wskazówki były poprawne, jak zawsze, ale także przystępne. „Ważnym elementem jest smak, który pochodzi w dużej mierze z płynu, w którym dusi się fasolę i mięso — napisałam — i szczerze mówiąc, mimo tego całego halo wokół *confit d'oie*, gęsi duszonej długo we własnym tłuszczu, po ugotowaniu jej z fasolą trudno odróżnić gęś od wieprzowiny".

Simca pogroziła mi palcem i odparowała: „Jest tylko jeden prawidłowy sposób przyrządzania tej potrawy — *avec confit d'oie!*".

Trochę to irytujące. „Po jakie licho robię te wszystkie badania, jeśli nawet moja koleżanka ma je w nosie?" — złościłam się.

Po dramatycznych sporach zgodziłyśmy się na podstawowy przepis na *cassoulet* z użyciem wieprzowiny albo jagnięciny i swojskiej kiełbasy, a następnie cztery warianty tej samej potrawy, w tym jeden z użyciem *confit d'oie*. W książce wytłumaczyłyśmy danie, podałyśmy sugestie jadłospisu, omówiłyśmy rodzaj fasoli i dołączyłyśmy „notkę o porządku bitewnym". Zajęło nam to prawie sześć stron, ale starałyśmy się, aby nie było tam jednego niepotrzebnego słowa.

Największych zmartwień przysparzał nam tytuł książki. Judith twierdziła, iż „Francuskie przepisy dla amerykańskich kucharek" nie są „dość prowokacyjne ani nawet jednoznaczne". Absolutnie się z nią zgodziłam i tak rozpoczęło się polowanie na nowy, zgrabny tytuł. Jako nagrodę obiecałam przyjaciołom i rodzinie ogromne *foie gras en bloc truffé*, gęsie wątróbki z truflami w bloku, prosto z Francji. Któż mógł się oprzeć tak apetycznej pokusie? Żeby zdobyć nagrodę, wystarczyło, jak napisałam, „wymyślić krótki, powalający na kolana, treściwy, niezapomniany i chwytliwy tytuł książki, sugerujący, że to właśnie TA książka o kuchni francuskiej dla Amerykanów, jedyna i taka, która zastąpi wszystkie inne, słowem, podstawowa książka kucharska na temat kuchni francuskiej".

Moja propozycja: *La bonne cuisine française*. Ale Judith uznała, że francuski tytuł będzie dla Amerykanów „zbyt nieprzystępny".

Wśród innych wczesnych propozycji znalazły się: „Francuska kuchnia z amerykańskiego supermarketu", „Szlachetna sztuka francuskiego gotowania", „Kuchnia francuska: zrób to sam", „Francuscy magicy w kuchni", „Metoda w kulinarnym szaleństwie", „Czarodziejska kuchnia francuska" oraz „Pasja francuskiego gotowania".

W Oslo zakwitły jabłonie, a my z Paulem zaczęliśmy grillować na świeżym powietrzu. Przy okazji debatowaliśmy o wyższości tytułów poetyckich nad opisowymi i *vice versa*. Kto mógł przewidzieć, że „Radość gotowania" okaże się idealnym tytułem dla tej właśnie książki?

W Nowym Jorku tymczasem Judith bawiła się zestawianiem słów jak kawałków puzzli, które próbowała dopasować. Chciała zawrzeć w nich naszą ideę, że gotowanie to sztuka i zabawa, a nie mordęga, zaś jego nauka to proces, a więc coś, co się dzieje. Właściwy tytuł powinien zawierać takie pojęcia, jak „zakres", „fundamentalność", „gotowanie" i „Francja". Judith skupiła się na dwóch motywach: „Kuchnia francuska" i „mistrzostwo". Zaczęła od „Mistrzowska kuchnia francuska", potem wypróbowywała warianty, takie jak „Mistrz francuskiego gotowania". Długo na pierwszym miejscu utrzymywało się „Mistrzostwo we francuskim gotowaniu" (żartobliwy podtytuł wymyślony przez Judith: „Niezrównana książka o fundamentalnych technikach przyrządzania dań tradycyjnej kuchni francuskiej dostosowanych do wymagań amerykańskich kuchni z amerykańskim jedzeniem, amerykańskimi narzędziami i amerykańskimi kucharzami"). Reakcje na te pomysły nie były na ogół entuzjastyczne, ale szef działu sprzedaży w Knopfie zgłosił wątpliwość, że „mistrzostwo" sugeruje coś dokonanego, a chodzi przecież o to, że wskazujemy drogę do jego osiągnięcia. To może w takim razie *Jak opanować kuchnię francuską?* — podpowiedziała Judith.

Wreszcie, 18 listopada 1960 roku napisała, że znalazła odpowiedni tytuł: *Mastering the Art of French Cooking* („Doskonalenie się we francuskiej sztuce kulinarnej"). Podobała mi się czynna, choć nie najskromniejsza forma *mastering*, i niezwłocznie odpowiedziałam: „To jest to!".

Za pięć dwunasta Simca oświadczyła, że jej tytuł się nie podoba.

„Za późno na zmianę" — tłumaczyłam, nadmieniając, że tylko amerykańskie ucho potrafi wychwycić niuanse amerykańskiej angielszczyzny. Poza tym, dodałam, Knopf wie o książkach dużo więcej niż my i to on będzie musiał ją sprzedać. Więc, koniec końców, *tant pis*!

Nie wiedziałyśmy, że pan Alfred Knopf, despotyczny szef wydawnictwa, który uważał się za smakosza, nie wierzył, iż wielka baba ze Smith College i jej przyjaciółki potrafią napisać sensowną książkę o *la cuisine française*. Zgodził się na wydanie, ale gdy Judith oznajmiła, jak postanowiłyśmy ją zatytułować, pokiwał głową i zakpił: „Kaktus mi tu wyrośnie, jak ktoś kupi książkę o takim tytule!".

Ale nie protestował i zgodził się dać pani Jones szansę.

1 września 1960 roku przypadała czternasta rocznica naszego ślubu, ale nie mieliśmy czasu na świętowanie. Paul zdecydował, że po czternastu latach pracy w Służbie Zagranicznej pora odejść na emeryturę. Mógł zostać, żeby dociągnąć do dwudziestu lat i zarabiać miesięcznie trzy tysiące dolarów, jednak nie miał już ochoty. Była to bolesna decyzja, ale kiedy ją podjął, zauważyłam u niego natychmiastowy wzrost energii i entuzjazmu życiowego.

Impuls dała mu umowa z Knopfem, ale naprawdę zrezygnował dlatego, że w ciągu dwunastu lat wiernej służby doczekał się jednego nędznego awansu i jednego haniebnego śledztwa. Miał pięćdziesiąt osiem lat i serdecznie dość użerania się z tępymi biurokratami w Waszyngtonie oraz odrabiania pańszczyzny za granicą bez głupiego „dziękuję". Prócz tego oboje czuliśmy, że pora zapuścić korzenie w naszej ojczystej ziemi i odnowić kontakt z rodziną oraz przyjaciółmi.

Posadę rządową opuściliśmy 19 maja 1961 roku — dwa lata i dwa dni po przyjeździe do Oslo. A więc w końcu przeszliśmy do cywila.

W tygodniach poprzedzających nasz wyjazd przegryzałam się przez prawie siedem kilo korekt szpaltowych naszej Książki, praktycznie rzecz biorąc po dwadzieścia cztery godziny na dobę. Korekta autorska to prawdziwy koszmar. Z przerażeniem odkrywałam, że zdarzało mi się napisać „1/4 filiżanki esencji migdałowej" zamiast „1/4 łyżeczki" albo zapomnieć dodać: „Przed włożeniem gulaszu do piekarnika przykryj rondel". Jak to się mogło stać? Widok mojej niedoskonałej angielszczyzny w druku był dla mnie lekcją pokory.

Pracowałam wolno i systematycznie, ale przy nadchodzącej konferencji NATO (która do ostatniej chwili całkowicie absorbowała Paula), perspektywie rychłego wyjazdu do Stanów i zbliżającym się terminie oddania poprawionego tekstu zaczęły mi puszczać nerwy. Simce podobnie.

Była kochana, ale też strasznie roztrzepana i dość zarozumiała. Nie zawracała sobie głowy dokładnym

sprawdzaniem korekt, co doprowadziło do paru scysji. Termin złożenia poprawek upływał 10 czerwca 1961. Im bliżej tej daty, tym częściej fruwały listy między Paryżem a Oslo.

Omawiałyśmy takie sprawy, jak przepis na ciasto zaproponowany przez Simkę w 1959, co do którego teraz, w maju 1961, miałyśmy wątpliwości. Na widok wydrukowanego na szpaltach przepisu Simca oświadczyła: „To nie jest francuskie ciasto. To amerykański smak. Nie możemy go mieć w naszej książce!".

Simca nie miała racji. Spędziłam wiele godzin na sprawdzaniu terminarzy i notatników w tej sprawie, po czym zrelacjonowałam jej fakty: „Wysłałaś mi ten przepis 3 czerwca 1959 roku, ja go wypróbowałam, wyszedł dobrze i zgodziłyśmy się włączyć go do maszynopisu. 9 października 1960 spotkałyśmy się i przedyskutowałyśmy razem każdy przepis, łącznie z tym. 20 lutego 1961 potwierdziłam Ci to listownie". Za późno na wyrzucanie z książki całego przepisu. „Czytałaś już i zaaprobowałaś to, co teraz oglądasz na szpaltach — przypomniałam jej. — Obawiam się, że zdumienie, szok i żal są normalnymi reakcjami autorów, gdy wreszcie widzą się w druku".

Pracowałyśmy tak pilnie i byłyśmy już tak blisko mety, że nasze spory okazywały się strasznie męczące. Robiłyśmy co w naszej mocy, żeby przebrnąć przez ten gąszcz nieporozumień. Tylko że zegar tykał coraz głośniej.

Gdy Simca oprotestowała fragment o winie, odpisałam: „Niemożliwe, aby był tak niedobry, jak twierdzisz, skoro wcześniej sama go zatwierdziłaś!".

Przeżywałam frustrację z powodu tych jej rozterek. Książka była dla mnie jak pierworodne dziecko i jak każdy rodzic pragnęłam, żeby była doskonała.

Mądra Avis napisała: „Nic się nie martw. Żaden związek nie jest doskonały, a związek taki jak Twój z Simką jest pod wieloma względami jak małżeństwo: cudowne wzloty i okropne upadki. Ale generalnie funkcjonuje, jest dobry i owocny. Wasze dziecko też nie będzie bez wad, ale w ostatecznym rozrachunku będzie dobre. Musimy zadowolić się tym, co mamy".

II. KREWETKI PODCZAS SZTORMU

Któregoś popołudnia pod koniec września 1961 roku usiadłam z egzemplarzem wydrukowanej i zszytej książki *Doskonalenie się we francuskiej sztuce kulinarnej* autorstwa Beck, Bertholle i Child na kolanach. Miała 732 strony, ważyła tonę i została prześlicznie zilustrowana przez Sidonie Coryn. Nie do wiary, że nasza stara bestia wyszła drukiem. A może to fatamorgana? Ten ciężar na moich kolanach musi chyba coś znaczyć! Książka była piękna pod każdym względem.

Oficjalnie miała się ukazać 16 października. Simca przylatywała do Nowego Jorku na ten wielki dzień, a my z Paulem mieliśmy wyjechać z Cambridge, by ją przywitać. Planowaliśmy zostać w Nowym Jorku jakieś dziesięć dni, spróbować poznać ludzi z branży kulinarno-winiarskiej i podkręcić trochę sprzedaż.

Knopf zgodził się wykupić kilka reklam, ale większa część kampanii promocyjnej przypadła w udziale nam, autorkom. Nie miałam pojęcia, jak nadać książce rozgłos, dlatego napisałam do znajomych związanych z biznesem, by udzielili kilku rad. Prawdę powiedziawszy, nie robiłam sobie większych nadziei. Książka nie przypominała żadnej innej, a jej autorki były nikomu nieznane. Wątpiłam, czy którakolwiek z gazet zechce o nas napisać, a na myśl o sprzedawaniu siebie miałam dreszcze. Pozostawało zacisnąć zęby i robić, co do nas należy.

Pomyśleliśmy, że skoro mamy w Stanach prawdziwą, żywą Francuzkę, powinniśmy zrobić szybkie *tournée* promocyjne. Tylko jak się do czegoś takiego zabrać?

Postanowiłyśmy odwiedzać miejsca, gdzie mieszkali znajomi, którzy mogli nas przenocować oraz pomóc zorganizować spotkania autorskie i pokazy kulinarne. Z Nowego Jorku miałyśmy pojechać do Detroit, stamtąd do San Francisco, a na koniec do Los Angeles, gdzie ugoszczą nas Big John i Phila.

Tatko miał już osiemdziesiąt dwa lata. Rzadko chorował, ale ostatnio zmógł go jakiś wirus i przez dwa tygodnie nie ruszał się z łóżka. Poza tym zapewniał sobie zajęcie, zbierając fundusze dla Nixona i pomstując na Johna F. Kennedy'ego. „Ten kraj potrzebuje przede wszystkim prawdziwych biznesmenów w Waszyngtonie, którzy zaprowadzą porządek!" — grzmiał w liście. Moim zdaniem Republikanie wcale nie byli lekiem na całe zło. Biedny stary Ike był mało kompetentny, a po obejrzeniu w Oslo nagrań z debat prezydenckich nie mogłam uwierzyć, jak ktoś może zagłosować na Nixona. „Zagłosuję na Kennedy'ego" — poinformowałam ojca.

I oto, niespodziewanie, po kilku tygodniach od premiery, nasze tomiszcze przyjęło się w Nowym Jorku. Knopf liczył, że stanie się średniej wielkości bestsellerem. Zamówił dodruk w liczbie dziesięciu tysięcy egzemplarzy, a gdyby sprzedaż utrzymała się na dotychczasowym poziomie, był gotów drukować trzeci rzut.

Czułyśmy się z Simką bardzo dumne i dopieszczone przez los. Nasza książka chyba ukazała się w odpowiednim psychologicznym momencie.

18 października Craig Claiborne napisał w „New York Timesie":

W tym tygodniu ukazała się przypuszczalnie naj-bardziej wyczerpująca, wspaniała i monumentalna praca [na temat kuchni francuskiej]. (...) Pozostanie ona za-pewne niedoścignionym kompendium dla amatorów.

Nie jest to książka dla osób powierzchownie zaintere-sowanych gotowaniem, lecz dla tych, którzy czerpią z niego prawdziwą rozkosz. Doskonalenie się *we* francuskiej sztuce kulinarnej *może z powodzeniem stać się ich ku-linarnym vademecum. Książka jest napisana z użyciem najprostszej terminologii, ale też bezkompromisowo i bez arogancji.*

Przepisy są bajeczne, czy to na proste jajko w galarecie, czy na suflet rybny. Książka zawiera chyba przeszło tysiąc przepisów, wszystkie pieczołowicie zredagowane, jakby każdy był dziełem sztuki, bo też większość z nich takim dziełem jest.

No, no! Same nie napisałybyśmy lepszej recenzji.

Claiborne kręcił nosem na praskę do czosnku, „ga-dżet uważany w pewnych kręgach za coś stojącego ledwie stopień wyżej od soli czosnkowej albo sproszkowanego czosnku", i uważał, że brak przepisów na ciasto francuskie i croissanty to „osobliwe przeoczenie". Akurat lubiłam wyciskacz do czosnku, ale komentarz o cieście francuskim trochę mnie ukuł. Próbowałyśmy opracować praktyczny przepis na *pâte feuilletée,* ciasto francuskie, ale nie zdążyłyśmy przed publikacją. Na pociechę Claiborne poświęcił specjalną uwagę naszemu *cassoulet*, potrawce z mięsa i pieczonej fasoli: „Każdy, kto wypróbuje ten przepis, z całą pewnością otrzyma danie o niezwykłym, niezapomnianym charakterze". Prawie zamruczałam jak kot.

Kilka dni po recenzji w „Timesie" udzieliłyśmy wywiadu radiowego Marcie Deane, która prowadziła popularną na Wschodnim Wybrzeżu poranną audycję publicystyczną. Byłyśmy radiowymi debiutantkami, ale pani Deane miała naturalną łatwość rozluźniania swoich rozmówców. Gawędziłyśmy z nią swobodnie przez dwadzieścia minut, odpowiadając na próbne pytania, a potem weszłyśmy na antenę i nasze słowa poszły w świat! Nie czułyśmy się zdeprymowane, że słuchają nas rzesze ludzi, po prostu świetnie się nam rozmawiało o jedzeniu i gotowaniu.

Dwa dni później pojechałyśmy do studia NBC, by wziąć udział w porannym programie telewizyjnym o nazwie „Today". Nie mieliśmy jeszcze wtedy telewizora ani bladego pojęcia o telewizji. Ludzie z Knopfa powiedzieli nam, że program jest emitowany między siódmą a dziewiątą rano i ogląda go około czterech milionów osób. Czyli mnóstwo potencjalnych czytelników.

Producenci programu zażyczyli sobie pokazu kulinarnego. Zdecydowałyśmy, że najbardziej „dramatyczne" danie, jakie zmieści się w przydzielonych nam pięciu minutach, to omlet. W wyznaczonym dniu przyjechałyśmy z Simką o piątej rano do studia NBC z czarnymi francuskimi torbami na zakupy, w których były noże, trzepaczki, miski, patelnie i składniki. Ku naszemu przerażeniu odkryłyśmy, że obiecana nam „kuchnia" to zaledwie słaba elektryczna płytka grzejna. Ten szajs nie chciał się rozgrzać do odpowiedniej temperatury! Jak dobrze, że przywiozłyśmy trzy tuziny jaj i miałyśmy godzinę na eksperymentowanie przed rozstrzygającym momentem. Próbowałyśmy wszystkiego, co nam przyszło do głowy, ale bez skutku. Wreszcie uznałyśmy, że będziemy musiały blefować i liczyć na sukces.

Jakieś pięć minut przed wejściem na antenę położyłyśmy patelnię na kuchence i zostawiłyśmy ją tam, aż rozgrzała się do czerwoności. Dwanaście minut po siódmej wprowadzono nas do studia. Prowadzący, John Chancellor, miał ten sam dar co Martha Deane — paroma zręcznymi słowami rozładował stres i dodał nam pewności siebie, a my zaczęłyśmy się dobrze bawić. Nie ma rady, ten ostatni omlet musi wyjść doskonale! Program udał się nawet lepiej, niż się spodziewałyśmy, i w mig było po wszystkim. Zachwyciła nas swobodna, przyjacielska atmosfera w NBC, doskonałe wyczucie czasu i profesjonalizm dziennikarzy, a telewizja jako nowy środek przekazu zrobiła na nas wrażenie.

Nasz ekspres reklamowy sunął teraz naprzód w niezłym tempie. Magazyn „Life" dowiedział się skądś o naszej książce i wspomniał o niej na swoich łamach. Potem Helen Millbank, stara znajoma ze Służby Zagranicznej, zaaranżowała dla mnie i Simki sesję fotograficzną dla magazynu „Vogue", w którego redakcji pracowała — u la la! Co jeszcze lepsze, „House & Garden", który miał doskonały dodatek kulinarny, poprosił nas o napisanie artykułu. Był to prawdziwy dar niebios, bo na jego łamach pojawiały się wszystkie sławy gastronomii, choćby James Beard i Dione Lucas — angielska kucharka i nauczycielka, która miała swój program kulinarny w telewizji.

Któregoś wieczoru poznałyśmy w Nowym Jorku wielkiego Jamesa Bearda we własnej osobie. Spotkaliśmy się w jego domu/szkole gotowania przy West Twelfth Street 167. Jim — bo życzył sobie, by tak go nazywać — natychmiast przypadł nam do gustu i życzliwie zaofiarował się pomóc naszej książce zaistnieć na mapie kulinarnej. Nie były to czcze słowa, bo wkrótce przedstawił nas nowojorskim ludziom czynu tej branży, takim jak Helen McCulley, malutka siwowłosa redaktorka „House Beautiful", istny wulkan energii. Ona z kolei przedstawiła nas wielu znanym szefom kuchni, na przykład młodemu Francuzowi Jacques'owi Pépinowi, byłemu kucharzowi generała de Gaulle'a, który gotował w restauracji Le Pavillon. Spotkałyśmy się też z Dione Lucas w należącej do niej restauracyjce Egg Basket, na której zapleczu mieściła się szkoła gotowania. Siedziałyśmy z Simką przy barze, podczas gdy pani Lucas urządziła dla nas wspaniałą kulinarną demonstrację, podała nam lunch i cenne wskazówki, jak powinien wyglądać pokaz dla publiczności.

Na początku listopada polecieliśmy z Bostonu, gdzie było 27 stopni, do Detroit, gdzie padał śnieg. Zatrzymaliśmy się w Grosse Pointe z pewnymi utytułowanymi przyjaciółmi Simki, którzy sprosili na nasz pokaz wielki tłum. Choć większość z tych ludzi nie wiedziała nic o *la cuisine française*, polubili naszą książkę na tyle (albo na tyle podążali za owczym pędem), że rozeszła się w miejscowych księgarniach jak ciepłe bułeczki. Nie miałyśmy pojęcia, czy przełoży się to jakoś na szerszą sprzedaż, ale i tak mile nas zaskoczyło. Byłoby strasznie prowadzić kampanię promocyjną martwego — albo dogorywającego projektu!

Potem Kalifornia i olśniewająco słoneczne, diamentowo czyste, chłodne i zielone San Francisco. Nasze dni wyglądały przykładowo tak: przed dziesiątą przedstawiciel Knopfa, niejaki pan Russell, zabierał nas spod domu Dort w Sausalito i zawoził na wywiad do redakcji „Oakland Times". Stamtąd w południe udawaliśmy się do Palace Hotel w San Francisco na rozmowę w radiu KCBS. Z biegiem czasu nabrałyśmy większej wprawy w odpowiadaniu na pytania dziennikarzy, mówiłyśmy wolniej i wyraźniej, i już bez tremy. Fascynujące było przyglądać się, jak ludzie radia i prasy krzątają się przy swoich obowiązkach. Po szybkim lunchu Russell zawoził nas z powrotem do Sausalito, gdzie ledwie zdążyłam umyć ręce i już wskakiwałam z Paulem do mini morrisa Dort, którym jechaliśmy do Berkeley, na coś w rodzaju „dyplomatycznej" herbatki z panią Jackson, autorką książek dla dzieci i żoną sławnego redaktora. Potem wracaliśmy do Dort, zabieraliśmy na pokład Simkę i jechaliśmy do San Francisco na koktajl z bandą typów uniwersyteckich. A później kolacja z kobietą, która będzie gospodarzem naszego przyjęcia promocyjnego w Waszyngtonie i spróbuje namówić „Washington Post" do napisania recenzji naszej książki. Po kolacji wpadaliśmy z krótką wizytą do pewnej starszej przyjaciółki, kobiety żywiołowej jak piratka, i wreszcie, pół godziny przed północą, wracaliśmy do domu. Uff!

Któregoś dnia ustawiłyśmy z Simką kuchenkę na piątym piętrze wielkiego domu towarowego City of Paris i od dziesiątej do szesnastej przyrządzałyśmy omlety, quiches i magdalenki, a potem to samo jeszcze raz, i jeszcze raz.

Musiałyśmy drzeć się na całe gardło, żeby nas słyszano, i pracowałyśmy w zasadzie non stop, przez cały dzień jedząc tylko to, co ugotowałyśmy. Był przy tym

Simca i ja w programie „Cavalcade of Books"
w Los Angeles

361

niezły ubaw, chociaż czułyśmy się trochę jak marionetki albo raczej krewetki podczas sztormu.

Takie życie można było wytrzymać przez sześć tygodni, ale nie chciałam ugrzęznąć w nim na dobre. Nie miałam kiedy pracować.

Po odejściu ze Służby Zagranicznej powiedzieliśmy sobie z Paulem: „Ach, wreszcie wolność — dość tego harmidru, dziękujemy bardzo!". A tu musieliśmy kursować z miejsca na miejsce i wypełniać zobowiązania dosłownie na sekundę przed terminem. Paul, ze swoimi latami doświadczenia przy wystawach i prezentacjach, był nam nieocenioną pomocą. Nie żebyśmy z Simką nie umiały sobie poradzić, ale świadomość, że jest ktoś, kto nie musi myśleć o gotowaniu i gadaniu, i może poświęcić się całkowicie ustawianiu mikrofonów, reflektorów, stołów, piecyków etc., pozwalała nam skoncentrować się na zadaniu.

Żeby nie było nudno, wszyscy niedomagaliśmy na różne sposoby — Simca dostała obrzęku nogi, Paul okropnego bólu zęba, a ja lekkiego zapalenia pęcherza moczowego. „Nas, emerytów, odróżnia od młodych przede wszystkim to, że uczymy się cierpieć — zauważył Paul. — To taka sama umiejętność jak sztuka pisania".

Gdy przyjechaliśmy do Los Angeles, tatko zdążył na tyle wyzdrowieć po przejściu grypy, żeby rzucić parę werbalnych bomb cuchnących. Jak zwykle robił nam docinki na temat „tych ludzi" (tj. Francuzów), „socjalistycznych związków zawodowych" (nienawidził wszystkich związków) oraz Fabianów z Cambridge (miał gdzieś zapatrywania polityczne starszej córki i zięcia). Jego poglądy i ogólna ignorancja nie były w Pasadenie niczym niezwykłym. „Nigdy nie słyszałem o Wspólnym Rynku, co to takiego?" — zapytał raz miły i wykształcony przyjaciel moich rodziców. Co to ma znaczyć? Może za długo mieszkaliśmy poza USA, ale wielu naszych rodaków zdawało się żyć w błogiej nieświadomości światowej polityki czy kultury i interesować tylko biznesem i własną wygodą.

Zaczynałam tęsknić za Norwegią, jej dobrymi, solidnymi mieszkańcami, znakomitym systemem oświaty, dziewiczą naturą, brakiem reklam i niespiesznym rytmem życia.

Na pokaz kulinarny dla koła kobiet w Los Angeles przygotowano dwa piekarniki, piec kuchenny, lodówkę oraz stół, nad którym zawieszono pod kątem czterdziestu pięciu stopni duże lustro, aby publiczność mogła obserwować nasze ręce i zaglądać nam do garnków w czasie gotowania. Niestety, przewodnicząca klubu nie raczyła kupić choć jednej pozycji z listy, którą dostarczyłyśmy jej z kilkutygodniowym wyprzedzeniem. Tknięte przeczuciem, przyjechałyśmy do teatru półtorej godziny wcześniej, dzięki czemu zdążyłyśmy zorganizować trzy wiadra na śmieci, pięć stołów, pożyczony obrus, wiaderka wody z lodem, mydło, ręczniki, narzędzia i inne przedmioty potrzebne do pokazu. Wyszedł nam zresztą nieźle. Na poranne show przyszło około trzystu pięćdziesięciu kobiet, po południu stawiło się kolejne trzysta. Pokazywałyśmy z Simką, jak przyrządzić *quiche au Roque-*

fort, *filets de sole bonne femme*, filety z soli z grzybami, oraz ciasto czekoladowe *reine de Saba*. Wszystko poszło gładko. W przerwie między pokazami podpisywałyśmy książki, udzielałyśmy wywiadów i mówiłyśmy, co wypada dziesiątkom VIP-ów. Tymczasem pewien szacowny amerykański eks-attaché kulturalny Norwegii, przykucnięty za jakimiś starymi dekoracjami scenicznymi, płukał miski po jajku i czekoladzie w wiadrze z zimną wodą.

15 grudnia byliśmy już w Nowym Jorku, gdzie zacny Jim Beard urządził dla nas przyjęcie w Egg Basket, restauracji Dione Lucas. Zaprosiliśmy trzydzieścioro gości, głównie ludzi, którzy przyczynili się do naszego sukcesu, w tym Avis De Voto, Billa Koshlanda oraz Judith i Evana Jonesów. Jim postarał się, aby zaproszenia otrzymała niewielka, ale wpływowa grupka miejscowych redaktorów i szefów kuchni: Jeanne Owen, sekretarz Towarzystwa Winiarsko-Kulinarnego, June Platt, autorka książek kucharskich, oraz Marya Mannes, publikująca w „The New Yorkerze".

Dione Lucas prowadziła kiedyś w Londynie szkołę Cordon Bleu, ale nie wydała się nam osobą zorganizowaną — ani nazbyt trzeźwą. Kilka dni przed przyjęciem menu było wciąż nie ustalone i nie załatwiono dostawy win. Umówiliśmy się z Paulem na spotkanie z panią Lucas, żeby obgadać szczegóły, ale kiedy przyjechaliśmy, Egg Basket było zamknięte na cztery spusty, a na drzwiach wisiała karteczka z mniej więcej taką informacją: „Strasznie mi przykro, że nie mogłam się spotkać, ale mój syn jest chory, bardzo chory…". Hm.

Kiedy Judith Jones dwa tygodnie wcześniej jadła w tej restauracji lunch, Lucas była nieobecna z powodu „migreny".

Co tam. Zakasałyśmy z Simką rękawy i przygotowałyśmy duszoną łopatkę jagnięcą w mieszkaniu mojej bratanicy, kilka przecznic dalej. Dione Lucas w końcu się zmaterializowała i przyrządziła niezłą solę z sosem z białego wina i *salade verte* oraz *bavarois aux fraises*, bavarois truskawkowe. Julius Wile, sławny winiarz i żywiołowa osobowość, dostarczył na czas wino, a Avis orzekła, że impreza była „kapitalna".

Kulminacyjny punkt wieczoru nastąpił, kiedy Jim Beard wstał i obdarował mnie i Simkę najwspanialszym komplementem, jaki można sobie wyobrazić: „Uwielbiam Waszą książkę — szkoda, że sam jej nie napisałem!".

III. „WŁAŚNIE CZYTAM..."

Tatko umierał. Nie zdołał w pełni wyleczyć się z grypy, a w styczniu 1962 roku przyjęto go do szpitala z jakimś poważnym, tajemniczym schorzeniem, może zapaleniem płuc. Miał obrzęk śledziony i podwyższoną liczbę białych krwinek. Liczne badania nie przyniosły rozstrzygnięcia, ale lekarze podejrzewali u niego niewielkiego guza na dnie płuc. Phila, jedna z jej córek i Dort na zmianę czuwały przy nim w szpitalu. Na wypadek, gdyby sprawy przybrały gorszy obrót, spakowałam walizkę i byłam gotowa w każdej chwili polecieć do Pasadeny.

Tymczasem drukowano trzecie wydanie naszej książki w nakładzie dziesięciu tysięcy egzemplarzy, a ja otrzymałam pierwszą ratę honorarium, czek na 2610 dolarów i 85 centów. Hip, hip, hurra! Zrobiłam szybką kalkulację i wyszło mi, że do spłacenia wszystkich wydatków związanych z książką brakowało nam już tylko 632 dolarów i 12 centów. Wkrótce będziemy mogli przesłać prawdziwą gotówkę *ma chérie* Simce.

John Glenn okrążył glob w kosmicznej kapsule (Paul całymi dniami siedział z uchem przy radiu, bo ciągle nie mieliśmy telewizora), a ja dostałam zaproszenie do wystąpienia w mądrym programie telewizyjnym w Bostonie i do rozmowy o doskonaleniu się we francuskiej sztuce kulinarnej.

Program nazywał się „Właśnie czytam..." i był prowadzony przez profesora Alberta Duhamela w Programie 2 WGBH, lokalnej publicznej stacji telewizyjnej (ten miły epizod zawdzięczałyśmy naszej znajomej Beatrice Braude, która pracowała dla USIA w Paryżu, dopóki nie padła ofiarą ekipy McCarthy'ego, a teraz zbierała materiały dla tej telewizji). Usłyszałam, że profesor Duhamel na ogół nie zapraszał do udziału w programie osób związanych z kulinariami, więc nie miałam wielkich oczekiwań. Wywiad udał się jednak znakomicie. Zamiast zwyczajowego pięciominutowego spotu dano nam całe pół godziny. Nie miałam pojęcia, o czym możemy rozmawiać tak długo, więc przywiozłam ze sobą mnóstwo sprzętu. Nie mieli tam studia kuchennego i trochę się zdziwili, kiedy wyciągnęłam (porządną) płytę grzejną, miedzianą miskę, trzepaczkę, fartuch, grzyby i tuzin jaj. Zanim się obejrzałam, byłyśmy na rzęsiście oświetlonym planie i na antenie! Pan Duhamel okazał się uosobieniem spokoju, logiki i profesjonalizmu; na szczęście uwielbiał jedzenie i gotowanie, i nawet przeczytał naszą książkę. Po krótkiej pogawędce zademonstrowałam właściwą technikę krojenia i siekania, obierania pieczarek, ubijania białek i smażenia omleta. Na ekranie za moimi plecami wyświetlono wielkie powiększenie obwoluty *Doskonalenia*, ale byłam tak skupiona na pokazywaniu, jak prawidłowo używać noża, że kompletnie zapomniałam powiedzieć o książce.

Rety, ile jeszcze musiałam się nauczyć!

Po naszym programie WGBH dostało dwadzieścia siedem mniej lub bardziej przychylnych listów. Żaden z widzów chyba nie wspomniał o książce, za to pisali rzeczy w stylu: „Sprowadźcie tę kobietę z powrotem do telewizji! Chcemy oglądać, jak gotuje!".

Z końcem lutego remont naszej kuchni przy Irving Street 103 dobiegł końca. Stała się teraz atrakcyjną pracownią. Podnieśliśmy wszystkie blaty na wysokość trzydziestu ośmiu cali, wygospodarowaliśmy więcej miejsca do przechowywania różnych rzeczy i zainstalowaliśmy dodatkowe światła. Paul wybrał miły dla oka zestaw kolorystyczny: jasny błękit, zieleń i czerń. Nie cierpiałam płytek podłogowych, od których bolały mnie stopy, dlatego wyłożyliśmy podłogę grubym winylem, takim jakiego używa się na lotniskach. Wstawiliśmy gruby drewniany blat do krojenia mięsa i zlew ze stali nierdzewnej. Mieliśmy też wbudowany w ścianę piecyk elektryczny, a obok, w rogu przy drzwiach, profesjonalną kuchenkę gazową. Nad piecem zainstalowaliśmy specjalny okap z dwoma pochłaniaczami dymu i wieszakiem na rondle.

Na koniec ułożyłam wszystkie rondle i patelnie na podłodze w takiej konfiguracji, jaka mi odpowiadała. Paul obrysował je na wielkiej tablicy, żeby było wiadomo, gdzie który ma się znajdować, a potem zawiesił ją na ścianie. Moja lśniąca *batterie de cuisine* prezentowała się teraz wyjątkowo okazale.

Kuchnia stanowiła duszę naszego domu. Ta dziewiąta zaprojektowana przez nas była po prostu fantastyczna i bardzo funkcjonalna. Lubiłam w niej przebywać.

Gdy ja obmyślałam przepisy odpowiednie na waszyngtońskie przyjęcie dla „House & Garden", Paul cały dzień urządzał *cave*, przystosowując do przechowywania win szafę stojącą w piwnicy. Narysował nawet skomplikowaną tabelę, z której można było wyczytać, ile dokładnie mamy butelek danego rocznika. Niestety, po otwarciu skrzynek, które wysłaliśmy z Norwegii, okazało się, że pięć butelek się stłukło — w tym znakomite terrantez Madeira rocznik 1835. Nieodżałowana strata. „Dlaczego akurat ta musiała się rozbić, a nie marc domowej roboty Jean Fischbacher, ognista woda, której tak nie cierpię? — jęczał Paul. — O, niesprawiedliwości!"

Doskonalenie się we francuskiej sztuce kulinarnej nadal dobrze się sprzedawało. Za pierwszą ratę honorarium kupiliśmy książkę o tym, jak nie pozwolić roślinom umrzeć (to dla mnie), prasę do odbitek (dla Paula) i najnowsze wydanie słownika Webstera (dla nas obojga). To ostatnie doprowadziło do niejednej awantury na tle językowym, Paul wyznawał bowiem zasadę „tak się mówi", a ja byłam zaprzysięgłym wrogiem „sparszywienia języka". Kupiliśmy sobie też pierwszy telewizor, niewielkie, kwadratowe plastikowo-metalowe pudełko, które wydało nam się tak brzydkie, że schowaliśmy je w nieużywanym kominku.

Zachęceni reakcją na naszą krótką prezentację we „Właśnie czytam…", ważniacy z WGBH poprosili mnie i reżysera, dwudziestoośmioletniego Russella Morasha, o zrealizowanie trzech półgodzinnych odcinków programu kulinarnego. Miało to być pierwsze tego rodzaju przedsięwzięcie tej stacji, ale skoro oni chcieli spróbować, to ja też.

20 maja 1962 roku zmarł ojciec. W ostatnich tygodniach życia stracił dwadzieścia kilogramów, zrobił się kruchy i blady jak ściana; stał się cieniem samego siebie. Diagnoza: białaczka limfatyczna. Ja, Dort i John przyjechaliśmy do LA tuż przed jego odejściem.

Na swój sposób go lubiłam. Był niesłychanie hojny, ale nie istniała między nami więź duchowa, raczej swego rodzaju obcość. Nigdy nie mówił wiele o moich latach pracy kulinarnej ani o naszej książce czy występach w radiu i telewizji. Tatko czuł, że odrzuciłam jego sposób życia i jego samego, i bolało go to. Gorzko żałował, że nie wyszłam za statecznego republikańskiego biznesmena, i uważał moje życiowe decyzje za na wskroś haniebne. Sama twierdzę, że odrzuciłam go dopiero wtedy, gdy nie mogłam już szczerze wyrażać przy nim swoich poglądów i najskrytszych myśli, zwłaszcza dotyczących polityki. Patrząc wstecz, myślę, że to zerwanie — „rozwód" z tatą — zaczęło się z chwilą naszej przeprowadzki do Paryża.

Naprawdę kochałam moją mamę Caro i tęskniłam za nią. Nie była intelektualistką, ale za to ciepłą i bardzo ludzką kobietą. Umarła, kiedy byłam jeszcze dziewczynką. A jednak, jak wielu dobrych ludzi w Pasadenie, także Phila, mama po prostu ubóstwiała tatka, więc musiał chyba mieć w sobie to „coś". Miał duże grono przyjaciół, pomagał wielu osobom, zbierał fundusze dla szpitala miejskiego w Pasadenie i innych organizacji dobroczynnych. Ale nie umiał komunikować się ze swoimi dziećmi i wcale nie był milszy w stosunku do Johna czy Dort.

Wiem, że nieraz mogłam być dla niego lepsza, milsza, bardziej wielkoduszna, ale szczerze mówiąc, jego odejście przyniosło mi raczej ulgę niż cierpienie. Nagle poczułam, że możemy jechać do Kalifornii, kiedy tylko przyjdzie nam ochota, bez ograniczeń i rodzinnych kłopotów.

Big John nie chodził do kościoła, dlatego nabożeństwo żałobne odbyło się w jego domu w Pasadenie. Wokół trumny zgromadziło się około dwustu osób. Było krótkie czytanie i jedna czy dwie pieśni. Nie wygłoszono mowy pogrzebowej. Zwłoki zostały poddane kremacji. W tekturowym pudełku za sofą w pokoju dziennym znaleźliśmy prochy jego ojca. W któryś pogodny dzień zabraliśmy prochy dziadka, mamy i ojca łódką w pobliże wyspy Catalina i rozsypaliśmy nad

morzem. Mój brat odczytał tekst episkopalnego nabożeństwa pogrzebowego na morzu. Otarliśmy parę łez.
Eh bien, l'affaire conclue. Sprawa zakończona.

IV. „FRANCUSKI SZEF KUCHNI"

Nie miałam pojęcia, co to tak naprawdę telewizja
(choć znałam powiedzonko, że to nowe medium będzie prosperowało dzięki programom poradnikowym
i pornograficznym), ale w czerwcu 1962 roku nakrę-
ciłam trzy eksperymentalne trzydziestominutowe odcinki, które zasugerowało mi WGBH.

Program 2 WGBH był niedawno uruchomioną bo-
stońską publiczną stacją telewizyjną. Miał mały budżet i pracowali w nim głównie ochotnicy, ale wyłożył kilkaset dolarów na zakup taśmy wideo. Naszym
producentem i reżyserem miał zostać Russell (Russ)
Morash, producent „Reportera naukowego", a asys-
tentką Ruthie Lockwood, która miała na koncie serię
programów o Eleanor Roosevelt. Ruthie wytrzasnęła
skądś skoczną melodyjkę, która miała posłużyć jako
temat muzyczny do naszego programu. Po rozważe-
niu dziesiątków tytułów, postanowiliśmy do czasu
wymyślenia czegoś lepszego nazwać nasz mały eksperyment „Francuskim szefem kuchni".

Tylko czy znajdą się w Krainie Telewizji widzowie,
którzy zechcą obejrzeć program kulinarny prowadzony przez niejaką Julię McWilliams Child?

Małe szanse. Jim Beard zrobił kilka eksperymentalnych programów tego typu sponsorowanych przez

„krówkę Elsie firmy Borden", ale choć był zawodowym aktorem i śpiewakiem operowym, w telewizji robił wrażenie skrępowanego. Miewał długie momenty milczenia, kiedy zamiast do kamery patrzył na jedzenie, zdarzało mu się też mówić półsłówkami, na przykład: „Przekrój tutaj" zamiast: „Przekrój mięso w miejscu, gdzie łopatka łączy się z golenią". Niestety, jego programy nigdy nie przyciągnęły szerszej widowni. Nawet Dione Lucas zrobiła kiedyś serię programów, ale ona również nigdy nie czuła się swobodnie przed kamerą. Jej show także okazało się niewypałem.

Nasz plan był taki: pokazać w trzech urozmaiconych, ale niezbyt skomplikowanych odcinkach zarys kuchni francuskiej. Wiedzieliśmy, że to doskonała okazja do… c z e g o ś. Czego dokładnie, nikt z nas nie wiedział.

Wskutek jakiegoś okropnego wypadku, tuż przed nagraniem „Francuskiego szefa kuchni" doszczętnie spłonęło studio WGBH (mój egzemplarz *Doskonalenia* też poszedł z dymem). Na szczęście przyszła nam z pomocą Bostońska Kompania Gazowa, która użyczyła nam kuchni pokazowej. Paul zrobił szkic stojącej tam kuchenki i blatu roboczego, a potem odtworzyliśmy z grubsza ten układ w domu, żebym mogła robić próby. Podzieliłam przepisy na logiczne sekwencje i ćwiczyłam przyrządzanie każdego dania, wyobrażając sobie, że stoję przed kamerami. W trakcie prób robiliśmy notatki, które miały mi przypomnieć, co powinnam powiedzieć i zrobić, i gdzie będzie mój sprzęt: „zagrzać wodę w dużym alum. garnku, gór. pr. palnik"; „mokra gąbka l. gór. szuflada".

Z Russem Morashem na planie „Francuskiego szefa kuchni"

Mój zaufany zastępca kierownika/pomywacz Paul miał swoje własne notatki, ponieważ zawiadywał choreografią z drugiej strony kamery: „Gdy J. zacznie smarować, usuń brytfanny".

No, już lepiej przygotować się nie da. Ruszamy na podbój telewizji.

* * *

Rankiem 18 czerwca 1962 roku zapakowaliśmy do naszego kombi sprzęt kuchenny i pojechaliśmy do siedziby Bostońskiej Kompanii Gazowej w centrum Bostonu. Dojechaliśmy na długo przed ekipą z WGBH i szybko wyładowaliśmy rzeczy z auta. Paul szukał miejsca do parkowania, a ja stałam w dość eleganckim holu budynku, strzegąc naszej sterty garnków, misek, trzepaczek, jajek i przypraw. Pracownice biura i biznesmeni w popielatych garniturach przemykali pospiesznie przez hol, przyglądając mi się z dezaprobatą. Windziarz w uniformie krzyknął: „Ej tam, proszę wynieść z holu te graty!".

Tylko jak przenieść cały ten majdan do sutereny, gdzie znajdowała się kuchnia? Paul znalazł sposób: przyprowadził woźnego z wózkiem, który załadowaliśmy naszym sprzętem AGD i z brzękiem zwieźliśmy po schodach. Tam zajęliśmy stanowiska bojowe.

Nasz pierwszy program miał nosić tytuł „Francuski omlet". Po przyjeździe Ruthie Lockwood przejrzałyśmy razem notatki i zaaranżowałyśmy „jadalnię" na finałową scenę, w której miałam zostać pokazana w trakcie degustacji. Potem przyjechał Russ i ekipa kamerzystów, i zrobiliśmy szybką próbę, żeby sprawdzić oświetlenie i ustawienie kamer. Russ używał dwóch ogromnych kamer z przyczepionymi do nich grubymi czarnymi kablami, które ciągnęły się po schodach aż na zewnątrz budynku, do starego autobusu z generatorem.

Program na żywo nie wchodził w grę — po części ze względu na ograniczenia sprzętowe i przestrzenne, po części dlatego, że byłam kompletną amatorką. Postanowiliśmy jednak nagrać cały odcinek w jednym ciągłym trzydziestominutowym ujęciu, jakby program rzeczywiście był emitowany na żywo. Nie będzie przerw ani poprawek, no chyba że zepsuje się kamera albo zgasną światła. Było to trochę jak występ akrobatyczny, ale mi odpowiadało. Kiedy się rozkręciłam, nie chciałam się zatrzymywać, żeby nie zgubić dramatyzmu i emocji właściwych występom na żywo. Poza tym nasi widzowie nauczą się dużo więcej, jeśli pozwolimy, żeby wszystko działo się tak jak w życiu — kiedy na przykład mus czekoladowy nie chce oddzielić się od formy, a szarlotka opada. Jedną z tajemnic i przyjemności gotowania jest nauka poprawiania czegoś, co poszło nie tak, a jeśli nie da się czegoś naprawić, umiejętność pogodnej rezygnacji.

Kiedy byliśmy mniej więcej gotowi, Russ krzyknął: „Kręcimy!".

Uwijałam się wokół stołu przez przydzielone mi dwadzieścia osiem minut, żonglując trzepaczkami, miskami oraz patelniami i lekko sapiąc pod gorącymi reflektorami. Omlet wyszedł w sam raz i tak oto stacja

WGBH rozpoczęła pierwszy program kulinarny w telewizji edukacyjnej.

Drugi i trzeci odcinek, *„Coq au Vin"*, „Kurczak w winie" i „Suflety", zostały dla oszczędności nagrane w tym samym dniu, 25 czerwca. Tym razem mieliśmy więcej czasu na próby i te dwa odcinki poszły bardziej gładko niż pierwszy. Po zakończeniu nagrania technicy rzucili się na kurczaka w winie niczym wygłodniałe sępy.

Wieczorem 26 czerwca uraczyliśmy się wielkim stekiem, a o dwudziestej trzydzieści wyciągnęliśmy ze schowka telewizor i włączyliśmy Program 2. Oto ja, biało-czarna, wielka kobieta, która bełta jajka, tu za szybko, tam za wolno, posapuje, patrzy nie w tę kamerę co trzeba, za głośno gada i tak dalej. Paul stwierdził, że wypadłam naturalnie, ale sama byłam wobec siebie bardziej krytyczna. Widziałam, jak dużo jeszcze można by naprawić, i zrozumiałam, że dopiero po nakręceniu może dwudziestu odcinków zacznę mieć blade pojęcie na temat pracy przed kamerą. Ale przynajmniej było wesoło.

Entuzjastyczna reakcja widzów wskazywała na to, że istnieje grupa chętnych do oglądania cyklicznego programu kulinarnego w telewizji publicznej. Może trafiliśmy w dobry moment. Od zakończenia wojny coraz więcej Amerykanów podróżowało do innych krajów, choćby do Francji, i interesowało się ich narodowymi kuchniami. Rodzina Kennedych nawet zatrudniła w Białym Domu francuskiego kucharza, René Verdona. Nasza książka nadal dobrze się sprzedawała, a telewizja zyskiwała coraz większą popularność i siłę przekazu.

WGBH odważnie zaproponowało nam serię dwudziestu sześciu programów kulinarnych. Nagrywanie mieliśmy zacząć w styczniu, a pierwszy odcinek miał zostać nadany w lutym 1963 roku. I tak „Francuski szef kuchni", oparty na pomysłach zaczerpniętych z *Doskonalenia się we francuskiej sztuce kulinarnej*, wszedł w fazę produkcji.

V. MALEŃSTWO

W roku 1963 nagrywałam po cztery odcinki „Francuskiego szefa kuchni" tygodniowo, a także pisałam cotygodniowe felietony o gotowaniu dla „Boston Globe". Jesienią planowaliśmy zrobić sobie przerwę od pracy telewizyjnej i odwiedzić Simkę i Jeana w ich ogromnej wiejskiej posiadłości w Prowansji. Gdy jednak do drzwi zapukał listopad, zaczęliśmy się wahać. Wciągały nas ruchome piaski mojej pracy kulinarnej, projektów malarskich i fotograficznych Paula oraz najróżniejsze prace remontowe, których wymagała posesja przy Irving Street 103.

— Po prostu nie wiem, czy mamy w tej chwili czas na wycieczkę do Francji — westchnęłam. Paul tylko pokiwał głową.

Ale potem spojrzeliśmy po sobie i powtórzyliśmy nasze ulubione hasło z czasów pracy w dyplomacji: „Pamiętaj, ludzie przede wszystkim!". Innymi słowy, przyjaźń — a nie kariera, prace domowe czy zmęczenie — to rzecz najważniejsza, trzeba ją karmić i pielęgnować. Spakowaliśmy zatem walizki i w drogę! Całe szczęście.

Na tarasie w Bramafam

Jean i Simca spędzali ostatnio coraz więcej czasu w swoim osiemnastowiecznym kamiennym domu na wsi, Le Mas Vieux, w rodzinnym majątku Fischbacherów znanym jako „Bramafam" (zbitka słowna, dosłownie „ryk głodu"). Dom stał na końcu wyboistej drogi, na zboczu porośniętego zeschłą trawą wzgórza, nieopodal miasta Plascassier, nad Cannes. Przed nim rozciągał się śliczny, ocieniony drzewami taras, z którego rozpościerał się widok na dolinę, a dalej na pola kwiatów i wysokie, smukłe cyprysy rosnące w Grasse, rejonie słynącym z perfum.

W Le Mas Vieux mieszkała przez dwadzieścia dziewięć lat Marcelle Challiol, kuzynka Jeana, oraz Hett Kwiatkowska, dwie zmarłe już malarki. Teraz dom popadał w ruinę. Był cudownie rustykalny, ale Simca prawie wcale o niego nie dbała, choć Jean traktował go jako ukochaną przystań i ucieczkę od stresów pracy w perfumerii w Paryżu. Lubił co rano krzątać się w ogrodzie w swoim niebieskim szlafroku, pogwizdywać i rozmawiać z kwiatami. W końcu zaczęli adaptować do zamieszkania kolejne pokoje, instalować światło i ogrzewanie, odnawiać łazienki, a stare domostwo z wolna zdobywało względy u Simki.

W czasie renowacji odkryła ona zakopaną pod schodami małą skórzaną sakiewkę; było w niej kilka srebrnych monet z wizerunkiem Ludwika XV i datą 1725 — „co potwierdza wiek domu", jak lubiła mawiać. Gdy prace dobiegły końca, Simca uznała, że Le Mas Vieux to idealne miejsce do gotowania, uczenia i przyjmowania przyjaciół. Nagle to wszystko brzmiało tak, jakby remont był jej pomysłem.

Bramafam, otoczone krzewami lawendy i mimozami, w listopadzie wyglądało przepięknie. Któregoś sielankowego popołudnia nasza czwórka zjadła na tarasie lunch złożony z sufleta rybnego i butelki schłodzonego meursaulta. Gdy tak ukontentowani siedzieliśmy w słońcu, wdychając miękkie kwiatowe aroma-

Budujemy La Pitchoune

ty, zaczęliśmy z Paulem snuć wizję zakupu jakiegoś małego domku w pobliżu. Obejrzeliśmy nawet kilka okolicznych nieruchomości, ale nie spełniały naszych oczekiwań albo były za drogie. Wtedy Jean zaproponował, żebyśmy zbudowali sobie mały domek w rogu jego posiadłości. To była myśl!

Im więcej rozmawialiśmy o tym pomyśle, tym większe budził w nas emocje. Jak już wspomniałam, od dawna chcieliśmy kupić mieszkanie w Paryżu albo zbudować gdzieś maleńką ustronną chatkę — może w Maine (blisko Charliego i Freddie) albo w Kalifornii (blisko Dort), a nawet w Norwegii (którą wciąż idealizowaliśmy). Ale pomieszkiwać w Prowansji, obok Simki, to spełnienie marzeń. Oczyma wyobraźni już widziałam, jak w długie zimowe miesiące marynuję tu oliwki z naszych drzewek i gotuję na modłę prowansalską, z czosnkiem, pomidorami i dzikimi ziołami.

Le Mas Vieux stało na działce o powierzchni około pięciu hektarów. Jean nie chciał odsprzedawać żadnej części rodzinnego majątku, więc uzgodniliśmy, że wydzierżawimy od nich kawałek ziemi, gdzie dawniej było poletko kartofli, około stu metrów od Le Mas Vieux, i tam postawimy nasz domek. Gdy przestaniemy go używać, nieruchomość wróci w posiadanie rodziny Fischbacherów, bez żadnych zobowiązań z ich strony.

Umowa została przypieczętowana uściskiem dłoni. Przyjaźń miała być fundamentem tego domu.

Wyobrażaliśmy sobie z Paulem bardzo prostą budowlę, doskonale wpasowaną w lokalną architekturę: jednopoziomowy otynkowany domek kryty czerwoną dachówką. Simca i Jean ofiarowali się nadzorować budowę w czasie naszego pobytu w Stanach, a Paul otworzył dla nich linię kredytową w pobliskim banku. Znaleźliśmy znakomitego miejscowego budowlańca, choć Paul musiał użyć wszystkich swoich umiejętności dyplomatycznych, żeby go przekonać, iż nie chcemy pałacu, lecz prosty, skromny i możliwie najłatwiejszy w utrzymaniu dom mieszkalny.

Postanowiliśmy nazwać go La Pitchoune, czyli „Maleństwo".

W roku 1964 szykowało się szóste wydanie *Doskonalenia się we francuskiej sztuce kulinarnej*, a my wciąż znajdowałyśmy w tekście głupie błędy i robiłyśmy poprawki. „Francuskiego szefa kuchni" można było zobaczyć w telewizji publicznej w ponad pięćdziesięciu miastach, od Los Angeles do Nowego Jorku. Od jakiegoś czasu spontanicznie kończyłam każdy odcinek serdecznym *Bon appétit!*, jak kelnerzy we Francji po zaserwowaniu posiłku. Wydawało się to naturalne i spodobało się naszej widowni. Poza tym przekonałam się, że nawet dość lubię aktorstwo i powoli zaczynałam chwytać, o co w nim chodzi.

Książka, w połączeniu z pracą telewizyjną oraz okazjonalnymi artykułami czy przepisami, zrobiła ze mnie coś w rodzaju wschodzącej gwiazdy. W magazynach ukazywały się teksty o naszym programie, o naszej domowej kuchni, o tym, jak i gdzie robimy zakupy. Moje pokazy kulinarne przyciągały coraz większe tłumy. Widzowie zaczęli rozpoznawać mnie na ulicy, dzwonili do nas do domu i pisali listy. Z początku dziwnie się czułam z tego rodzaju zainteresowaniem, ale szybko do niego przywykłam (choć Paulowi nadal było nie w smak). Nauczyłam się nie piorunować wzrokiem gapiących się na mnie nieznajomych, bo to im tylko dodawało animuszu. Lubiłam się popisywać, ale sława w takim czy innym wydaniu niezbyt mnie obchodziła.

We Francji „Francuski szef kuchni" był zupełnie nieznany, podobnie zresztą jak ja sama. Nigdy też naprawdę nie rozmawiałam o sukcesie programu z Simką: wydawał się mało ważny, a ja nie chciałam, żeby czuła się mną onieśmielona. Simca była tak barwną osobowością i miała tak bogatą wiedzę o gotowaniu, że gdyby była Amerykanką, zdobyłaby niesamowitą sławę.

W lutym 1964 roku polecieliśmy do Paryża. Wpadłam do L'École des Trois Gourmandes, chodziłam ze znajomymi do restauracji i odwiedziłam Bugnarda, jowialnego jak zawsze, choć unieruchomionego przez artretyzm. Później wypożyczyliśmy samochód i pojechaliśmy na południe, sprawdzić postęp robót przy La Pitchoune. Byłam spokojna o ich jakość, bo wiedziałam, że Simca kręci się przy nim jak kwoka przy swoim gnieździe i pilnuje harmonogramu oraz kosztów bystrym normańskim okiem.

Kiedy przyjechaliśmy, dom był jeszcze w stanie surowym, ale i tak od razu zakochałam się w Maleństwie na zabój. Podjęliśmy kilka ostatnich decyzji co do wnętrza: na podłogach położymy czerwone płytki, w długim pokoju dziennym/jadalni będzie kominek, po lewej stronie korytarza malutka kuchnia i moja sypialnia, a po prawej pokój gościnny i sypialnia Paula (mąż czasem cierpiał na bezsenność, a ja ponoć chrapałam. Uznaliśmy, że najlepiej będzie spędzać noce osobno, ale do pokoju Paula wstawimy dwuosobowe łóżko, żebyśmy mogli się rano poprzytulać). W moim pokoju miało się znaleźć biurko i regał, a w pokoju Paula mały kominek i drzwi balkonowe wychodzące na kamienno-betonowy taras.

„Nawet w niewykończonym stanie — napisałam do Avis — ten dom to skarb".

Rok 1965 był jeszcze bardziej zwariowany niż poprzedni. Spędzaliśmy z Paulem długie godziny z naszą ekipą produkcyjną w Bostonie na pracy nad scenariuszami i na kręceniu kolejnych odcinków „Francuskiego szefa" w WGBH. W tym intensywnym okresie czułam, że powoli doskonalę swoje umiejętności prezentacji w telewizji, lecz przed końcem roku zapragnęliśmy nagle przerwać codzienną rutynę. Nie namyślając się wiele, postanowiliśmy pojechać na Boże Narodzenie do Francji. Nazywaliśmy ją *„la belle F."*: Francja była naszą Gwiazdą Północną, naszym duchowym domem. Charlie i Freddie przyłączyli się do nas. Wypłynęliśmy we czwórkę z Nowego Jorku do Hawru, a następnie pojechaliśmy koleją na południe z Paryża do Nicei. Z dworca, wynajętym malutkim samochodzikiem, podobnym do blaszanej puszki, powolutku poterkotaliśmy do Bramafam.

Gdy skręciliśmy w bramę i z rosnącym podnieceniem ruszyliśmy wyboistym podjazdem, naszym oczom ukazał się nowy dom na grzbiecie pagórka, po prawej stronie. La Pitchoune było ukończone!

Domek był dokładnie taki, jakim go sobie wymarzyliśmy: kremowe, otynkowane ściany, czerwona dachówka, dwa kominy, drewniane okiennice i kamienny taras. Wszystkie światła były włączone, lodówka zapełniona po brzegi, w oknach wisiały firanki, a w pokoju dziennym stały wygodne fotele. Łóżka były zasłane świeżutką pościelą. Na dworze panował lekki ziąb, ale dom był dobrze ogrzany i miał ciepłą wodę. Co najlepsze, na piecu czekał na nas olbrzymi *potée normande*, gulasz normandzki. Wystarczyło się rozgościć.

Simca i Jean byli tacy troskliwi.

Tydzień później państwo Childowie i Fischbacherowie uczcili wspólnie w Maleństwie Nowy Rok ostrygami, *foie gras* i Dom Pérignonem. Paul i Charlie wcześniej zawiesili na ścianie tablicę, obrysowali moje rondle i patelnie i powiesili moją *batterie de cuisine*. Robiło mi się ciepło na sercu, kiedy patrzyłam na gotowe do użycia lśniące noże i miedziane garnki. Nie mogłam się doczekać, kiedy stanę przy kuchence.

Zostaliśmy w naszym ukochanym domku trzy miesiące, z wolna wchodząc w spokojny rytm Prowansji. Maleństwo przycupnęło na wzgórzu, w które wbudowano niskie kamienne schodki, tworząc tarasy. Porastały je drzewa oliwne, migdałowce i krzaczki lawendy. Koniec podjazdu był na tyle duży, żeby można było zawrócić na nim niewielkich rozmiarów francuskim samochodem. Wodę czerpaliśmy z wielkiego betonowego zbiornika za domem. Nad tarasem zwieszały się gałęzie bujnej morwy. Przed powrotem do Lumberville Charlie i Freddie pomogli nam obramować taras drzewkami oliwnymi i mimozami. Poza tym odnowiliśmy częściowo *cabanon*, małą kamienną chatkę pasterską, żeby służyła nam za przechowalnię dla win/studio malarskie/domek dla gości.

Fischbacherowie z początkiem stycznia wrócili do Paryża, ale Simca i ja stale ze sobą korespondowałyśmy, wymieniając się przepisami i uwagami na różne tematy. Uznałyśmy zgodnie, że najwyższa pora napisać *Doskonalenie się we francuskiej sztuce kulinarnej*, tom II.

ROZDZIAŁ SIÓDMY
Córka *Doskonalenia*

I. PIEKARNIA PRZY IRVING STREET

Doskonalenie stanowiło wszechstronne wprowadzenie do kuchni francuskiej, a zarazem naturalne przedłużenie naszych zajęć, obejmujących podstawowe techniki *la cuisine bourgeoise*. Tom drugi miał być jego kontynuacją, ale też skupić się na bardziej konkretnych aspektach kuchni francuskiej. W lutym 1966 roku przygotowałyśmy z Simką szczegółowy zarys nowej książki, znanej nieoficjalnie jako „córka *Doskonalenia*". Zdecydowałyśmy, że nie będziemy powtarzać przepisów z pierwszej części, ale co jakiś czas odsyłać do niej czytelników. Ponieważ wiele znakomitych pomysłów w tomie pierwszym się nie zmieściło, wedle naszych przewidywań napisanie części drugiej miało nam zająć najwyżej dwa lata.

(Louisette nie współpracowała z nami przy drugim tomie. Po powtórnym zamążpójściu mieszkała z mężem, hrabią Henri de Nalèche, w pięknym domu myśliwskim nieopodal Bourges, i wspominała, że planuje napisać własną książkę).

Czytelnikami, do których chciałyśmy dotrzeć z tomem drugim, mieli być wszyscy, od amatorów po doświadczonych kucharzy, nawet profesjonalistów.

W odróżnieniu od tomu pierwszego w nowej książce miało się znaleźć miejsce dla nowinek z dziedziny technologii gastronomicznej. Patrząc wstecz, w *Doskonaleniu* przyjęłyśmy zgoła wiktoriańskie podejście do pracowitości jako cnoty, w duchu „przez trud do sukcesów" itp. Ale Francja weszła w nowoczesność, a my jako nauczycielki, chcąc dotrzeć do szerokiego kręgu odbiorców, musiałyśmy podążyć za nią. Jeśli będziemy utrudniać ludziom naukę gotowania — na przykład uparcie twierdząc, że jajka powinno się ubijać wyłącznie ręcznie w miedzianej misce — to automatycznie stracimy duży odsetek potencjalnych czytelników. Nie miało to sensu, dlatego postanowiłyśmy opracować autorskie metody korzystania z usprawniających pracę gadżetów — na przykład mechanicznego ubijania białek czy przygotowywania ciasta. Zresztą dlaczego nie? Jeśli pokażemy czytelnikom, jak za pomocą miksera elektrycznego przyrządzić wyśmienity mus morelowy, chyba nic nam się nie stanie!

Kiedy *Doskonalenie* wyszło drukiem po raz pierwszy, byłam zdania, że „dobre wychowanie" oznacza między innymi, iż nigdy nie dajesz ludziom pretekstu do wydrukowania twojego nazwiska. Teraz jednak nauczyłam się troszkę więcej o prawidłach tego świata. Jeśli ktoś chce, aby zatrudniano go jako pisarza i osobowość telewizyjną, musi starać się, by jego nazwisko pozostawało w obiegu. W rezultacie byłam skłonna bezwstydnie próbować na sobie — bądź na Simce — rozmaitych rzeczy, które jeszcze kilka lat wcześniej budziły moją odrazę.

W Święto Dziękczynienia roku 1966 moja twarz pojawiła się na okładce magazynu „Time" (namalowana przez Borisa Chaliapina), a w numerze ukazał się artykuł pod tytułem *Wszyscy są w kuchni!* Był to sympatyczny dłuższy tekst o rosnącej popularności gotowania w Ameryce. Szkoda tylko, że jego autor zbagatelizował ważny wkład Simki w naszą książkę i nie zamieścił zdjęcia, które zrobiono jej w czasie zajęć w L'École des Trois Gourmandes. Tak czy siak artykuł pozytywnie wpłynął na sprzedaż *Doskonalenia*: zamiast zwyczajowych dziesięciu tysięcy egzemplarzy kolejnego dodruku, Knopf zamówił tym razem czterdzieści tysięcy.

Pozuję Borisowi Chaliapinowi

Uczciliśmy ten łut szczęścia przy indyku z Charliem i Freddie w Lumberville. Tekst w „Timesie" odniósł także i ten skutek, że naciskano na nas, abyśmy możliwie jak najszybciej ukończyły tom drugi. Najwyższy czas napalić pod kuchnią i wrócić do pracy!

Po tylu przenosinach w różne części świata umiałam pracować prawie wszędzie, ale nigdzie nie szło mi to tak wydajnie, jak w naszej maleńkiej kuchni w La Pitchoune. Spędziliśmy tam, z dala od amerykańskiego zgiełku, czas od połowy grudnia 1966 do połowy czerwca 1967 roku. Nasz samochód podskakiwał na zrytym koleinami podjeździe, a my znów doświadczyliśmy tam czegoś, co Paul określał jako „odwrotność ukąszenia szerszenia" — szokująco świeżego, inspirującego wstrząsu, który dawało nam to przecudne schronienie.

Chłodne, wczesnoporanne warstwy mgły ścielące się w dolinach, wulkaniczne skały masywu Esterel wystające z lśniącego morza, ciepłe prowansalskie słońce i jasnobłękitne niebo, zapach ziemi, krowiego łajna i palonych pędów winorośli, barwne fiołki, irysy i mimozy, czerniejące oliwki, pohukiwanie naradzających się sówek, ostrygi Belon o smaku morskiego dna, wesoły harmider bazaru, głęboka cisza roziskrzonych nocy z wiszącym nad głową jak lampa księżycowym sierpem. Co za miejsce. Zaprawdę przeciwieństwo ukąszenia szerszenia.

Simca i ja wydeptałyśmy ścieżkę przez pole dzielące nasze kuchnie, bo parę razy na dzień wpadałyśmy do siebie podzielić się doświadczeniami i spróbować tego, co druga miała akurat na kuchence. Nad tomem drugim pracowałyśmy w bardzo podobnym trybie jak nad pierwszym. Simca wprost tryskała pomysłami na przepisy, które stale poprawiała i udoskonalała. Moim zadaniem było służyć radą w kwestiach amerykańskich zwyczajów i składników, testować ponownie przepisy Simki oraz napisać tekst i zrobić jego (ojoj!) korektę.

Simca była niezmiernie twórcza i pomysłowa, ale jak się przekonałam przy okazji pierwszej książki, nie można jej było stuprocentowo ufać. Miary, precyzyjne listy składników i notki na temat czasu przygotowania, tak ważne dla dobrej książki kucharskiej, nie były jej mocną stroną. W pierwszym tomie znalazły się trzy przepisy, które moim zdaniem się nie sprawdzały i irytowały mnie, ilekroć do nich wracałam. Przyrzekłam sobie, że w tej książce nie będzie żadnych niewypałów!

Wierzyłam, że część druga musi nie tylko „stać o własnych siłach", ale być l e p s z a od swojej poprzedniczki. Martwiłam się, że jeśli danie sporządzone według naszego przepisu nie spełni oczekiwań, to ja zbiorę cięgi, bo mieszkam na miejscu, w USA. Simca chyba naprawdę tego nie rozumiała, a może nie poczuwała się do odpowiedzialności. W każdym razie wypróbowałam każdy przepis do tomu drugiego samodzielnie, niekiedy po dziesięć czy piętnaście razy, żeby mieć pewność, iż zda test sprawności. A niektóre nie zdawały. Kiedyś na przykład Simca zaproponowała przepis na ciasto czekoladowe. Sprowadziłam do Plascassier amerykańską czekoladę do pieczenia, ale Simca nie raczyła jej sprawdzić, a moja próba upieczenia ciasta wedle jej przepisu zakończyła się fiaskiem. Musiałam więc przerwać prace nad innymi projektami, dowiedzieć się, co szwankuje w jej przepisie, i napisać instrukcje od nowa. (Później, chcąc poznać tajemnice czekolady, zaprosiłam na Irving Street 103 chemika z firmy Nestlé i wypytałam dokładnie o skład chemiczny amerykańskiej wersji tego specjału, najlepszy sposób rozpuszczania go w domowej kuchni i tak dalej. Było to fascynujące, ale Simca nie okazywała cienia zainteresowania tego rodzaju problemami).

Zdawałam sobie sprawę, że moje metodyczne, staranne podejście doprowadza moją intuicyjną współautorkę do szału, ale też nie wyobrażałam sobie innego trybu pracy. W gruncie rzeczy tworzyłam te przepisy dla samej siebie. A byłam kimś, kto chce wiedzieć na temat określonej potrawy absolutnie wszystko — co się sprawdza, a co nie, i co można poprawić — aby w podstawowym przepisie nie zostały żadne pytania bez odpowiedzi.

„Kochanie, nie zniechęcaj się — napisałam do Simki. — Jestem po prostu *difficile,* wybredna. Obie powinnyśmy takie być".

Podobne zgrzyty pojawiły się, kiedy Simca uparcie zaczęła przysyłać mi przepis za przepisem, nawet wtedy, gdy stało się jasne, że możemy wykorzystać — i to z trudem — najwyżej jedną trzecią z nich. Zasypywała mnie tyloma sugestiami, a opracowanie każdej trwało tak długo, że zajmowałam się ułamkiem jej produkcji. Frustrowało ją to tak samo, jak moje poprawki do przepisów, które wykorzystałyśmy. *„Non, non, non!* —

krzyczała, kiedy zmieniłam coś w jej propozycji (żeby nadawała się do użytku). — *Ce n'est pas français!*"

„Oczywiście, jeśli moja metoda okaże się błędna albo twoja lepsza, zmienię ją z przyjemnością, aby ostateczny przepis był prawidłowy — stwierdzałam z tym samym uporem co ona. — Ale każdy przepis w książce musi być bezbłędny!"

Próbowałam skierować niewyczerpany zapał Simki w inną stronę — na magazyn „Gourmet", który szukał autentycznych francuskich przepisów, albo na szkołę kulinarną Jima Bearda, gdzie mogłaby uczyć i nawiązywać własne kontakty w Stanach — ale nie wiadomo dlaczego, przyjęła moje rady bez entuzjazmu. Jej despotyczne zagrywki coraz bardziej drażniły Paula, który zaczął mówić na nią Simkutnica. Ceniłam ją jednak jako twórczą *force de la nature* i nie pozwalałam mu jej obgadywać.

Kiedy zaproponowała włączenie dziesiątków swoich niewykorzystanych przepisów do przyszłego, trzeciego tomu *Doskonalenia*, zdobyłam się na szczerość: „Nie mam ochoty brać się do kolejnej wielkiej książki, takiej jak tom drugi, na pewno przez długi czas, jeśli w ogóle. Za dużo roboty. Nie mogę robić nic innego, a bardzo mi zależy na powrocie do uczenia w telewizji i oderwaniu się wreszcie od maszyny do pisania".

W tym wirze eksperymentów, szkiców, receptur i żywiołowych debat Judith Jones łagodnie, acz stanowczo zasugerowała, że jesteśmy winne czytelnikom przepis na francuskie pieczywo. Był to temat, którego z Simką nie planowałyśmy nawet ruszać. Ale oczywiście Judith miała rację. Nie ma mowy o jedzeniu *à la française* bez porządnych brioszek i croissantów na śniadanie, równo pokrojonego, drobnoziarnistego chleba kanapkowego na przystawkę albo pysznej bagietki, którą przy obiedzie wyciera się sos z talerza. „Pieczywo to tak typowo francuski produkt, że żaden posiłek nie obejdzie się bez bagietki — zauważyła Judith. — A tutaj w Stanach próżno szukać porządnej. Może więc nauczmy ludzi wypiekać je w domu?"

Uff! Tylko jak tu stworzyć francuskie pieczywo o autentycznym smaku w typowej domowej kuchni? Stanęłyśmy przed co najmniej dwiema przeszkodami: po pierwsze, amerykańska mąka uniwersalna różniła się od francuskiej, trzeba będzie to uwzględnić w tradycyjnej technice pieczenia. Po drugie, *boulangers* używali do pieczenia tradycyjnych pieców chlebowych. Będzie więc trzeba stworzyć w domowej kuchni odpowiednik pieca chlebowego.

Tak oto rozpoczął się Wielki Eksperyment Bagietkowy, jedno z najtrudniejszych, najbardziej skomplikowanych, frustrujących, a zarazem satysfakcjonujących wyzwań, jakich się kiedykolwiek podjęłam.

Byłam akurat pochłonięta rozdziałem o sosach, więc pierwsze eksperymenty zleciłam Paulowi. Za młodu piekł samodzielnie chleb i niebawem obrócił naszą kuchnię w *Irving Street Boulangerie*. Składniki pieczywa są niezmienne: drożdże, woda, sól — problem w tym, że można je połączyć na dziesięć tysięcy sposobów. Jak się przekonaliśmy, liczył się każdy szczegół: świeżość drożdży, typ mąki, czas rośnięcia, sposób ugniatania ciasta, temperatura, wilgotność pieca, nawet pogoda.

Paul kładł rosnące wałki na ściereczkach, zawiązywał rogi płótna i wieszał je na uchwytach od szuflad, a efekt pary wodnej imitował, spryskując piekące się ciasto wodą z małej gumowej buteleczki z rozpylaczem. Jesienią 1967 roku codziennie oboje wypiekaliśmy bagietki (oraz inne specjały, na przykład croissanty) i częstowaliśmy nimi sąsiadów. Wysłaliśmy Judith do Nowego Jorku próbki w szarej papierowej torbie. Później przyznała się, że wyglądały niczym „nędzne, poskręcane gałęzie starego drzewa oliwnego, sękate i bezkształtne". Smakowały nieźle, ale gdzie im tam do prawdziwego francuskiego pieczywa.

Wypróbowanie wszystkich domowych przepisów na bagietkę, jakie udało się nam znaleźć, zabrało nam ostatecznie jakieś dwa lata i 130 kilogramów mąki. Korzystaliśmy z francuskich podręczników dla piekarzy i badaliśmy tajemnice drożdży i mąki, ale rezultaty wciąż były niezadowalające.

Simca nie wykazywała żadnego zainteresowania naszym piekarskim eksperymentem, ale mało mnie obchodziło, czy ktoś poza mną się nim interesuje, czy nie. Chleb mnie fascynował i obiecałam sobie, że nauczę się go wypiekać w domu. Trzeba to robić w kółko, aż do skutku.

Przeczytałam kiedyś artykuł o profesorze Raymondzie Calvelu, znakomitym piekarzu i nauczycielu École Française de Meunerie. Napisałam do niego, a on w odpowiedzi zaprosił mnie do Paryża. Zawieźliśmy mu jedną bagietkę, a także użyte przez nas składniki — amerykańską mąkę uniwersalną, drożdże i sól. Gdy tylko przekroczyliśmy próg jego szkoły, na widok rzędów idealnie wypieczonych bagietek poczułam się śmiertelnie zawstydzona i chciałam cisnąć do kosza produkt naszych amatorskich wysiłków.

W jedno popołudnie profesor Calvel pokazał nam, co robiliśmy nie tak, i nauczył wszystkiego, co trzeba wiedzieć o pieczeniu porządnego francuskiego pieczywa. Każdy etap produkcji różnił się od tego, co słyszeliśmy, czytaliśmy albo widzieliśmy. Ciasto Calvela było miękkie i lepkie; pozwalał mu rosnąć powoli w chłodnym miejscu i to dwa razy, aż trzykrotnie zwiększy objętość, ponieważ ciasto musi dojrzeć, aby uzyskać naturalny smak i odpowiednią konsystencję. Ważny był sposób składania i formowania ciasta, tak samo jak zawartość glutenu w mące, ponieważ w trakcie pieczenia glutenowy płaszcz otula bagietkę i pomaga jej zachować kształt.

Robiłam obszerne notatki o tym, jakie na każdym etapie powinno być ciasto z wyglądu i w dotyku, jak należy ustawiać dłonie, a Paul pstrykał zdjęcia.

Przed wsunięciem do pieca Calvel nacinał brzytwą na ukos grzbiet wyrośniętych bagietek. W ten sposób otwierał płaszcz glutenowy ciasta i pozwalał, aby na jego powierzchni utworzyły się ozdobne wybrzuszenia.

Wszystko wskazywało na to, że nasze bagietki się udały, a ja byłam w euforii. Jakby słońce w całej swojej glorii nagle przebiło się przez chmury przygnębienia!

Wyrób bagietek z profesorem Calvelem

Rozemocjonowani, wyruszyliśmy z powrotem do Cambridge i zaczęliśmy piec chleb, póki jeszcze słowa profesora Calvela brzmiały nam w uszach.

Zostało kilka problemów do rozwiązania.

Po pierwsze, jakiego rodzaju amerykańskiej mąki (która ma większą zawartość glutenu od francuskiej) użyć w miejsce bardziej miękkiej, niebielonej mąki francuskiej? Po niezliczonych próbach odkryliśmy, że choć Calvel nie cierpiał bielonej mąki, typowa uniwersalna amerykańska mąka bielona świetnie się nadaje.

Drugie wyzwanie polegało na przekształceniu domowego piekarnika w imitację pieca chlebowego,

z rozgrzaną płytą, na której będzie się piekło bochenki, i z jakimś prostym, ale efektywnym urządzeniem do wytwarzania pary. Te elementy były konieczne, żeby uzyskać odpowiednią objętość i chrupiącą skórkę prawdziwej francuskiej bagietki. W rozwiązaniu pierwszego problemu pomogła jankeska pomysłowość Paula. Przed włączeniem piekarnika włożył do środka płytę z azbestocementu: ot, doskonała i tania płyta do pieczenia. Dużo trudniej wpaść na to, skąd wziąć parę wodną, dzięki której skórka zyskuje chrupkość. Po wielu eksperymentach odkryliśmy, że wystarczy położyć na dole piekarnika patelnię z zimną wodą i wrzucić do niej bardzo gorącą cegłę (względnie kamień lub metalową główkę od siekiery), a para bucha jak trzeba.

Et voilà! Opracowaliśmy pierwszy w historii sposób pieczenia udanej bagietki — długiego, chrupiącego, drożdżowego, złocistego bochenka o niepowtarzalnej fakturze i smaku — z amerykańskiej mąki i w domowym piekarniku. Co za triumf!

Knopf liczył, że maszynopis drugiego tomu *Doskonalenia* zostanie ukończony do grudnia 1967 roku, ale przy tak dygresyjnym trybie pracy nie było mowy o dotrzymaniu terminu. Chciałam zrobić tę książkę porządnie i nie lubiłam być popędzana. Czasochłonne było nie tylko pisanie. Chciałam zbadać i wytłumaczyć każdy składnik i na wszelki wypadek popełnić każdy możliwy błąd, aby przepis dało się bez trudu przenieść do domowej kuchni.

Stale mnie pytano, kiedy będzie gotowy drugi tom *Doskonalenia*.

— Jak będzie gotowy — odgryzałam się.

II. PITCHOUNIANIE

W trakcie nocnego lotu z Bostonu do Paryża w grudniu 1968 roku samolot trząsł się, trzeszczał i podskakiwał niczym kuter poławiaczy homarów w czasie sztormu. Moje prawie dwumetrowe ciało kuliło się w zbyt ciasnym fotelu, nie mogłam zmrużyć oka i wylądowałam w zachmurzonym, szarym Paryżu naburmuszona. Tam wsiedliśmy w mniejszy samolot, pełen robotników wracających do domu na święta, i polecieliśmy do Nicei. Na całej trasie Francję okrywała szczelna warstwa chmur, ale gdy zbliżaliśmy się do Morza Śródziemnego, wyłoniły się z nich majestatyczne szczyty Alp, a w dole ukazała się szachownica pól — najpierw białych od śniegu, potem brązowych oprószonych bielą, wreszcie całych zielonych. Wkrótce pomykaliśmy nad czerwonymi skałami wulkanicznymi i turkusowymi wodami wybrzeża, po czym zatoczyliśmy koło i zeszliśmy do lądowania.

Na zalanym słońcem nicejskim lotnisku przywitały nas kolorowe bratki, kołyszące się palmy oraz Simca, która zaczęła ra-ta-ta-ta-trajkotać, ledwo postawiliśmy stopę na ziemi. Pomaszerowaliśmy wszyscy do restauracji na lotnisku, na rytualny lunch: ostrygi, *filet de sole* i musującego rieslinga. Uroczy kelnerzy podeszli gromadką do naszego stolika i uściskali nam dłonie jak starzy przyjaciele.

— Aaaaaach, znowu we Francji! — westchnął Paul w czasie jazdy wiejskimi drogami do La Pitchoune, a ja czułam, jak prostują mi się ramiona.

Następnego wieczoru siedzieliśmy zahipnotyzowani przed telewizorem, który po raz pierwszy pokazywał nam, malutkim ludzikom, jak wygląda nasza wielka, błękitna planeta z pokładu amerykańskiej kapsuły kosmicznej mknącej na Księżyc. To dziwne, a jednocześnie podniecające uczucie siedzieć w przytulnym prowansalskim pokoju i słuchać, jak astronauci rozmawiają głośno i wyraźnie, jakby Apollo 8 był w ogródku u sąsiadów.

Z Jeanne Villa

Miejscowi fachowcy sytuowali się, niestety, gdzieś na drugim końcu skali technicznej wydajności. Jeszcze w kwietniu przyszedł spawacz, by zmierzyć nasz taras pod zadaszenie w formie markizy rozpiętej na metalowym szkielecie. Był cudownie uroczym facetem, który popsioczył i pogadał, a potem zniknął. W czerwcu Paul spróbował zagonić gościa do roboty, ale bez skutku. Teraz był koniec roku, a spawacza i markizy jak nie było, tak nie było. Pozostało chyba tylko wzruszyć ramionami. Było to wkurzające, ale sytuacja nie była tak krytyczna, jak w Le Mas Vieux.

W domu Simki źle położone rury wodociągowe zamarzły i Jean musiał pojechać na farmę Rancurela, by przywieźć w starych beczkach wodę do spłukiwania toalety. W dodatku oboje byli wściekli, że remont, który powinien był się zakończyć do września, ciągle trwał. Ostatnią warstwę białej farby na kuchennych ścianach robotnicy położyli w sylwestra.

Jednym z największych skarbów Bramafam była Jeanne Villa, pulchna, malutka pomocnica/kucharka/osoba do towarzystwa, która służyła wiernie Simce od czterdziestu lat. Była prowansalską wieśniaczką z rodzaju tych, co to „są solą ziemi". Dreptała w podartych tenisówkach i wielkim kapeluszu słonecznym, w asyście menażerii zwierząt. Nie umiała czytać ani pisać, ale potrafiła porozumiewać się z kurami, kotami, gołębiami i psami. Miała gabońską papugę, która skrzeczała: *Bonjour, grosse mémère!*, „Dzień dobry, gruba starucho!". Jeanne była cudowną, silną starą babą. Robiła większość zakupów i dbała o utrzymanie Le Mas Vieux. Uwielbiała jeść, była kucharką z powołania i skarbnicą przepisów na solidne potrawy.

Laurent był ogrodnikiem i ogorzałym staruszkiem, który kochał rozmawiać i pracował jak wół. Simca zamawiała nasiona z katalogów na kilogramy, bo była szaloną plantatorką, ale ani ona, ani Jean nie dbali zbytnio o pielenie i podlewanie ogrodu. To Jeanne i Laurent sprawiali, że wszystko w wielkiej, starej posiadłości Fischbacherów działało bez zarzutu.

Tuż po Bożym Narodzeniu kupiłam kwiaty na bazarze w Mouans, żeby wyszykować Maleństwo dla „Vogue'a". Magazyn przysłał do nas ekipę, która miała opracować materiał o naszym książkopichceniu. Dziennikarka Mary Henry, jasnowłosa, energiczna czterdziestopięcioletnia Amerykanka zrobiła wywiad ze mną, Simką i Paulem, ręcznie zapisując wszystko w notatniku. Fotograf Marc Riboud, niski czterdziestoletni Francuz z iskrą w oku, pstryknął chyba z dwieście zdjęć przy użyciu czterech aparatów Pentax i całej torby soczewek i filmów, na które Paul zerkał zazdrośnie. Później się okazało, że Simca poczuła się dotknięta, ponieważ jej zdaniem dziennikarze zamiast na nas obu, skupili się tylko na mnie. Jakoś nie zwróciłam na to uwagi, ale później, kiedy omawialiśmy sprawę na osobności, Paul powiedział coś w rodzaju: „A nie mówiłem?" (nigdy nie łajał, ale mówił, co myśli). Uważał, że nie uświadomiłam Simce popularności „Francuskiego szefa kuchni" w USA. Ta wiedza zaczynała docierać do niej dopiero teraz, poniewczasie. Paul był zdania, że powinnam ją była jakoś uprzedzić, zanim dziennikarze stanęli na ganku.

Może i tak. Ale Simca to pięćdziesiąt procent książki, dumna Francuzka i moja dobra przyjaciółka. Nie chciałam, żeby czuła się jak obywatelka drugiej kategorii.

30 grudnia przyleciał z mokrego Londynu do naszej ciepłej, jasnej Prowansji Jim Beard. Gdy wysiadał z samolotu, wyglądał jak ogromny słonecznik, który właśnie rozchyla płatki. Byliśmy już dobrymi przyjaciółmi. Jako bywalec Pitchoune powęszył po domu i zauważył niewielkie zmiany, jakie zaszły tutaj od jego ostatniej wizyty. Potem usiedliśmy i spisaliśmy listę rzeczy do zrobienia w czasie jego odwiedzin: wspólne gotowanie, wizyty w restauracjach i muzeum Fundacji Maeght w Saint-Paul-de-Vence, wycieczka do Monte Carlo.

Nazajutrz rano o siódmej trzydzieści, w ostatnim dniu roku, Paul energicznym ruchem otworzył okiennice i zakrzyknął oszołomiony: „Rany boskie!". Nasz czerwono-brązowy krajobraz przykryło pięć centymetrów roziskrzonego białego puchu. Grudki śniegu spadały z drzew oliwnych, bo słońce wznosiło się i ogrzewało zbocze wzgórza. Jean robił rwetes na podwórku, bo jego samochód buksował przez dziesięć minut, aż odzyskał przyczepność, a Jean potoczył się w dół podjazdu dużo szybciej niż należało, rzucając nam przez ramię triumfalne spojrzenie.

Wieczorem przywitaliśmy rok 1969 w Le Mas Vieu świeżym *pâté de foie gras* i szampanem i poszliśmy spać dopiero o wpół do drugiej w nocy. Chłodne powietrze,

migoczące gwiazdy i prawie biały krajobraz świetnie
pasowały do okoliczności.

Kiedy Jim i ja gotowaliśmy razem, byliśmy znani
jako „Gigi", czyli J(im) & J(ulie), z literą J wymawianą
na sposób francuski. Jako Gigi spędziliśmy Nowy Rok
na gotowaniu *le dîner de la Nouvelle Année* dla siedmiu
osób — w tym Fischbacherów i paczki miejscowych
znajomych. Pogoda była kapitalna, a my zaczęliśmy
o czternastej od kawy na tarasie, a potem przenieśliśmy się do środka i zjedliśmy świeże *foie gras panné
à l'anglaise et sauté au beurre*, foie gras panierowane
po angielsku i foie gras smażone w maśle. Jego smak
podkreślił Chassagne-Montrachet rocznik 1959. Potem
przyszła kolej na *filet de boeuf* nadziewany katalońskim
farszem z szynki, czarnych oliwek, tymianku i rozma-
rynu, połączonych jajkiem. Dobraliśmy do niego pom-

marda rocznik 1964. Był fenomenalny. Następnie *salade verte, tarte aux pommes*, do tego ser, owoce i jeszcze więcej wina. Rozmowa była głośna, dowcipna i głównie o pichceniu. Ten leniwy i prawie doskonały posiłek zakończyliśmy dopiero wieczorem. Jeanne Villa pomagała nam gotować, podawać do stołu i zmywać. Później wybraliśmy się na leniwy spacer w dół drogi. Słońce schowało się za wzgórzem, a w dolinie rozpanoszył się chłód.

Dwa dni później pojechaliśmy autem do Monte Carlo na lunch w jednym z moich ulubionych miejsc, Hôtel de Paris, obok kasyna. Hotel był jak wyjęty z *la grande époque*, pod każdym względem — od barokowego wystroju do doskonałej obsługi. Choć miałam chyba zbyt wygórowane oczekiwania, bo miejsce tym razem trochę mnie rozczarowało. Klientela była przeważnie majętna i wiekowa, a jedzenie zaledwie takie sobie.

Później dowiedzieliśmy się, że hotel niedawno oddał do użytku najwyższe piętro z imponującym widokiem na miasto i zatokę, i żywszą atmosferą. Psiakość! Po obiedzie wpadliśmy do kasyna. Paul i ja wędrowaliśmy od ruletki do *chemin de fer*, oglądając ludzi i olbrzymie sprośne obrazy z nagimi kobietami, a Jim grał na automatach. Twierdził, że w kasynach sprzyja mu szczęście, i faktycznie — wygrał pięćdziesiąt pięć franków. Oczywiście od razu je stracił, a pod koniec wieczoru był do przodu o dwa franki. „Lepiej niż o dwa do tyłu!" — stwierdził z zadowoleniem.

Wróciliśmy do Cambridge w lutym, a ja zajęłam się badaniem tajemnic kuskusu. Ta pochodząca z Afryki

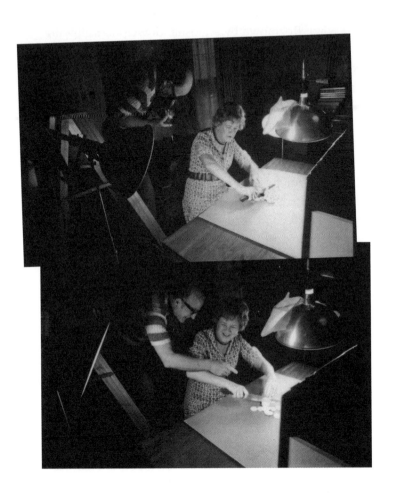

Paul robi zdjęcia dla ilustratorki

potrawa w ciągu ostatnich czterdziestu kilku lat stała się tak samo „francuska" jak spaghetti włoskie, indyk amerykański, a pudding angielski (Paul pamiętał, jak w latach dwudziestych zajadał się górami kuskusu w restauracji Mosquée de Paris). Podobnie jak w przypadku innych narodowych dań, takich jak *bouillabaisse*, zupa rybna, *curry* czy *paella*, każdy ekspert twierdził, że zna „autentyczny" przepis. Coś takiego jak arbitralna lista składników nie istniało. Najprościej rzecz ujmując, kuskus to parzony grysik podawany z wszelkimi dodatkami, jakie kucharz ma pod ręką: jagnięciną, kurczakiem, bakłażanem czy cebulą: zawsze serwuje się go z jakimś *sauce au piment bien fort*, pikantnym sosem paprykowym, szafranem, kminkiem, goździkami i tak dalej. Po tygodniu dłubania przy różnych przepisach i nakarmieniu Królika Doświadczalnego Numer Jeden efektami moich starań doszłam do wniosku, że kuskus nie nadaje się do naszej książki. Mój wysiłek nie pójdzie na marne: wiedziałam, że ta potrawa mi się przyda, ale jeszcze nie teraz.

Tymczasem odbyliśmy z Paulem wielogodzinną sesję fotograficzną pod hasłem „jak zrobić *boudin blanc*, białą kiełbasę". Spróbowaliśmy dwóch metod: jednej z użyciem wieprzowych jelit i drugiej z użyciem cienkiego płótna. Potem wykonaliśmy serię zdjęć przedstawiających moje dłonie przyrządzające *un saucisson en brioche*, kiełbasę w cieście drożdżowym, danie-cudo, które skonsumowaliśmy wraz z rewelacyjnym burgundem. Mieliśmy frajdę, majstrując we dwójkę przy jedzeniu i aparatach fotograficznych.

Prace nad kiełbasą wynikły z jeszcze jednej pożytecznej sugestii Judith Jones: „A może tak rozdział na temat *charcuterie*, wędlin?". Tak samo jak bagietki, Judith uwielbiała domowej roboty kiełbasę, ale nie mogła znaleźć tego specjału w amerykańskich sklepach. Stąd jej propozycja. „*Charcuterie* to taki istotny składnik francuskiego życia — zwróciła moją uwagę. — Pamięć tam, jak pod koniec lat czterdziestych widywałam paryżan, którzy stali w kolejkach z palcami wystającymi z kapci, gotowi wydać ostatni grosz na świeżą wędlinę. Ten rozdział naprawdę wzbogaci książkę".

Chair cuite oznacza gotowane mięso, a tradycyjna *charcuterie* opiera się na wieprzowinie w każdej postaci, od teryn przez paszteciki po wędzoną szynkę. Od jakiegoś czasu niewielu Francuzów zawracało sobie głowę robieniem wędlin w domu, bo znacznie łatwiej było pójść do wyspecjalizowanego sklepu, gdzie można kupić wszelkiego rodzaju teryny, marynowaną gęś, kiełbasy, połcie szynki z pietruszką czy świeży pasztet z wątróbki. W dzisiejszych czasach *charcuteries* poszerzyły asortyment i sprzedają niemal wszystko, od garmażeryjnych dań z homara do sałatek, a także produkty konserwowe i alkohole. W Ameryce nie mieliśmy *charcuterie* na co drugim rogu ulicy, więc zabrałam się do studiowania przepisów i eksperymentowania z kiełbasą czosnkową.

Nigdy przedtem nie robiłam kiełbas, dlatego byłam zdumiona, jak przepysznie wart wysiłku może być kawałek prostej domowej roboty kiełbasy. W końcu to tylko świeżo zmielona wieprzowina z dodatkiem soli i przypraw, ale smakuje jak marzenie. A od kiedy zajęłam się wędliniarstwem, wiedziałam dokładnie, z czego ten produkt się składa. Niebawem domowej roboty wianki wisiały u mnie nad piecem i zdobiły drzwi kuchenne. Rozdział o kiełbasach powstał w trakcie krótkiego, intensywnego zrywu, któremu towarzyszyły dodatkowe atrakcje w postaci wspaniałych uczt i ataku kamicy żółciowej. Gdy postawiłam ostatnią kropkę i oparłam się na krześle, Paul obwieścił: „Brawo — zasługujesz na honorowe odznaczenie z pozłacanych świńskich flaczków!".

III. *LOUP EN CROÛTE*

Wiosną 1969 roku, po drodze z Paryża do La Pitchoune skręciliśmy do Vouzeron w regionie Sologne, miasteczka, gdzie mieszkali Louisette de Nalèche (przedtem Bertholle) i jej nowy mąż Henri. Ten region, położony w departamencie Cher, słynie z ogromnych zielonych lasów obfitujących w zwierzynę. Ciągle popularne były tam polowania na jelenie, które odbywały się wedle klasycznego, sięgającego średniowiecza ceremoniału. Stroje, protokoły, żargon, psy, specjalne hejnały i rozbudowane obyczaje pozostały identyczne jak za panowania Ludwików (XIII, XIV, XV i XVI). W tej części Francji organizowano rokrocznie szesnaście polowań, które dla ich uczestników były swoistą religią. Jedno z tych polowań prowadził Henri, alias Comte de Nalèche, mąż Louisette. Jego osiemdziesiąt sześć chartów było znanych na świecie. Hodowano je z taką starannością, że wszystkie wyglądały niemal identycznie. A mener znał każdego z nich z imienia! Henri zabrał nas na zwiedzanie psiarni i stajni, tłumacząc jednocześnie ceremoniał towarzyszący polowaniu na jelenia, w którym ważną rolę odgrywa *cor de chasse*, róg myśliwski, podobny do angielskiego, ale ładniejszy. Wydobywano z niego około dwudziestu sygnałów, a każdy wskazywał jeden z etapów polowania, na przykład: trwa nagonka, jeleń wszedł do wody, psy zgubiły trop, jeleń wybiega z lasu. Dziwna i fascynująca rzecz. Gdy Henri opowiadał, wyobrażałam sobie dworskie życie, podział na dworzan i zwykłych obywateli, ale też olbrzymie pieniądze, jakie muszą iść na utrzymanie tej starodawnej tradycji łowieckiej.

Louisette wydawała się bardzo szczęśliwa. Miała śliczny dom z szerokim trawnikiem, na którym rosła niesamowita, stupięćdziesięcioletnia kryptomeria. Wszystko utrzymane w klimacie francuskiej prowincji, który tak lubiła.

Pojechaliśmy do Sancerre nad górną Loarą, robiąc sobie przerwy na piknik. To przyjemna okolica o dobrych tradycjach winiarskich. Kontynuowaliśmy jazdę w kierunku południowo-wschodnim, wąskimi dróżkami, na przemian w słońcu i deszczu, aż do Auvergne w Masywie Centralnym. Ze zdumieniem odkryliśmy, że tutejsze wiejskie drogi wydawały się tak samo puste jak w roku 1949.

Sprężyliśmy się i wróciliśmy do Maleństwa dzień przed czasem, co pozwoliło nam zjeść obiad z Fischbacherami i usłyszeć o ich ostatnich kłopotach.

*　*　*

Simca potknęła się, niosąc pękniętą butelkę po winie i szklane odłamki. Szkło rozcięło jej prawą dłoń między kciukiem i palcem wskazującym, wraz ze ścięgnami, które cofnęły się w głąb dłoni. Simca musiała przejść zabieg, w czasie którego lekarze szukali tych ścięgien i je zszywali. Okropieństwo. Ale doktor nie kazał uważać, więc Simca wróciła do swoich zajęć prawie na tak wysokich obrotach jak zwykle. Szwy oczywiście pękły i trzeba je było zakładać na nowo. Tym razem, żeby unieruchomić rękę, założono jej gips, a po jego zdjęciu ku swemu rozczarowaniu odkryła, że ledwo rusza kciukiem i palcem. Oznaczało to konieczność kilkumiesięcznej rehabilitacji, bez gwarancji, że odzyska pełną sprawność palców prawej dłoni. Ja tam byłam pewna, że niewyczerpana energia i żelazna wola pozwoli La Super-Française przezwyciężyć każdą przeszkodę.

Zapał Simki bywał nieznośny. Przed wypadkiem posadziła chyba każdy rodzaj krzewu, drzewa i kwiatu, jaki mógł się przyjąć w Bramafam (a także kilka innych). Teraz była kontuzjowana, Jean był w Paryżu, Jeanne miała swoje codzienne obowiązki, a Laurent chorował. W rezultacie ja i Paul musieliśmy spędzać cenne urlopowe godziny na podlewaniu ogrodu, żeby nie usmażył się w słońcu.

Mała szara kotka o imieniu Minimouche, córka Minimère, po naszym przyjeździe za każdym razem zaprzyjaźniała się z nami od nowa. Była zdecydowanie typem dachowca, który korzystał z istot ludzkich

411

wyłącznie w zakresie usług gastronomicznych i hotelarskich, mimo to cieszyłam się, że mam jakiekolwiek kocie towarzystwo. Jak mawiała w Paryżu Thérèse Asche: „Dom bez kota to jak życie bez słońca!". Co rano Minimouche wpadała do domu jak strzała, gdy tylko otwierała się okiennica, i głośnym miauczeniem domagała się śniadania. Pochłaniała jedzenie, miauczała, żeby ją wypuścić, i wybiegała, żeby cały dzień polować na jaszczurki. Wieczorem siadywała Paulowi na kolanach, gdy słuchaliśmy radia, a ja robiłam kolację. Któregoś popołudnia Minimouche przywlokła żywą mysz i tarmosiła ją po całej kuchni. Mysz oczywiście uciekła, a my mieliśmy dramat na miarę polowania na jelenie. Przydałby się *cor de chasse*, róg myśliwski obwieszczający każdy nowy etap rozwoju wydarzeń: mysz wyrwała się kotu!, mysz chowa się pod piecem!, mysz wypłoszona wieszakiem do ubrań! *Mon dieu, quel drame!*

W czerwcu przyleciała Patricia Simon, dziennikarka magazynu „McCall's", z zamiarem napisania artykułu o wspólnej pracy, mojej i Simki, nad drugim tomem. Miał mieć formę trzyczęściowej *cover story*, wzbogaconej o kilka naszych najnowszych przepisów, i ukazać się w momencie premiery książki. Paul został zatrudniony jako nasz fotograf. Żeby nie tracić czasu, usiedliśmy we trójkę: ja, Simca, Paul, i zaplanowaliśmy, co ugotować, kiedy pójść na zakupy i co powinno znaleźć się na zdjęciach. Następnych kilka dni to będzie oczywiście pewnego rodzaju show, ale też ważny krok naprzód w naszej współpracy.

Patricia była raczej niskiego wzrostu, miała około trzydziestu dwóch lat, smagłą karnację i bardzo cichy głos, który czasem trudno było usłyszeć. Lubiła gotować i zrobiła stertę notatek o nas. Spisała nazwy miejscowych kwiatów, składniki różnych dań, nad którymi pracowałyśmy, nawet zawartość naszych lodówek. Paul śmigał po kuchni jak szalony, fotografując nas przy pracy. W któreś ciepłe popołudnie zrobił mi parę zdjęć z łyżką i miską pod drzewkiem oliwnym i był bardzo zadowolony z rezultatów. Gdy jednak przyszło do fotografowania Simki, wpadł w złość: „Gdy kierujesz na nią obiektyw, robi się sztywna i skrępowana — przyznał później. — Albo wdzięczyła się do aparatu, albo zamierała. Czuję, że zdjęcia będą do kitu".

Kilka dni później Simca, Paul, Patricia i ja pojechaliśmy do La Napoule na lunch w L'Oasis, dwugwiazdkowej restauracji Louisa Outhiera. Wkroczyliśmy na piękny dziedziniec i rozsiedliśmy się wokół małego białego stolika pod pokrytym bujnym listowiem treliażem, w otoczeniu pelargonii, palm i platana. Lunch był wyśmienity: wpierw aperitif, potem *pâté* ze świeżej kaczej wątróbki z truflami, cienkie kromeczki *pain brioche, timbale*, pomidory i sałata. Ale tym, co nas tu przywiodło, był *loup de mer en croûte*, okoń morski z Morza Śródziemnego — duża ryba o białym mięsie, nieco bardziej miękkim od mięsa swojej amerykańskiej kuzynki, faszerowany ziołami i upieczony w wybornym cieście drożdżowym w kształcie ryby, podawany z sosem suprème. Danie zostało wymyślone przez szefa kuchni Paula Bocuse, ale spróbowałam go po raz pierwszy dopiero w L'Oasis.

Gdy tylko wyjechało z kuchni — olbrzymie, brązowe i lśniące — wiedzieliśmy, że to coś wyjątkowego. *Maître d'hôtel* wprawnym, piłującym ruchem okroił brzegi i podniósł pokrywę z ciasta, ukazując okonia w oparach aromatycznego dymu. Każdej porcji ryby towarzyszył kawałek ciasta, duża łyżka jedwabistego, maślanego sosu i świeży pomidor doprawiony szalotkami i ziołami. Ciasto było cienkie i lekko chrupiące, a ryba przepięknie soczysta, delikatna i lekko aromatyzowana koprem włoskim.

Ktoś, kto od dawna gotuje, na ogół umie odgadnąć, jak przyrządza się danie. Ja i Simca studiowałyśmy każdy szczegół tego nadzwyczajnego *loup en croûte*, pragnąc odgadnąć jego tajemnice. Kelner, któremu zadałam kilka pytań, odpowiedział nam z widoczną przyjemnością. „Pyszne — zgodziłyśmy się, pałaszując lunch. — I nie powinno być za trudne do zrobienia".

Nazajutrz spróbowałyśmy wyprodukować przyzwoitą kopię tego dania w mojej kuchni. Zmierzyłam półtorakilowego okonia morskiego i wysypałam mąką formę do rolady biszkoptowej. Simca oskrobała, oczyściła i natłuściła rybę, a potem nafaszerowała ją mieszanką zielonej pietruszki, cytryny, soli, pieprzu i kopru włoskiego. Ja wycięłam nożyczkami sylwetkę ryby z szarego papieru i wyciągnęłam z lodówki trochę ciasta drożdżowego. Szybko uformowałam je w cienki prostokąt, położyłam na nim papierową rybę i wykroiłam ciasto wzdłuż konturów. Drugą, trochę większą jego częścią obłożyłyśmy rybę, dociskając je starannie w każdym miejscu. Wreszcie ulepiłyśmy ze skrawków ciasta małe płetwy, oczy, brwi i pyszczek, i zrobiłyśmy nawet „rybie łuski" w kształcie półksiężyców, wykorzystując dużą metalową końcówkę rękawa cukierniczego.

Nie mogłyśmy się zdecydować, czy posmarować ciasto żółtkiem. Gdy Paul podpowiedział: „Zróbcie eksperyment!", postanowiłyśmy posmarować tylko połowę i ocenić różnicę.

Okoń powędrował do piekarnika rozgrzanego do 230 stopni, a gdy po dwudziestu minutach ciasto zaczęło nabierać ładnego koloru, przykryłyśmy je folią aluminiową i zmniejszyłyśmy temperaturę do 220 stopni. Po jakichś czterdziestu pięciu minutach pieczenia nasza ryba smakowała równie wybornie jak ta w L'Oasis. Jednomyślnie orzekliśmy, że warto dodać jajeczną glazurę (sosu suprème nie zrobiłyśmy, choć jest bardzo prosty).

Sprawiło nam to radość i satysfakcję. Cóż za proste, smakowite i oszałamiające danie — w sam raz na nieoficjalne przyjęcie dla ludzi, którzy cenią dobre jedzenie. Wymieniając uwagi o tym, jak ciasto pomaga mięsu zachować soczystość i pyszny smak, zdaliśmy sobie sprawę, że można prawie wszystko opakować w ciasto i upiec tak, żeby nie zawilgotniało. Ale to będzie wymagało dalszych eksperymentów!

Patricia miała zostać z nami tydzień, a ja i Simca zamierzałyśmy przyrządzić razem kilka posiłków według przepisów z tomu II, aby pokazać jej — a także czytelnikom „McCall's" — jak wyglądała nasza współpraca. Paul miał nas fotografować, a Patricia obserwować. Zaprosiliśmy kilkoro naszych starych znajomych z ambasady USA na pierwszy z nich (cztery rodzaje eksperymentalnych przystawek plus nowy rodzaj sufletu wiśniowego). Ale oto rano, przy śniadaniu, odebraliśmy telefon. Dzwoniła Simca: ona i Jean postanowili jechać do Paryża zagłosować w wyborach. To znaczy, że nie będzie mogła uczestniczyć w gotowaniu ani w lunchu. Więcej — wróci do Bramafam dopiero po wyjeździe Patricii do Stanów. Mhm.

— G d z i e się wybiera? — Paul wybałuszył oczy. — Obłęd! Patricia przyjeżdża z drugiego końca świata, żeby napisać o was ważny artykuł, a Simca ma to gdzieś. Nie do wiary!

Trudno się było z nim nie zgodzić, ale też wiedziałam z wieloletniego doświadczenia, że przy próbie uświadomienia problemu La Super-Française uniesie się tylko gniewem i zranioną ambicją. To będzie dopiero scena. Z pewnością nie dla czytelników „McCall's". Jeśli o mnie chodziło, najważniejsze to zachować dobre relacje z Simką. A najlepszym sposobem na to będzie bez słowa protestu puścić ją do Paryża.

Paul nie był przekonany.

— Ona ci włazi na głowę — mruknął.

Wiedziałam, że nie ma sensu, bym gotowała eksperymentalne dania samodzielnie. Książka miała być owocem współpracy. Poza tym Simca nie uwierzy w moje odkrycia, jeśli jej tutaj nie będzie. Uprze się, żebyśmy powtórzyły próby, a to będzie tylko strata czasu. Przygotowałam więc na lunch coś innego. Jedzenie udało się całkiem nieźle, miałam tylko nadzieję, że Patricia nie zauważyła pogłębiającej się zmarszczki na moim czole.

— Nigdy więcej gości! — przyrzekliśmy sobie z Paulem, opadając na fotele, kiedy Patricia wyjechała. — Teraz tylko cisza i spokój.

Przez kilka następnych dni nie robiliśmy prawie nic. Ale zbliżało się letnie przesilenie. Przypomnieliśmy sobie Norwegów, którzy będą się upijać i rozpalać ogniska na brzegach fiordów, i postanowiliśmy uczcić to święto na własną modłę. Zaprosiliśmy dwie inne pary, koneserów jedzenia i win, na kolację do Maleństwa, a ja dałam sobie kilka dni na stworzenie posiłku, głównie z przepisów przewidzianych do tomu drugiego.

Zaczęliśmy wieczór od mrożonego szampana Clos des Goisses, który Paul podał w wielkich czarach ze szkła bąbelkowego, kupionych przez nas w Biot, pobliskim miasteczku słynącym z wyrobów szklanych. Na pierwsze danie były *tomates farcies à la pistouille*, pomidory faszerowane siekanym bakłażanem, świeżą pulpą pomidorową, bazylią i czosnkiem. Na wierzchu, niczym królowa na tronie, siedziało jajko w koszulce. Pod spodem leżał liść sałaty, a całe danie ozdabiał krąg świeżo zrobionego majonezu. Podaliśmy do niego cudowne chablis — Fourchaume rocznik 1964 (Paul odkrył ten trunek w supermarkecie w Cannes, i tu niespodzianka — okazał się najlepszym chablis, jakie dotychczas piliśmy).

Potem przeszliśmy do *feuilleton de boeuf en croûte*, polędwicy w cieście. To danie, inspirowane naszym *loup en croûte*, okoniem w cieście, było jak *beef wellington*, z jedną różnicą: ciasto francuskie zastąpiło w nim atrakcyjniejsze, pyszne i niewilgotniejące ciasto drożdżowe typu *brioche*. Polędwica została pokrojona na piętnaście plastrów i opatulona niebiańską mieszanką siekanych grzybów, szynki, *foie gras*, szalotek i madery; potem całość została zawinięta w ciasto i zapieczona. Każdy plaster podano z odrobiną ciasta, farszu i łyżeczką sosu. Nasza polędwica, jako ważne danie, znalazła się na talerzu ze skromnymi *pommes Anna fromagées*, smażonymi kartoflami z serem, oraz *pointes d'asperges sautées à la chinoise*, smażonymi szparagami po chińsku. Towarzyszyło im półtoralitrowe, aksamitne château Haut-Brion, Premier Grand Cru Classé 1964.

Na deser zjedliśmy tak zwany *pouding pélerin*, zrobiony z mielonych prażonych migdałów, kirszu i moreli z *crème anglaise*, w foremce wyłożonej paluszkami biszkoptowymi obsmażonymi w maśle i cukrze, to wszystko przykryte *sauce purée aux fraises et framboises*, sosem truskawkowo-poziomkowym — nazwa deseru pochodzi od *pélerins*, starych pielgrzymów, którzy upychali po kieszeniach prowiant w rodzaju suszonych moreli i migdałów. Do tego nektarowe château d'Yquem 1962. Na koniec hawańskie cygara, brandy, likiery i kawa. Trzy panie dzieliły się cygarem, a wszystkie twarze promieniały. Towarzystwo rozeszło się około pierwszej trzydzieści w nocy. Fantastyczny wieczór.

Paul był niezmiernie zadowolony z tych stu dziewięćdziesięciu jeden zdjęć, które zrobił mnie i Simce dla „McCall's" — przy pracy w kuchni, przy zakupach na bazarach w Grasse i Saint-Paul-de-Vence, przy lunchu na tarasie restauracji w Plascassier, skąd roztacza się zachwycający widok na faliste góry, doliny i połyskujące w oddali morze. O ile nam było wiadomo, Patricia miała stworzyć piękny słowny portret nas obydwu pracujących w siostrzanej harmonii nad tomem drugim.

Prywatnie jednak wpadłam we frustrację graniczącą z rozpaczą. Simca zwyczajnie nie słuchała nic z tego, co miałam do powiedzenia. Coraz częściej ignorowała moje superstaranne pomiary, kwestionowała okupione ciężką pracą odkrycia i zmuszała do spędzania wielu godzin nad przepisami, które ponoć wypróbowała, a które, jak się okazywało, były zupełnie do bani. Przyszła smutna chwila, kiedy uświadomiłam sobie, że współpraca z nią zabiera więcej czasu i przysparza mi więcej nerwów niż samodzielne działania. Ogarnęła mnie konsternacja i przygnębienie. Pierwszy raz w życiu wyglądałam chwili, kiedy opuszczę Maleństwo i wrócę do Stanów.

W lipcu 1969 roku Judith Jones przyjechała w siekącym deszczu na Irving Street 103, gdzie usiadłyśmy razem nad maszynopisem drugiego tomu. Pracowałyśmy z Simką już trzy lata, ale moja partnerka napisała tylko trzy z jedenastu rozdziałów. Knopf chciał koniecznie wydać tom drugi jesienią 1970, więc Judith ustaliła nieprzekraczalny termin na 15 marca 1970. Wydawało się, że to pojutrze. Czy zdążymy?

Francja wzywała, ale nie mieliśmy teraz czasu na podróżowanie. Marzyliśmy o odwiedzinach u Charliego i Freddie w Maine, ale to było zwyczajnie niemożliwe. Klik-klak! — stukała moja maszyna, a ja brnęłam naprzód.

Pisałam o wszystkim, co można w kuchni zrobić z krabami. Paul robił szkice. Objadaliśmy się rewelacyjną zupą z krabów. Potem przeszliśmy do bakłażanów, a ja zastanawiałam się, czy nasza skóra przypadkiem nie zabarwia się na fioletowo od tych wszystkich oberżyn, które zjedliśmy w celach naukowych. W grudniu usiedliśmy przy długim norweskim stole w kuchni, by przejrzeć setki kopert i teczek z ilustracjami Sidonie Coryn. Były to pobieżne szkice, kserokopie pomysłów i ukończone rysunki. Próbowaliśmy nadać im swego rodzaju płynność, dla pewności, że każdy rysunek obrazuje co trzeba. Ale Sidonie nie była kucharką i widocznie nie przeczytała maszynopisu, bo zamiast do tekstu, dopasowywała swoje rysunki tylko do fotografii. „Nie zazdroszczę jej tej pracy — stwierdził Paul. — Strasznie dużo od niej wymagamy". Zrobił poprawki na kalce kreślarskiej, żeby jej pokazać, jak powinny wyglądać rysunki, a sam narysował dziesięć szkiców homarów i parę krabów, i już ostrzył sobie ołówek na comber z jagnięcia, filetowanego kurczaka, szereg diagramów z wołowiną w roli głównej i rysunkowe instrukcje, jak krok po kroku pokroić prosię na sposób francuski.

Praca posuwała się wolno, a samotnicza natura pisania dawała mi się we znaki. „Jestem zamknięta z tym mę-

Pracuję z moją redaktorką Judith Jones

cącym drugim tomem — napisałam Simce. — To chyba ostatnia książka, z którą będę mieć coś wspólnego — za dużo cholernej pracy i ani chwili wytchnienia".

Na początku stycznia 1970 roku Judith Jones kolejny raz wpadła do Cambridge sprawdzić postępy prac. Okazywała nam mnóstwo serca. Miała metr pięćdziesiąt siedem wzrostu, blond włosy do ramion, pełne życia oczy, ekspresyjną twarz i wydawała się idealną osobą do współpracy. Była życzliwa, spostrzegawcza, troszkę nieśmiała, ale w pełni kompetentna i nieustępliwa tam gdzie trzeba. Miała wyborny instynkt oraz niewzruszoną pewność, kim, czym i gdzie w danej chwili jest. Paul mawiał, że Judith przypomina mu piękną irlandzką królową elfów. Przez trzy długie dni omawiałyśmy wszelkie ważne sprawy dotyczące książki, od szczegółów takich jak rozmiar czcionki, aż po znaczącą decyzję o zredukowaniu planowanych jedenastu rozdziałów do siedmiu.

Simca i ja zaczęłyśmy się denerwować. Dowiedziałyśmy się, że na Tajwanie sprzedają podrobioną wersję *Doskonalenia* za półtora dolara i martwiłyśmy się o częste w świecie kulinarnym wykradanie pomysłów. Czy ktoś nie spróbuje ukraść naszego ważnego odkrycia — przepisu na domowej roboty bagietkę? Nie sposób temu zapobiec. Było też parę przepisów, które napisałyśmy pięć lat wcześniej: od tamtej pory zmieniłyśmy metody i chciałyśmy przepisać duże partie książki. Kiepska sprawa!

— Potrzebuję jeszcze co najmniej pięciu lat, żeby ją dopracować — zawodziłam, na co Judith tylko się uśmiechnęła i przypomniała o terminie. Niczego już nie będziemy dodawać — ani zdjęć Paula, ani rysunków Sidonie Coryn, ani przepisów od Simki.

Kiedy Simca znowu w ostatniej chwili zaczęła marudzić, napisałam do niej: „Książka zapewne nie będzie tak doskonała, jak sobie wymarzyłaś, *ma chérie*, ale przynajmniej zostanie ukończona".

Dwa dni przed terminem wciąż sprawdzałam coś w kuchni, robiłam notatki i stukałam poprawki na maszynie. Byłam tak zaaferowana, że nawet nie miałam czasu na wyjście do toalety!

Potem przyszedł 15 marca 1970 roku, a ja zmusiłam się do złożenia mniej lub bardziej ukończonego maszynopisu. Uff!

ROZDZIAŁ ÓSMY
„Francuski szef kuchni" we Francji

I. DOKUMENT

W 1970 roku zabraliśmy się do tworzenia jak dotąd najambitniejszej serii „Francuskiego szefa". Zyskaliśmy większy budżet (szczęśliwym trafem Polaroid i Hills Brothers Coffee zgodzili się sponsorować nasz program) i zamierzaliśmy nakręcić trzydzieści dziewięć nowych programów, które po raz pierwszy miały być w kolorze. Ponieważ tym razem robiliśmy wszystko inaczej, przyszło mi na myśl, że nie od rzeczy byłoby pokazać, jak się robi i sprzedaje francuskie jedzenie we Francji — tradycyjnych rzeźników, olejarnie, cukierników, flaczarnie i sklepy z winem, które były moją pierwotną inspiracją. Zrobimy serię minifilmów dokumentalnych na trzydziestopięciomilimetrowej taśmie, które zostaną później wklejone do naszych programów telewizyjnych. Na przykład do odcinka pod tytułem *Jak upiec francuskie pieczywo* wstawimy sekwencję ukazującą, jak prawdziwy francuski *boulanger* robi prawdziwe bagietki w prawdziwym piecu piekarskim w Paryżu.

Nie mówiłam o tym głośno, ale byłam przekonana, że te filmiki okażą się ważnym dokumentem historycznym. Branża spożywcza była coraz bardziej zmechanizowana, nawet we Francji, i wydawało się nieuniknione, że wiele umiejętności, które chcieliśmy utrwalić na taśmie — glazurowanie owoców, ręczne krojenie mięsa, dekoratorska sztuka tradycyjnych *pâtissiers* — zniknie w ciągu pokolenia czy dwóch. Film oczywiście też może wyblaknąć albo się zepsuć. Jeśli jednak nasze dokumenty przetrwają, mogą być jednymi z nielicznych zapisów ukazujących, że jedzenie było kiedyś tworzone prawie w całości ludzkimi rękami, nie przez maszyny.

Nie mogłam się doczekać, kiedy wystartujemy. Ale łatwiej to powiedzieć, niż zrobić.

W połowie maja 1970 roku nasza około dziesięcioosobowa ekipa zebrała się w La Pitchoune, żeby rozpisać grafik. Plan był następujący: najpierw Prowansja, potem Paryż, na koniec Normandia. Mieliśmy kilka tygodni czasu i małe szanse, że kiedyś jeszcze wrócimy do Francji z tak dużym budżetem. Przygotowaliśmy szczegółowy harmonogram każdego dnia — z dokładnością co do godziny, czasem do minuty — dla pewności, że wszystko pójdzie tak gładko, jak to tylko możliwe.

Pierwszy ranek filmowania zaczęliśmy na targu na Place aux Aires w Grasse. Peter, nasz pełen entuzjazmu trzydziestodwuletni holenderski kamerzysta, chciał sfilmować, jak kupuję owoce, warzywa, kwiaty i *crème fraîche*, śmietanę. Wszystko szło jak z płatka, dopóki jaskrawe reflektory i wijące się kable nie zaczęły przeszkadzać jednej z handlarek. Zaczęła wymachiwać rękami i robić dramatyczne miny, drąc się przy tym:

424

„O, nie! Co za dużo, to niezdrowo!". Wokół zebrał się spory tłum. „Mam sprzedawać marchewkę i być gwiazdą filmową? — zżymała się. — Mam jeszcze dwie godziny czasu, a tu dopadło mnie Hollywood — jak moi klienci mają coś kupić? Niech Hollywood mi odpowie! Nic przez was nie sprzedam. Nie! Tego już za wiele! Wynocha!"

Skarga była uzasadniona, więc poszliśmy kręcić gdzie indziej.

Produkcja telewizyjna jest znacznie bardziej nużąca, niż się ludziom wydaje. Każde ujęcie oglądało się w telewizji kilka sekund, jego filmowanie trwało kilka minut, ale przygotowanie już wiele godzin. Kiedy na przykład nasz oddział przenosił się do restauracji, ustawiano statywy, nachylano światła, wymierzano reflektory punktowe, rozwijano zwoje pomarańczowych kabli. Potem ćwiczyliśmy scenę i zaczynały się zdjęcia, ale oto raptem zburzyły mi się włosy i trzeba je było poprawić, albo musieliśmy czekać, aż przepłynie chmura. Ledwie zrobiliśmy upragnione ujęcie, a już trzeba było demontować sprzęt i przechodzić do następnej sceny.

Dobrze, że ja i Paul mówiliśmy płynnie po francusku i przyjaźniliśmy się z wieloma miejscowymi kupcami. Jak uczył mnie Bugnard, ważne, żeby się nie spieszyć, nie naciskać za mocno i nie zakładać z góry, że wszyscy muszą okazać dobrą wolę.

Rano wkroczyliśmy do Les Oliviers, restauracji na zboczu wzgórza niedaleko Saint-Paul-de-Vence. Alex, wesoły *maître d'hôtel*, przygotował „lawinę" czterdziestu przystawek, z której słynęła restauracja. Iście oszałamiający widok: gorące, zimne, gotowane, surowe, mieszane, proste, słone, tłuste, ryba, mięso, warzywa i tak dalej. Ale jedzenie stało pod żółtymi parasolami i nasz reżyser David jęknął: „Nie możemy tego nakręcić!".

— M u s i m y! — krzyknął Peter, kamerzysta. — Niedługo zaczną się schodzić goście na lunch i będzie za późno!

— Wykluczone! Nie przy tym cytrynowym świetle!

— Dobrze, wobec tego zdejmiemy parasole i będziemy kręcić w słońcu.

— Czekajcie, nie! — wtrąciła Ruthie Lockwood, nasza producentka. — Majonez się rozpłynie!

— Niechże ktoś przegoni te muchy — stół wygląda jak wysypisko!

Parasole zostały złożone, kamera powędrowała na ramię Petera, przepędzono muchy, a my nakręciliśmy scenę. Znaczy, kręciliśmy ją raz po raz.

— Willie, wystają ci stopy — krzyknął Peter do dźwiękowca, który ukrywał się pod stołem z mikrofonem, kiedy ja i Paul jedliśmy przed kamerą.

— Dobra, jeszcze raz od nowa — westchnął David.

Skończyliśmy o piętnastej trzydzieści, a nasza ekipa rzuciła się na „lawinę" jak stado wygłodniałych wilków.

Któregoś dnia sfilmowali mnie w samochodzie niedaleko Plascassier i podczas odwiedzin u miejscowego rzeźnika, *monsieur* Boussageona. Prowadził z żoną i teściową sympatyczny sklepik — wbrew temu, co się powszechnie sądzi, takie trio działało bez zarzutu. Plan

przewidywał, że nakręcimy, jak państwo Boussageonowie robią razem pieczeń *pâté pantin*. Po naszym przyjeździe okazało się, że kilka godzin wcześniej jego żona
urodziła dziewczynkę — dwa tygodnie przed spodzie-
wanym terminem. Ha! Musieliśmy improwizować. Żona
i teściowa były w szpitalu, a Boussageon sam zademon-
strował przyrządzanie *pantin*: użył trzech kilogramów
wieprzowiny, cielęciny oraz *foie gras*, wątróbek z truflami, które zawinął w *pâté à croûte* i ozdobił „listkami" z ciasta. Na koniec posmarował ciasto ubitym jajkiem i wsta-
wił na dwie godziny do pieca. Był to bajeczny pokaz, ale
w samym środku wyjątkowo dobrego ujęcia do sklepu
wpadło dwóch miejscowych, którzy głośno domagali się
kaszanki. Pod koniec dnia z wdzięcznością obdarowa-
liśmy uczynnego Boussageona butelką szampana.

W Marsylii sfilmowaliśmy gotowanie *bouillabaisse*,
a potem, o czwartej rano, zabraliśmy kamery na bazar
rybny Criée aux Poissons. Prawdziwa wizualna uczta.
Stamtąd przenieśliśmy się do Paryża. Był już czerwiec
i w tempie karabinu maszynowego nakręciliśmy części
o żabich udkach w Prunier, o serze w uroczej *cave monsieur* Androueta, o ręcznym krojeniu mięsa w *super-
marché* Paridoc, o dekorowaniu ciast w *pâtisserie monsieur* Deblieux i — naturalnie — o przyborach kuchennych w „magazynie osobliwości" Dehillerina.

Planowaliśmy sfilmować przyrządzanie *beurre blanc*
w Chez la Mère Michel, ale kiedy wpadliśmy tam na
obiad, srodze się rozczarowaliśmy i ze smutkiem skre-
śliliśmy je z listy. Innego wieczoru poszłam z Paulem
do naszego ulubionego Le Grand Véfour. Chcieliśmy

zaprosić czcigodnego znawcę win *monsieur* Hénocqa do udziału w pokazie na temat „Wina i jego przechowywania". Hénocq, już osiemdziesięciosiedmioletni, zachował wdzięk i urok, ale tracił słuch i wpadł w nawyk niekończącego się filozofowania. Uściskaliśmy go czule na odchodnym, ale było oczywiste, że nie wypadnie dobrze w telewizji.

Przyjaciel czy nie, nie mogłam pozwolić, aby sentymenty wzięły górę nad profesjonalizmem.

Tylko co zrobić z materiałem o winach?

W połowie bardzo starej, stromej ulicy rue de la Montagne-Sainte-Genevière znajdował się sklep z winami należący do niejakiego *monsieur* Besse'a. Był to dobroduszny człowiek w sfatygowanym oklapniętym berecie, szarym fartuchu i szczerbie w miejscu przednich zębów. Sławne *caves de monsieur* Besse opisywano wiele razy, ale nikt dotąd nie próbował zarejestrować ich na taśmie filmowej. Nie bez powodu: piwnice schodziły głęboko pod ziemię, a każdy poziom był bardziej wilgotny i bardziej zatęchły od poprzedniego. Przypominały ciąg lochów połączonych wąskimi tunelami i gnijącymi drabinami. Wszystko pokrywała gruba warstwa kurzu, stearyny, pajęczyn oraz *la patine des âges*, patyny wieków. Przerażające, a zarazem fascynujące miejsce. Na szczęście nikt z nas nie miał klaustrofobii! W tych mitologicznych głębinach musiało być zmagazynowanych trzydzieści do czterdziestu tysięcy butelek wina — choć słowo „zmagazynowane" nie oddaje istoty sprawy, bowiem nie było tam półek, a butelki leżały bezładnie w stosach wznoszących się po obu stronach wąskich tuneli, aż po kamienne łukowe sklepienia. W ciemnościach sterczały poszarpane krawędzie rozbitych butelek. Wiele nie miało etykiet. Było tu tak mało miejsca, że trudno się było obrócić, a każde muśnięcie stert groziło zawaleniem się całego przybytku.

Paul i ja podejrzewaliśmy, że *monsieur* Besse to „winiarski sknera", który nie pije ani nie sprzedaje swoich win, ale powiększa zbiory dla osobistej satysfakcji. Katakumby wydawały się zewnętrznym symbolem jakiegoś skrzywienia jego umysłu.

Filmowanie wnętrza piwnic wymagało małej kamery reportażowej i reflektorów na baterie. Wypożyczyliśmy kamerę i światła w sklepie specjalistycznym, po czym zaczęliśmy ładować je do furgonetki. Kiedy nasz reżyser David poprosił właściciela sklepu o rachunek, mężczyzna wręczył mu wizytówkę. „Proszę pana, muszę mieć rachunek, żeby móc rozliczyć się z wydatków" — tłumaczył David.

Policzki sklepikarza zapłonęły rumieńcem.

— Dlaczego każdy musi mnie oskarżać o oszustwo?! — wrzasnął. — Jeśli mi pan nie ufa, nie będę prowadził z panem interesów!

Wraz z żoną chwycili pakowany do furgonetki sprzęt i pobiegli z nim do sklepu.

— Nie, nie! — krzyczał Daniel, nasz lokalny przewodnik. — Przecież zapłaciliśmy. Proszę nam je oddać! — I wyniósł sprzęt z powrotem na dwór.

— Weźcie sobie te śmierdzące pieniądze! — huknął właściciel. — Nic nam po nich!

Jego żona wepchnęła nam banknoty z powrotem do kieszeni, a sklepikarz jeszcze raz odebrał nam sprzęt, trzasnął drzwiami i zamknął się w sklepie na klucz. Na tym koniec. Słynne *caves de monsieur* Besse pozostały nie sfilmowane — przynajmniej przez nas.

W połowie czerwca było w Paryżu upalnie i wilgotno. Wypatrywaliśmy na horyzoncie burzy, która przyniesie ochłodzenie, ale robiło się tylko coraz skwarniej. A właśnie rozpoczynaliśmy najważniejszy w moim mniemaniu etap całej ekspedycji, operację pod hasłem „Jak upiec francuskie pieczywo".

Gorąco w środku utrzymanej w średniowiecznym stylu piekarenki Poilâne, gdzie pracowaliśmy któregoś dnia od ósmej rano do siódmej wieczorem, było wprost nie do wytrzymania. Kręciliśmy każdy etap pieczenia chleba: od przygotowania zakwasu aż do momentu wsuwania okrągłych bochenków do pieca na długich drewnianych łopatach, wyjmowania ich i studzenia ogromnych, złocistych, cudnie aromatycznych chlebów. Z tego, co wiedziałam, cały proces pieczenia prawdziwego francuskiego chleba nigdy wcześniej nie został sfilmowany.

Kilka dni później nasz wspaniały nauczyciel piekarstwa Raymond Calvel, *professeur de boulangerie* w École Française de Meunerie, dał mi podobną lekcję robienia krok po kroku bagietek. Spędziliśmy w jego laboratorium całe popołudnie. Na dworze grzmiało, strzelały pioruny i spadały ciężkie krople deszczu. Calvel ugniatał, formował i nacinał ciasto — a ja dokładnie powtarzałam jego ruchy. Był to ważny, triumfalny moment przekazywania jednej z najstarszych podtrzymujących życie tradycji ludzkości. Modliłam się, żeby udało nam się uchwycić go na filmie.

Z Paryża przenieśliśmy się do Rouen, żeby nakręcić jeszcze jeden z moich ulubionych rytuałów, przyrządzanie prasowanej kaczki w La Couronne, restauracji, która zawsze będzie mi przypominać mój pierwszy posiłek we Francji. Uprzedziliśmy właściciela, *monsieur* Dorina, że gdy zaczniemy kręcić, choćby nie wiem co, nie będzie żadnych przerw. Wzruszył ramionami, obiecał, że przytrzyma personel do późna, i oświadczył: „Zostanę z wami jutro do południa, jeśli będzie trzeba".

Planowaliśmy zjeść w restauracji kolację i zacząć filmowanie po wyjściu ostatniego gościa, czyli około północy.

Po południu kamerzysta poinformował nas, że okropnie boli go lewa noga. Przyznał, że cierpiał od początku wyprawy, ale o tym nie wspominał. A teraz trzeba go było zabrać do szpitala! Wpadliśmy w panikę. Bez niego nici z filmowania. Co robić?

Postanowiliśmy nic nie mówić Dorinowi i nie odwoływać wieczornej rezerwacji w La Couronne. Delektując się kolejnymi etapami kolacji z kaczką w roli głównej, wszyscy nasłuchiwaliśmy dzwonka telefonu. Wreszcie zadzwonił. Lekarze odkryli, że jeden z kręgów kręgosłupa Petera uległ przemieszczeniu (przypuszczalnie od podnoszenia ciężkiej kamery), drażniąc nerw kulszowy. Peter dostał zastrzyki i pigułki oraz radę, aby poszukał sobie innej pracy.

W piekarni Poilâne

Chwilowo uwolniony od bólu, wziął się do roboty. Ustawił światła, kamerę i poprzesuwał meble niczym atleta.

Dla lepszego efektu postanowiliśmy rozpalić ogień w średniowiecznym kominku, gdzie miały się piec na rożnie trzy roueńskie kaczki (Dorin podawał dziennie trzydzieści kaczek; opiekanie na rożnie trwało tak długo, że najczęściej pieczono je w kuchni). Powietrze, rozgrzewając się w kominku, obracało skrzydełka przypominającego wentylator urządzenia w kominie, połączonego łańcuchem z rożnem, dzięki czemu ptak powoli kręcił się przy ogniu. Poniżej umieszczona była metalowa rynienka, do której spływał tłuszcz, używany do podlewania mięsa.

O wpół do pierwszej w nocy kaczki były upieczone, a my zaczęliśmy pokaz. Dorin był zrelaksowany i bezpośredni w swojej prezentacji jak prawdziwy telewizyjny weteran. Zadawałam mu pytania naprowadzające, a on odpowiadał po angielsku z francuskim akcentem, zręcznie dzieląc kaczkę na części. Peter filmował nas z różnych perspektyw i odległości. Willie nagrywał każdy dźwięk, od trzaskania ognia do skwierczenia piekącego się kaczego mięsa i innych odgłosów, jakie można było usłyszeć, gdy srebrna prasa miażdżyła korpus. Gdy skończyliśmy, wielki stary zegar na zewnątrz wybił piątą rano. Niebo na wschodzie zaczęło się rozjaśniać. Piały koguty, a łagodny wiaterek chłodził nasze spocone, zarumienione twarze. Rozpierała nas radość, bo wiedzieliśmy, że właśnie nakręciliśmy jedną z naszych najbardziej udanych sekwencji.

Po drzemce Paul, Ruthie i ja pojechaliśmy do miasteczka Thury-Harcourt niedaleko Caen, żeby sfilmować „Wszystko o flaczkach" w restauracji specjalizującej się w tym interesującym daniu. Stamtąd mieliśmy udać się do starego opactwa w Aulnay, gdzie nakręcimy reportaż o camembercie. Naszą misję zakończymy przyjęciem w Caen, a ekspedycję „Francuskiego szefa kuchni" do Francji będzie można uznać za zakończoną.

Po przybyciu do Thury-Harcourt dostaliśmy wiadomość: „Jak najszybciej zadzwońcie do Hôtel de la Grande Horloge w Rouen". Wykręciliśmy numer, ciekawi, czego zapomnieliśmy. Słuchawkę podniósł David, nasz reżyser: „Peterowi znów się pogorszyło i nie może pracować. Tabletki i zastrzyki nie działają. Daniel właśnie odwozi go do Paryża, Peter poleci do domu do Amsterdamu i pójdzie prosto do szpitala".

Puff! No to koniec. Nici z flaczków, camemberta i imprezy w Caen. W kilka minut ekipa „Francuskiego szefa kuchni" rozpierzchła się na wszystkie strony. Tymczasem ja i Paul czuliśmy się jak para papug wypuszczonych z klatki: „Co teraz?".

II. NIESNASKI

Napisanie w telewizyjnym harmidrze wstępu do drugiego tomu graniczyło z niemożliwością, dlatego kiedy redaktorzy „McCall's" zwrócili się do nas z pytaniem, czy mogliby sfotografować mnie i Simkę w trakcie wspólnego gotowania, odmówiłam. Po prostu nie miałam czasu ani energii.

Zespół z „McCall's" i tak przyjechał do La Pitchoune, kiedy kręciliśmy nasze dokumenty w terenie. Magazyn wynajął francuską dziennikarkę — specjalistkę od kulinariów, która nadzorowała przyrządzanie dań z tomu drugiego, i zatrudnił Arnolda Newmana do ich sfotografowania. Poznałam tę kobietę w paryskim mieszkaniu Simki. Ona była czarująca, a ja nieugięta: „Skończyłam pracę nad książką. Teraz cały czas i energię

poświęcam telewizji. Niczego dla «McCall's» n i e ugo-
tuję. Poza tym mój mąż zrobił już setki świetnych zdjęć.
Nie widzę powodu robienia kolejnych".

Sytuacja wcale nie była prosta. Knopf chciał zwiększyć zainteresowanie książką, co zupełnie zrozumiałe,
a „McCall's" oferował *cover story*, która mocno pchnęła-
by nas naprzód. Czułam się lojalna wobec naszego wydawcy i Simki. Ale byłam wypompowana, podobnie jak
Paul, którego irytowało w dodatku, że z jakiegoś nie-
wiadomego powodu odrzucono jego znakomite skąd-
inąd prace (przede wszystkim w redakcji „McCall's"
nastąpiły wielkie przetasowania i redaktorzy, którzy
zatrudnili Paula, już tam nie pracowali).

— A może w ogóle uciekniymy z Maleństwa i wy-
bierzmy się na dwutygodniową wyprawę w Masyw
Centralny? — zasugerował.

— Nie dam się wygonić z własnego domu tym
dziennikarzom! — wrzasnęłam.

Pojechaliśmy wolno bocznymi drogami w stronę
wybrzeża.

* * *

Niedziela. La Pitchoune. Kluczyki od naszego samochodu z wypożyczalni gdzieś się zapodziały, a mieliśmy zawieźć Simkę i Jeana na dworzec w Cannes. Martwiłam się o Simkę — po ośmiu latach poszła wreszcie do lekarza, który stwierdził, że ma ona problem
z zastawką serca i traci słuch. Zalecono jej „radykalną"
zmianę trybu życia. Trudno było to sobie wyobrazić,

ale moja na ogół żywiołowa przyjaciółka zauważalnie straciła ochotę do życia. Tymczasem nasz domek tonął w powodzi kabli, pudeł, reflektorów i innych fotograficznych parafernaliów (wiedziałam, że gdzieś pośród nich muszą być i nasze kluczyki!). Arnold Newman i zespół ludzi z „McCall's" tłoczyli się w moim salonie, przekonani, że wreszcie udało im się zmusić Julię Child do udziału w kolejnej sesji fotograficznej.

— Wykluczone! — wrzasnęłam.

Paul spiorunował wzrokiem Patricka O'Higginsa, jednego z redaktorów magazynu, i wycedził: „Julia od początku wyraźnie mówiła, co o tym sądzi".

Simca głośno zawyła, zaniosła się płaczem, popatrzyła na mnie ze zbolałą miną i wykrzyknęła: „Z całej duszy pragnęłam, żeby nasze zdjęcie pojawiło się na okładce — a ty mi mówisz: «Dosyć zdjęć!». Jak możesz mnie tak traktować?!".

Zaniemówiłam. Usłyszałam od niej coś takiego pierwszy raz w naszej dwudziestoletniej współpracy. Może ten wybuch był emocjonalną reakcją na jej problemy z sercem i słuchem. Tak czy inaczej wplątałam się w niemożliwą sytuację. Przez parę minut gotowałam się ze złości, a potem ustąpiłam. Przez resztę popołudnia stałyśmy z Simką w różnych pozach, a Newman pstrykał kolejne ze stu siedemdziesięciu pięciu tradycyjnych portretów w typie „spójrz w obiektyw".

Nazajutrz niezastąpiona Jeanne Villa zabrała Patricka O'Higginsa na Marché aux Fleurs w Grasse i kupiła cały samochód kwiatów i warzyw do udekorowania jadalni w restauracji Rancurela po drugiej stronie rzeki. Chcieliśmy zaaranżować serdeczną *fête champêtre*, wiejską fetę, jako tło dla dań z tomu drugiego, które Rancurel i Boussageon mieli ugotować, a Newman sfotografować. Żeby stworzyć odpowiednią atmosferę, zaprosili na posiłek miejscowych. Jedną „parę" stanowili Jeanne i Laurent. Dołączyli do nich budowlaniec Cantan, stolarz Lerda oraz elektryk Ceranta z żonami, plus kilkoro innych. Wszyscy lekko się wstawili, wyli ze śmiechu, opowiadali sprośne kawały, pochłaniali góry jedzenia i głośno śpiewali. Dzieciaki w kuchni podkradły się do tortu i wsadziły palce w bitą śmietanę.

III. SEANS FILMOWY

Doskonalenie się we francuskiej sztuce kulinarnej, tom II, ukazało się 22 października 1970 roku, dziewięć lat po tomie pierwszym. Knopf zdecydował się na pierwsze wydanie w nakładzie stu tysięcy egzemplarzy, a ja i Simca odbyłyśmy szybkie *tournée* promocyjne po kraju. Około dwóch tygodni po premierze książki w stacjach PBS w całym kraju wystartowała nasza nowa, kolorowa seria programów „Francuskiego szefa kuchni" wzbogaconych o materiały, które nakręciliśmy we Francji. Pierwszy odcinek był o *bouillabaisse* i zebrał w większości przychylne opinie. Kapitalny sposób, żeby zwrócić uwagę na książkę!

Pierwsze oznaki kłopotów pojawiły się w styczniu 1971 roku, kiedy Judith Jones poszła na uroczysty obiad na Manhattanie. Traf chciał, że obok niej siedział lekarz

ze szpitala Mount Sinai, który wspomniał, że pracuje w zespole badającym potencjalne właściwości rakotwórcze azbestu. W głowie Judith zadzwonił dzwoneczek: „Azbest… Mhm… Rany boskie, w drugim tomie Julia zaleca wykorzystanie w domowym piecu piekarskim płyty z azbestocementu!".

Właśnie. Następnego dnia Judith zadzwoniła do szpitala i odnalazła kierownika zespołu badań nad azbestem. Nie tłumacząc, dlaczego ją to interesuje, zapytała o wyniki badań. Doktor odpowiedział mniej więcej tak: „Mamy powody przypuszczać, że może istnieć związek przyczynowy między określonymi typami raka a azbestem, zalecamy więc, by w ogóle odstąpić od używania go w kuchni. Azbestocement może być mniej szkodliwy od zwykłego azbestu, ponieważ jest to kompozyt, ale nie chcemy stawiać hipotez, dopóki nie dokończymy badań".

— A jak długo to może potrwać? — zapytała Judith.

— Około pięciu lat — odparł lekarz.

Judith podziękowała, odłożyła słuchawkę i natychmiast zadzwoniła do nas do Cambridge.

Katastrofa! Zarekomendowałyśmy już wykorzystanie płytki z azbestocementu w książce, a za kilka dni miałyśmy kręcić dwa odcinki programu o pieczywie. Nie mogłyśmy polecić użycia potencjalnie kancerogennej płyty w naszym zaimprowizowanym piecu piekarskim! Co tu robić?

Miałyśmy osiem dni na znalezienie substytutu. Nowa płyta musi być w miarę tania i dostępna dla przeciętnego Amerykanina, dość mocna, żeby wytrzymać wysoką temperaturę i nie pęknąć, kiedy poleje się ją zimną wodą, odpowiednia do bochenków i piekarników różnych rozmiarów, do tego niezbyt ciężka, a jej powierzchnia musi być wypalona w wysokiej temperaturze (powyżej 1200 stopni) dla zabezpieczenia przed zatruciem ołowiem.

Przy Irving Street 103 Paul godzinami wypróbowywał najrozmaitsze płyty różnej wielkości, grubości i w różnych cenach: płytki silikonowo-karbidowe po 19 dolarów sztuka, szkło pyreksowe za 14,50 i płytki łupkowe za 5,15 dolara. Pierwsze dwie były za drogie, a łupek rozpadł się w piekarniku pod wpływem gorąca.

W piątkowy wieczór 5 lutego upiekłam chleb na trzech różnych płytkach: kamiennej płycie podłogowej, płytce pokrytej szylkretem oraz na kawałkach cegły ogniotrwałej. Chleb upieczony na wszystkich trzech był wyśmienity. Żadna nie pękła. Hurra!

Potem odbyłyśmy długą rozmowę z doktorem Rothschildem, ekspertem od zatruć ołowiem ze szpitala Sloan-Kettering. Nie dość, że był uroczym człowiekiem i skrupulatnym naukowcem, to jeszcze razem z żoną zdążył przeczytać tom drugi, kupić arkusz azbestocementu i upiec doskonałą bagietkę. Powiedział nam, że nie sądzi, aby azbestocement stanowił większe (jeśli w ogóle) zagrożenie, ale obiecał to zbadać.

Nagrywając pierwszy z programów o pieczywie, postanowiłyśmy nie wspominać na antenie o azbestowej płycie i po prostu zasugerować, aby widzowie użyli zwykłych czerwonych płytek podłogowych. Judith doszła do wniosku, że podobnie zrobi z książką. W kolejnych wydaniach drugiego tomu wprowadziła kilka poprawek, w tym dyskretnie zmieniła azbestocement na ceramiczną, względnie kamienną płytkę podłogową. Nie dostałyśmy żadnych listów w tej sprawie. Nie mam pojęcia, czy ktoś to w ogóle zauważył. Zaczęłam podejrzewać, że przepis na francuskie pieczywo, nad którym pracowałam najciężej, to zarazem ten, który najmniej ludzi zechciało wypróbować!

Oba programy wypadły całkiem nieźle, choć na planie nie obyło się bez alarmów. Nad scenografią wisiało sześćdziesiąt pięć rozgrzanych do białości lamp, które paliły jak saharyjskie słońce. Przede mną stało w szeregu kilka misek z rosnącym ciastem, które miały obrazować kolejne fazy rośnięcia ciasta. Ale ciepło z reflektorów pobudziło drożdże do rozmnażania i ciasto zaczęło rosnąć — jak na drożdżach. Potem, w środku ujęcia, zapodziałam gdzieś okulary do czytania i nie widziałam etykietek na miskach. Paplałam dalej, ale do demonstracji wybrałam nie tę miskę ciasta co trzeba. Kiedy zaczęłam je ugniatać, nie zachowywało się tak, jak powinno. Ale zaszłam za daleko w objaśnianiu, więc musiałam jakoś przebrnąć przez tę scenę. À la fin, bochenki wyrosły idealnie tuż przed włożeniem do piekarnika i wszystko zmieściło się dokładnie w 28 minutach i 57 sekundach.

Uff!

Nie było jednak czasu na odpoczynek. Przed nami kolejny program — i następny: „Wariacje na temat pizzy", „Ciasto czekoladowe", „Prasowana kaczka", „Praca z czekoladą" itd. To była gorączkowa wiosna, całkowicie zapełniona próbami i kręceniem po dwa odcinki na tydzień „Francuskiego szefa kuchni" oraz przeglądaniem materiałów zrobionych we Francji.

W maju 1971 roku wyrwałam się z Paulem z wiru pracy telewizyjnej do ciszy i spokoju La Pitchoune. Nasze lądowanie w Nicei uczciliśmy tradycyjnym lunchem w restauracji na lotnisku. Jedzenie było wyborne, wino podobnie, takoż i obsługa. Aaach! Gdzie indziej na świecie znajdziesz lotniskowe jedzenie takiej jakości? Jak zawsze ten rytualny posiłek oznaczał wewnętrzną zmianę biegów: przypominał nie tylko, byśmy zwolnili, ale też otwarli zmysły na nowe doznania. „Nie jesteście już w USA, dzieci — zdawał się mówić. — Jesteście tutaj, w *la belle France*! *Faites attention*! Uważajcie!"

Plan był taki, że spędzimy tydzień lub dwa na wędrowaniu po Lazurowym Wybrzeżu, ale gdy tylko rozgościliśmy się w naszym kochanym domku, zapadła decyzja, że nigdzie się nie ruszamy. Nasz zapał do życia był na wyczerpaniu. Potrzebowaliśmy pomieszkać tu incognito, nie robić nic prócz spania do późna, jedzenia do syta i delektowania się kukaniem kukułek i zapachem wsi. Byliśmy tak nakręceni, że przez co najmniej tydzień musieliśmy przystosowywać się do otaczającego nas spokoju!

Maleństwo było zimne i ciemne jak jaskinia. Kilka godzin minęło, zanim udało się włączyć kaloryfery, wymieść pajęczyny i wymienić przepalone żarówki. Stolarz i kamieniarz zrobili, co do nich należało, ale wciąż czekaliśmy na hydraulika i elektryka. Gdy się wreszcie stawili, usłyszeliśmy, że nasza nowa zmywarka jest niedostosowana do napięcia sieciowego i brakuje w niej kilku części. Święta Wniebowstąpienia i Zielone Świątki były tuż-tuż, więc o żadnej robocie przez najbliższe dni nie było mowy. Trudno! Duże nowe miejsce do parkowania u szczytu podjazdu wyglądało wspaniale, a za kamiennym murem kiełkował rozmaryn. Ostatnia zima, jak na tę część Prowansji, była wyjątkowo ostra. Wszystkie mimozy i sporo innych roślin poprzemarzały częściowo bądź w całości; teraz ocaleńcy puszczali jasnozielone pędy, a ogromnych pomarańczowych i żółtych pąków róż było bez liku.

Przed naszym przyjazdem „International Herald Tribune" opublikował artykuł dawnego kolegi Paula z ambasady w Paryżu, który napisał o naszej znajomości sprzed lat i o tym, jak znaleźć La Pitchoune. Było to irytujące, zwłaszcza kiedy dwie grupy amerykańskich turystów i kanadyjska rodzina w minibusie podjechali niemal wprost pod nasze drzwi, żeby o nas zapytać. Jeanne i Laurent mówili na nasze polecenie, że „Childów nie ma". Jak na razie działało.

Z dwóch naszych programów, „Szpinakowe bliźniaki" (nakręconego w La Pitchoune) oraz „Klops" (sfilmowanego u rzeźnika Boussageona), zleciliśmy zrobić kolorowe i udźwiękowione filmy na taśmie 16 mm. Któregoś wieczoru zaprosiliśmy na filmowy wieczór grupę miejscowych. Na widowni znalazło się około tuzina osób, w tym Jeanne Villa, państwo Boussageonowie, państwo Lerda, Umberto, Gina, Fischbacherowie i inni. O dziewiątej, tuż przed zgaszeniem świateł, w powietrzu dało się wyczuć lekkie napięcie: nasi goście nie przywykli do odwiedzin u Amerykanów i przypuszczalnie nigdy przedtem nie widzieli siebie na ekranie. Wszyscy uśmiechali się ze skrępowaniem i siedzieli na krzesłach sztywno, jakby kij połknęli. Światła przygasły, a goście, zastygli w bezruchu, oglądali mnie, Simkę oraz samych siebie w ujęciach nakręconych w ł a ś n i e t u t a j.

Zapaliły się światła, podaliśmy szampana i raptem wszyscy się rozgadali. Co ciekawe, kobiety ledwo zmoczyły usta, podczas gdy każdy z mężczyzn pozwolił sobie na co najmniej trzy albo cztery lampki szampana.

Kwadrans przed północą byliśmy gotowi do snu, nasi goście, którzy wcześnie wstawali, zapewne też. Nie wiedząc jednak, co mówi *savoir-vivre* w kwestii wychodzenia z przyjęcia, po prostu siedzieli w oczekiwaniu na jakiś tajemniczy sygnał. Tylko co może nim być? W końcu Paul zaciągnął Jeana Fischbachera do kuchni i szeptem poprosił, żeby dał przykład i wyszedł jako pierwszy. Wchodząc do salonu, Jean oświadczył tubalnym głosem: „Dziękujemy bardzo, to był wspaniały wieczór!" i poprowadził Simkę do drzwi, a cała gromada podniosła się z miejsc jak jeden mąż i w wesołym rozgardiaszu wysypała się na dwór.

ROZDZIAŁ DZIEWIĄTY
Z kuchni Julii Child

I. *MA CHÉRIE*

W czerwcu 1971 roku czasopismo „Réalités" przysłało do La Pitchoune ekipę dziennikarsko-fotoreporterską, która miała przeprowadzić ze mną wywiad. Mając w pamięci urazę Simki w związku z artykułami w „Vogue" i „McCall's", nalegałam, aby moja przyjaciółka była obecna na lunchu. Ważne, abyśmy zostały pokazane jako pracujące wespół. Tak czułam.

— Simca przejedzie przez ten wywiad jak czołg Pattona — niewinnie, to pewne, ale z totalnym egocentryzmem — ostrzegł mnie Paul. — A przecież nawet nie wypróbowała twoich przepisów, choćby na bagietkę. Niewiarygodne!

— To nie do końca prawda — odparłam. — Ale fakt, nigdy nie brała mnie poważnie jako kucharki.

Westchnęłam. Simca to moja „francuska siostra". Uwielbiałam jej werwę, zapał twórczy i byłam wdzięczna za hojny dar w postaci La Pitchoune. Jednak dystans między nami stale rósł, to nie ulegało wątpliwości. Może tak musiało być. Nazywałam ją La Super-Française częściowo dlatego, że reprezentowała starą szkołę: miała niezmienne poglądy, nikogo nie słuchała i zawsze mówiła ci, co jest czym. Toteż nie było

445

mowy o przerzucaniu się pomysłami czy choćby prawdziwej rozmowie.

Kilka miesięcy później, w obecności Judith Jones, otworzyłam w kuchni w Cambridge list od Simki. Krytykowała w nim jeden z przepisów z tomu drugiego tymi mniej więcej słowami: *„Ce n'est pas français!* Wy, Amerykanie, nigdy nie zrozumiecie, że my, Francuzi, nie używamy tłuszczu z wołowiny do podlewania mięsa!"*.

Przez lata ignorowałam obelgi i afronty ze strony Simki, ale teraz zrobiło mi się niedobrze. Ten list przelał czarę goryczy. Wpadłam w taką furię, że rzuciłam go na podłogę i podeptałam.

— Dość tego! — nie wytrzymałam. — Nie dam się dłużej tak traktować!

Judith zmarszczyła brwi.

— Basta. Koniec współpracy!

Nigdy nie rozmawiałam z Simką szczerze o tej naszej scysji. Nie było potrzeby. Po tylu latach wspólnej pracy znałyśmy się na wylot. Wkraczałyśmy teraz w nowy etap życia, a nasze drogi się rozeszły. Moje wiodły do uczenia w telewizji i książek, jej do życia prywatnego i lekcji gotowania. Zawsze pozostanie jednak moją *adorable grande chérie bien aimée*, uroczą i wspaniałą, drogą przyjaciółką.

Simca miała sześćdziesiąt sześć lat i po dwudziestu dwóch latach profesjonalnego gotowania oświadczyła, że „potrzebuje wytchnienia". Ale odpoczynek nie był w jej stylu, poza tym Judith Jones zawarła z nią umowę

na napisanie książki. *Kuchnia Simki* miała być połącze-
niem historii o jej życiu z jadłospisami i przepisami z jej
ulubionych regionów Francji — Normandii (jej stron
rodzinnych), Alzacji (skąd pochodził Jean) i Prowansji
(gdzie razem mieszkali). Książka, jak napisała w przed-
mowie Simca, była przeznaczona dla tych, którzy „są
już trochę bardziej zaawansowani, uwielbiają gotować
i korzystać z przepisów autentycznej kuchni francuskiej". Znalazło się w niej także godne miejsce dla
wielu z jej przepisów, które nie zmieściły się w dwóch
tomach *Doskonalenia*.

Samodzielne napisanie całej książki okazało się
nie lada wyzwaniem, po części dlatego, że publikacja miała być napisana po angielsku i dla amerykańskich czytelników, a Simca nie władała angielskim tak
dobrze, jak jej się zdawało. Służyłam jej pomocnym
okiem i językiem, gdy tylko mogłam, ale nie angażo-
wałam się znacząco. W końcu do pomocy w tworzeniu
Kuchni Simki zatrudniono Patricię Simon, Amerykankę, która niedawno napisała o nas w „McCall's". Przy
dużej dozie zachęty ze strony Judith (której książka
była dedykowana) udało im się ją skończyć. Była to
bardzo francuska książka, która stawiała amerykańskim kucharzom wysoko poprzeczkę, ale też miała
swoisty urok i wprost kipiała kreatywnością Simki.
W kilku miejscach rozpoznałam też zdroworozsądko-
wy wpływ Jeanne Villi.

Kuchnia Simki wyszła drukiem w 1972 roku. Sprzedawała się przyzwoicie, ale nie tak dobrze, jak liczyła
Simca. Publikowanie to skomplikowana sprawa, a sła-

wa autora, niestety albo na szczęście, przekłada się na sprzedaż. Starałam się ją pocieszać, że nawet książka wielkiego Jima Bearda, *Beard na temat kuchni*, nie sprzedała się zbyt dobrze.

Od jakiegoś czasu Jim stał się regularnym gościem w La Pitchoune. Całkiem łysy, mierzący około metra dziewięćdziesięciu i ważący chyba ze sto trzydzieści kilo, był serdecznym, zabawnym człowiekiem o nadzwyczajnym podniebieniu. Ilekroć nurtowało mnie jakieś kulinarne pytanie, dzwoniłam do Jima, a on zawsze znał odpowiedź albo wiedział, kogo zapytać.

Kiedy przyjechał w styczniu 1971 roku do La Pitchoune, wyglądał na cięższego i bardziej zmęczonego niż zwykle. Od miesięcy niemal bez przerwy podróżował, prowadził pokazy kulinarne i zajęcia gotowania, a także pisał artykuły o kulinariach. Przyjechał do nas do Francji, żeby odpocząć. Zazwyczaj po kilku dniach wypoczynku i rekreacji w La Pitchoune odzyskiwał wigor, tym razem jednak nie mógł wrócić do formy. Zatroskani, zawieźliśmy go do Grasse, gdzie doktor Pathé powiedział mu bez ogródek: „*Monsieur* Beard, ma pan nadwagę i jest przemęczony. Musi pan poważnie zmienić tryb życia, inaczej czeka pana *une crise cardiaque*, atak serca!". To napełniło Jima lękiem i pomogło zrzucić prawie trzydzieści kilo w ciągu sześciu miesięcy.

W październiku umówiliśmy się z nim na lunch w Nowym Jorku. Tego dnia o czwartej trzydzieści rano obudził Jima ostry ból w piersi. Leżał w łóżku, ciężko dysząc, nie mając odwagi się poruszyć, aż wreszcie przyjaciel zmusił go do zadzwonienia po lekarza. Prędko zawieziono go do szpitala i podłączono do urządzenia, które prawdopodobnie uratowało mu życie.

Mało brakowało. Byliśmy już w wieku, kiedy nasi najstarsi i najlepsi przyjaciele zaczynali, jak to się mówi, przenosić się do wieczności. Latem zmarł Paul Mowrer, nasz ukochany przyjaciel z czasów paryskich.

Żeby uprzedzić to, co i tak prędzej czy później nas dopadnie, poszliśmy z Paulem na coroczne badania. Miałam pięćdziesiąt dziewięć lat, a lekarz orzekł, że jestem w dobrym zdrowiu. Paul, wówczas sześćdziesięciodziewięcioletni, usłyszał: „Pański elektrokardiogram można zamieścić w podręczniku medycyny. Jest pan w wyśmienitym stanie". (To się nazywa dobry lekarz!).

W czerwcu 1972 roku Jim ponownie przyleciał na wypoczynek do La Pitchoune, tym razem z Norwegii, po której podróżował, doradzając Skandynawom, jak zadowolić amerykańskie podniebienia. Mieszkał w Le Mas Vieux, po części dlatego, że tamtejsze sypialnie były bardziej w jego rozmiarach niż nasze, po części, żeby dotrzymać towarzystwa Simce.

Simca złamała prawą nogę i od czterdziestu dni była unieruchomiona w domu na wózku inwalidzkim. Miała straszną chandrę i rozpaczliwie tęskniła za ludźmi i świeżym powietrzem.

W wieczór przyjazdu Jima była przecudna pogoda, a w tle słychać było donośne, chóralne kumkanie żab.

Jeanne wyczarowała ślicznego kurczaka z estragonem. Przy stole rozmawiało nam się świetnie, głównie o jedzeniu. Po pewnym czasie zwykle surową i poważną Simkę raptem ogarnęła dziewczęca radość życia.

Co rano Jim sunął powoli przez pole do Maleństwa na śniadanie, w ogromnym, wzdętym jak żagiel japońskim kimonie. Siadywaliśmy na tarasie w cieniu drzewa oliwnego, popijając chińską herbatę, zajadając owoce i gawędząc o gotowaniu, restauracjach i winie. Jim wiedział, co porabia każdy w kulinarnym świecie, i przekazywał nam, wiejskim kmiotkom, najświeższe ploteczki z wielkiego miasta.

Któregoś przedpołudnia zapakowaliśmy się wszyscy do naszego małego francuskiego samochodu z wypożyczalni — Paul za kierownicą, Jim usadowiony niczym Budda obok niego (nadal w kimonie), a ja ściśnięta jak akordeon na tylnym siedzeniu. Ruszyliśmy w podskokach w dół naszego starego, pobrużdżonego podjazdu (takie drogi w czasie wojny nazywano drogami „pod łazik"), pokonaliśmy zakręt i jechaliśmy dalej, pod górę do Plascassier. Paul poszedł na miejscowe wysypisko wyrzucić śmieci z wielkich papierowych toreb, ja tymczasem kupiłam u Boussageona dwa króliki, a Jim prowadził pogawędki z przechodniami, z których wielu znał z poprzednich wizyt. Następnie pojechaliśmy do Grasse.

Cóż za bajeczne miasto! Jim i ja kupowaliśmy owoce na Place aux Aires, a Paul pstrykał fotki swoim niezawodnym rolleifleksem. Przespacerowaliśmy się wolno ruchliwymi średniowiecznymi uliczkami, chłonąc

450

pokłady historii, zapachy i dźwięki. Wróciliśmy do samochodu obładowani brzuchatymi siatkami na zakupy. Nietrwałe produkty przełożyliśmy do „podróżnej lodówki", dużego pudła ze styropianu, wyłożonego torebkami z lodem w kostkach — świetny sposób na przechowywanie świeżych ryb i zieleniny w upale! Po południu duet Gigi eksperymentował w kuchni z ciastem z mąki i piwa, które było przeznaczone do smażenia w głębokim tłuszczu wielkich pomarańczowych kwiatów cukinii. Wypadły cudownie i chrupiąco.

II. SZEF

Raz do roku urządzano w Paryżu fascynujący konkurs kulinarny: zwycięzca otrzymywał dożywotnie prawo stawiania przed swoim nazwiskiem skrótu MOF. Te magiczne literki znaczyły tyle, co *„Meilleur Ouvrier de France"* — w wolnym tłumaczeniu „Najlepszy szef kuchni we Francji". W opartym na rywalizacji i ścisłej hierarchii świecie *la cuisine française* po prostu nie mógł cię spotkać większy zaszczyt. Zadaniem uczestników było przygotować kompletny posiłek zaczerpnięty z klasycznego repertuaru. Każdy gotował te same dania, a menu ogłaszano na tydzień przed konkursem, aby nie było niespodzianek. Zmagania trwały większą część dnia i były otwarte dla wszystkich kucharzy, którzy ośmielą się zmierzyć z najlepszymi we Francji. W jury zasiadała grupa zwycięzców poprzednich edycji oraz uznanych kucharzy. Obserwowali oni każdy etap przygotowania potraw i oceniali nie tylko ich smak, ale i sposób prezentacji. Konkurs miał zagorzałą publiczność i był szeroko komentowany w mediach. Tytuł MOF w świecie gastronomii uchodził za bardziej prestiżowy niż doktorat w świecie akademickim, ponieważ w konkursie kulinarnym wyłaniano tylko jednego zwycięzcę.

W tamtym roku, 1972, startowało czterdziestu ośmiu uczestników, a zwycięzcą okazał się nie kto inny jak Roger Vergé, szef kuchni w Le Moulin de Mougins. Wspaniała nowina — dla niego i dla nas! Moulin było naszą ulubioną restauracją na całym Lazurowym Wybrzeżu, a może i w całej Francji, no i znajdowało się o rzut beretem od La Pitchoune.

Vergé, kulinarna gwiazda, spędził trochę czasu w Stanach i wiedział wszystko o Jamesie Beardzie (widział nawet odcinek czy dwa „Francuskiego szefa kuchni", o którym mało kto we Francji słyszał). Gdy tylko się dowiedział, że Jim jest w okolicy, zaprosił nas do siebie. Tak więc któregoś dnia Paul, Jim i ja pojechaliśmy do jego restauracji w Mougins, ulubionym przez artystów miasteczku na wzgórzu.

Vergé i jego żona Denise stanowili uroczą parę, najatrakcyjniejszą w gronie znanych nam sławnych szefów kuchni. Roger był mężczyzną po czterdziestce, miał gęste włosy i bujne, przyprószone siwizną wąsy, a także melodyjny głos. Był niespecjalnie wysoki i postawny, ale miał ogromną charyzmę. Jego osobowość czuło się w całym Moulin: w kuchni, w osobiście dobranej karcie win, w wyszkolonym przez niego, młodym personelu, w dobrze przemyślanej koncepcji sali

452

jadalnej i umiejętności codziennego wcielania swoich ideałów w życie (mało kto wiedział, że ten „kucharz gwiazd i artystów" oceniał ludzi po wyglądzie ich dłoni: jakiś prywatny przesąd kazał mu unikać ludzi o małych dłoniach — no, tym akurat nie musiałam się martwić!).

Madame Vergé, mała, ładna kobietka, sprawiała, że za każdym razem czułam się u nich mile widziana, nawet gdy szef kuchni był nieobecny. Zawsze tryskała energią, dbała o kwiaty w restauracji i prowadziła butik w Mougins, gdzie sprzedawała antyki, dekoracje stołowe i produkty dla smakoszy. Nad sklepem Vergé miał drugą restaurację, L'Amandier, i szkołę gotowania.

Moulin dostarczało niezwykłych i ze wszech miar satysfakcjonujących doznań. Zapytałam Vergé, jak stworzył takie miejsce.

Przez z górą rok, jak mi powiedział, szukał odpowiedniego budynku w odpowiednim mieście i regionie. Po tym, jak prawie zdecydował się na Aix-en-Provence i spędził tam parę miesięcy na badaniu bazarów, sieci komunikacyjnej i spodziewanej klienteli, w 1968 roku wybrał Le Moulin de Mougins. W budynku przez wiele lat mieściła się tłocznia oliwy, zanim przekształcono go w coś, co nazywało się *un cinq à sept* (wątpliwej sławy gospoda, do której pod wieczór, „od piątej do siódmej", mężczyźni zabierali swoje przyjaciółki). Państwo Vergé oczywiście wyremontowali budynek i gustownie go urządzili. Miał dwie duże jadalnie, spory bar i kilka pokoi na piętrze (już nie na godziny!). Cudownie było jeść na jednym z dwóch przestronnych tarasów przy

Z Vergé w jego restauracji

białym stoliku przykrytym obrusem z lnu, pod wielkim parasolem. Na tyłach restauracji rosło kilka bardzo wysokich i starych drzew oliwnych, a u stóp wzgórza rozciągała się porośnięta wierzbami dolina z wartko płynącym strumykiem.

Na lunch zjedliśmy homara z gęstym sosem z czerwonego wina. Gdy kończyliśmy kawę, Vergé wyszedł z kuchni i dołączył do nas na kieliszek szampana. Przedstawiliśmy Jima i od razu zaczęliśmy rozprawiać o jedzeniu — wyzwaniu, jakim jest zdobywanie gwiazdek od Michelina (miał dwie i walczył o trzecią), radościach i kłopotach związanych z prowadzeniem restauracji, utrzymywaniu równowagi w wydatkach na pensje, sprzęt kuchenny i wystrój sali. Wspomniałam o czymś, co mnie ostatnio dręczyło: „Odnoszę wrażenie, że od jakichś pięciu lat wasze słynne *poulets de Bresse*, francuskie kurczaki, nie są tak dobre jak kiedyś".

„*Oui*, to prawda — odparł. — Ale znalazłem jedno miejsce w L'Allier, gdzie ciągle jeszcze hodują dobre". Vergé oprowadził nas po kuchni i przedstawił uśmiechniętych pracowników, a potem otworzył drzwi ogromnej chłodziarki, wyciągnął z niej świeżego kurczaka z L'Allier, zawinął go w folię i nam podarował. Na koniec, w ostatnim geście życzliwości, nie pozwolił zapłacić rachunku.

Ja i Paul zaczęliśmy często widywać się z Vergém. Z czasem coraz bardziej utwierdzałam się w przekonaniu, że taki powinien być prawdziwy szef kuchni. Był żywym ogniwem łączącym nas z bohaterami przeszłości, należał do gastronomów, którzy budzili we mnie miłość do Francji i jej kuchni. I tak samo jak Curnonsky, mógł pochodzić tylko z Francji.

Któregoś wieczoru Vergé z żoną przyszli do nas na koktajl na tarasie La Pitchoune. Przywieźliśmy ze Stanów wielką szynkę z Virginii i mieliśmy nadzieję, że ta typowo amerykańska strawa wzbudzi ich zainteresowanie. Z części zrobiłam *jalousie au fromage et jambon de Virginie*, tartę z serem i szynką w cieście francuskim. Podaliśmy ją z butelką Dom Pérignon rocznik 1964, którą zostawił nam Jim Beard.

Sama dawno temu postanowiłam nie wchodzić w branżę restauratorską, ponieważ wymagało to bezgranicznego poświęcenia. Poza tym w restauracji jest się ograniczonym do gotowania tego, co w jadłospisie, a ja wolałam eksperymentować. A jednak często zastanawiałam się, „co by było gdyby", i byłam ciekawa, co pchało innych do gastronomii.

Zapytałam Vergégo, jak został restauratorem.

— Dorastałem w departamencie Allier z ośmiorgiem braci i sióstr. Jedzenie było dla nas ważniejsze aniżeli wszystko inne — zaczął. Okolicę zamieszkiwali typowi wieśniacy — hodowcy winorośli, drobiarze, serowarzy, sadownicy, rybacy, myśliwi, farmerzy, *marchands de bétail*, handlarze bydłem. Nie było kina ani telewizji, ani nawet zorganizowanych sportów, więc jedzenie i picie (i najwidoczniej seks) stanowiły ich główne rozrywki.

— Jeden z moich dziadków budził się o czwartej rano, wypijał filiżankę czarnej kawy i zjadał całego pieczonego kurczaka. Potem wypijał drugą kawę i zjadał następną kurę. Zauważcie, że robił to przed śniadaniem, żeby dobrze rozpocząć dzień… i to dzień w dzień!

Nie mogłam nie zauważyć, że Roger i filigranowa Denise w trakcie rozmowy spałaszowali każde po dwie gigantyczne porcje *jalousie*.

Niedziele u państwa Vergé były dniami prawdziwego ucztowania i gromadziły wszystkie pokolenia rodziny.

— Mama z ciotką wstawały o świcie i cały dzień gotowały — ciągnął. — Zaczynaliśmy jedzenie i picie około dziesiątej rano, a kończyliśmy dopiero koło siedemnastej.

O tej godzinie wszyscy mężczyźni maszerowali do wioski, gdzie przez godzinę, dwie pili w kawiarni aperitify. Kobiety zmywały i zabierały się do gotowania obiadu.

— Jeden z moich wujków — wówczas chyba siedemdziesięciopięcioletni — pijany jak bela zawsze spadał na podłogę. Kiedy wracaliśmy do ucztowania, ciotka brała coś ostrego i kłuła go w ucho. Po pewnym czasie wujek podnosił się z podłogi i dołączał do reszty! Te epickich rozmiarów niedzielne obiady ciągnęły się do północy.

— Wujek był bardzo krzepkim mężczyzną i dożył osiemdziesięciu czterech lat. Wszyscy w okolicy byli duzi — wiecie, rumiane twarze, silni ludzie, mocni robotnicy. W mojej rodzinie nie słyszano o odchudzaniu. Kiedy widzę niektórych chudzielców w mojej restauracji, jak dziobią jedzenie jak wróble, przypominam sobie naszą wioskę, gdzie wszyscy jedli kopy kiełbas, pasztetów, wołowiny, ryb, bażantów, gęsi, dziczyzny, kurczaków... Oczywiście nie za wiele warzyw. Głównie mięso.

— Nauczył się pan gotować od mamy i cioci?

— Stawiały ławkę zaraz przy kuchni, a ja wdrapywałem się na nią i się przyglądałem. Czasem mieszałem w garnkach albo przytrzymywałem rondel. Oczywiście próbowałem wszystkiego i słuchałem ich pogawędek. Gdy skończyłem siedemnaście lat, naturalną koleją rzeczy zacząłem terminować u szefa kuchni. Tak to się zaczęło.

III. ZGRYZOTA

W sierpniu 1974 roku w Prowansji było 37 stopni i bardzo parno. Pomimo kuracji z mrożonego szampana Jim Beard miał się bardzo kiepsko. Ale to Paul obudził się o czwartej rano, kaszląc i krztusząc się, z potężnym krwotokiem z nosa. Zatamowałam krwawienie, doprowadziłam go do porządku i zmieniłam pościel. Nazajutrz rano sytuacja się powtórzyła, a tuż przed lunchem dostał trzeciego krwotoku. Coś było nie tak. Zadzwoniliśmy do miejscowego lekarza, który doradził Paulowi okłady z lodu, trzymanie głowy w górze i kilka innych prostych środków zaradczych. Wszystko wróciło do normy.

Nigdy przedtem nie mieszkaliśmy w Maleństwie w sierpniu, ale tym razem zrobiłam sobie przerwę od pracy w TV i wykorzystywałam ją na pisanie nowej książki, *Z kuchni Julii Child*. Wieczorem urządziliśmy przyjęcie na tarasie. Było dziewięcioro gości, w tym amerykański autor książek kucharskich Richard Olney, znajomy Jima, który przyjechał ze swojego domu w Solliès-Toucas. Menu obejmowało *oeufs en gelée*, jajka w galarecie, pieczoną nogę jagnięcą, *haricots panachés*, fasolę łuskaną i szparagową oraz sery. W ramach deseru nastąpiło odsłonięcie długo-doskonalonej, wreszcie-zaprezentowanej-publiczności *tarte au citron*, która okazała się przebojem. Paul serwował wspaniałe wina, a jego nos zachowywał się poprawnie.

— Jasne, może to pani nazwać zawałem, jeśli pani chce, ale pod tym określeniem kryje się wiele znaczeń — powiedział lekarz. — Co go spowodowało?

Naprawdę nie wiemy, ale zrobimy wszystkie możliwe badania.

Był już październik, a my wróciliśmy do Cambridge. Paul przeszedł zawał mięśna sercowego, będący wynikiem postępującej choroby niedokrwiennej serca. Nie była to spektakularna zapaść, jakie widuje się na filmach, a raczej blokada tętnic, która zakradła się „na malutkich, miękkich łapkach, jak polna mysz".

Paul przypomniał sobie, że od około 1967 roku miewał silne bóle w klatce piersiowej, które jednak minęły. Lekarz, który go wtedy badał, powiedział: „Gratulacje, ma pan serce trzydziestoparoletniego sportowca". Po krwotokach w La Pitchoune w 1974 roku bóle zaczęły pojawiać się codziennie. Jesienią powiedział o nich naszemu bostońskiemu lekarzowi i został niezwłocznie wysłany na oddział intensywnej terapii, gdzie wykryto u niego zator dwóch naczyń wieńcowych. Lekarze przeprowadzili na nim nowy rodzaj operacji; wszczepiono mu bypass, do którego użyto żył pobranych z nóg. Po operacji Paul był obwiązany rurkami niczym *un pigeon désossé*, gołąb pozbawiony kości, i cierpiał przez wiele tygodni, przykuty do łóżka. W dodatku od czasu operacji (może wskutek niedokrwienia mózgu) miał mętlik w głowie. Mylił liczby i nazwiska, a jego piękne pismo zamieniło się w bazgroły.

Mój biedny mąż, który tak szczycił się podnoszeniem ciężkich walizek i ścinaniem drzew, nie cierpiał być słaby i zdezorientowany. Mnie też brała złość.

Jeździłam do szpitala codziennie, czasem nawet po dwa razy. Zostało mi jednak sporo pracy przy nowej książce — i całe szczęście! Praca zawsze nadawała kształt mojemu życiu, zmuszała do produktywności i pomagała utrzymać równowagę. Miałam niebywałe szczęście. Bez tak wymagającego projektu jak książka kucharska mogłam w tych ponurych miesiącach pobytu Paula w szpitalu zwyczajnie zbzikować.

Nowa książka zaczęła się jako coś w rodzaju *Książki kucharskiej francuskiego szefa kuchni* i była oparta na naszych siedemdziesięciu dwóch programach telewizyjnych. Gdy jednak zasiadłam do pisania, przeobraziła się w coś całkiem innego: osobistą dygresyjną opowieść, pełną refleksji snutych wokół przepisów oraz podsumowań dwudziestu pięciu lat w kuchni. Spośród moich książek ta była najbardziej osobista i najtrudniejsza. Może dlatego z czasem uznałam ją za swoją ulubioną.

Książka *Z kuchni Julii Child* była dla mnie w pewien sposób wielkim wyzwoleniem. Zawarłam w niej lekcje, których nauczyła mnie klasyczna kuchnia francuska, ale wyruszyłam też z moim kulinarnym *know-how* w nowych kierunkach. Z mocną zachętą ze strony Judith Jones zajęłam się indyjskim *curry*, nowoangielskimi zupami z owoców morza i belgijskimi ciasteczkami. Majstrowałam z nowymi gadżetami w rodzaju kuchenki mikrofalowej. Swoim zwyczajem zagłębiłam się w temat właściwej techniki gotowania jajek na twardo i rozmaitych sposobów robienia sufletów z ziemniaków (które bywają zdradliwe).

Miałam nadzieję, że czytelnicy będą korzystać z mojej książki jak z prywatnej szkoły gotowania. Starałam się nadać przepisom strukturę lekcji, w myśl idei, że nikt nie rodzi się świetnym kucharzem, ale uczy się przez działanie. Taka zawsze była moja rada: ucz się gotować, a więc próbuj nowych przepisów, wyciągaj wnioski z własnych błędów, bądź nieustraszona i przede wszystkim miej z tego zabawę!

Epilog

Paul zawsze czuł, że zamykanie La Pitchoune po każdym pobycie było „symboliczną śmiercią". Mnie wydawało się to potwornie ponure i w żadnym razie nie uważałam zamykania domu na kilka miesięcy za „śmierć". Dla mnie życie idzie do przodu, a wyjazd z La Pitchoune oznaczał tylko, że będziemy mieć dobry powód, żeby wrócić następnym razem. Tak też robiliśmy, rok po roku.

W 1976 Jean i Simca pozbyli się mieszkanka w Neuilly pod Paryżem i przeprowadzili na dobre do Le Mas Vieux. Simca każdego lata prowadziła tam kurs gotowania, głównie dla Amerykanów, którzy uwielbiali jej przystępne i autentycznie francuskie przepisy. Kilka lat później ona i Louisette napisały po dwie książki kucharskie.

Nadszedł czas, kiedy nasi najbliżsi przyjaciele i rodzina zaczęli odchodzić w siną dal. Charlie i Freddie zmarli na zawał. Jim Beard odszedł w 1985 roku, w wieku osiemdziesięciu jeden lat, Jean Fischbacher rok później, w wieku lat siedemdziesięciu dziewięciu. Simca, osamotniona w Le Mas Vieux, nie chciała przenieść się do domu opieki ani zatrudnić pielęgniarki.

Martwiłam się o *ma belle soeur*, ale ona, jak zawsze, nie słuchała niczyich rad.

„Często myślę o nas, bezdzietnych, pozbawionych wsparcia dzieci i wnuków — napisałam do Simki. — Na przykład Avis, która najpewniej ma przed sobą najwyżej rok życia z rakiem, ma wnuki, które robią jej zakupy. *Eh bien*, zaopiekujemy się sobą sami... co zresztą robimy, z powodzeniem. A jednak na tym etapie życia uświadamiam sobie ogromną różnicę między nami a tymi, którzy spłodzili potomków!" Zdarzały się chwile melancholii, kiedy żałowałam, że nie mam córki, której mogłabym się zwierzać.

My, kucharze, to jednak twardę plemię: Escoffier w końcu dożył osiemdziesięciu dziewięciu lat, a stary dobry Max Bugnard dziewięćdziesięciu sześciu. Może ja i Simca dobijemy do osiemdziesięciu pięciu, a może nawet do dziewięćdziesięciu.

Simca miała osiemdziesiąt siedem lat, kiedy w czerwcu 1991 roku przewróciła się w sypialni w Le Mas Vieux i złapała przeziębienie, które przeszło w okropne zapalenie płuc. Choć trzymała się siłą woli przez następne sześć miesięcy, w grudniu La Super-Française w końcu się poddała. „Straciliśmy wyjątkową osobę, która była dla mnie serdeczną i hojną siostrą" — napisałam z ciężkim sercem.

Paul nigdy w pełni nie przezwyciężył skutków kłopotów z sercem i powoli stawał się *un vieillard*, starcem. W 1989 przeżył serię udarów, które w połączeniu z kłopotami z prostatą sprawiły, że podróżowanie stało się udręką. Trzymał się dzielnie, ale los na starość go nie oszczędzał. Nie było sensu wyciągać go z łóżka o piątej rano, żebym mogła prowadzić pokazy i programy telewizyjne w Nowym Jorku czy Waszyngtonie, więc mocno ograniczyłam swój grafik podróży i pracy.

Podjęłam też decyzję. Bez Paula, z którym mogłam dzielić dom, i mojej *grande chérie* Simki, a także bez innych ulubionych przyjaciół i rodziny, najwyższa pora oddać La Pitchoune.

Ludzie byli zaskoczeni, kiedy mówiłam, że nie była to bardzo trudna ani emocjonalna decyzja. Nigdy nie byłam przesadnie sentymentalna. La Pitchoune to wyjątkowe miejsce, ale dla mnie jego serce przestało bić. Będę tęsknić bardziej za ludźmi, z którymi je dzieliłam, niż za samym budynkiem.

Poza tym Prowansja przestała być cichym schronieniem, które wszyscy tak kochaliśmy. Stała się koszmarnie droga (główka sałaty kosztowała w Cannes dwa razy tyle co w Cambridge), a na wybrzeżu zapanował tłok jak nigdy przedtem. Na wzgórzach mnożyły się domy, a kręte wiejskie drogi zatykały sznury samochodów i gigantyczne ciężarówki. W naszej wiosce Plascassier, która zawsze miała rzeźnika, piekarza, sklepiki z warzywami i elektryka, nie zostało śladu po małym biznesie. Wszyscy chodzili do wielkiego supermarketu u stóp wzgórza. Jak wiele lat temu słusznie przewidywał Paul, miejsce zamieniało się w południową Kalifornię. Mogłam je porzucić *sans regret*, bez żalu.

W czerwcu 1992 roku córka Dort, Phila, jej mąż i malutki synek przyjechali do mnie na ostatni, miesięczny pobyt w La Pitchoune. Dom przepełniały znajome zapachy i wspomnienia, ale zamiast się nad nimi roztkliwiać, wolałam być stale zajęta. Wpadali znajomi, rozgrywałam partyjkę golfa (mojego ulubionego sportu), chodziliśmy na długie spacery, robiliśmy zakupy i bardzo dobrze jedliśmy w Cannes, Nicei i Grasse. Woda w kranie miała niskie ciśnienie, więc zamiast się kąpać, musiałam myć ciało gąbką, ale do tego można przywyknąć. Co wieczór ustawiałam budzik na drugą nad ranem, abym mogła zadzwonić do Paula, który miał już dziewięćdziesiąt lat i mieszkał w domu opieki pod Bostonem.

Bez pośpiechu spakowałyśmy z Philą moją *batterie de cuisine*, obrazy i zdjęcia Paula i nasze szkła z Biot. Zostawiliśmy meble Simki i pozałatwialiśmy wszystkie sprawy prawne i finansowe, żeby oddać dom rodzinie Jeana — tak jak obiecaliśmy z Paulem prawie trzydzieści lat temu.

Nasz pobyt miał się ku końcowi, a ja byłam w dobrym nastroju, więc zaskoczyło mnie, kiedy Phila zaczęła płakać. Zapytałam, co się stało.

— Nic takiego, jestem tylko podenerwowana, bo to nasz ostatni raz tutaj — odparła.

— No tak — potwierdziłam. — Ale cudowne wspomnienia z Maleństwa zostaną z wami na zawsze.

— A ty nie będziesz tęsknić?

Wzruszyłam ramionami.

— Zawsze, kiedy coś się kończy, odchodzę bez żalu — *fin*!

W ostatnim dniu pobytu w La Pitchoune zaprosiliśmy na obiad grupę przyjaciół. Gdy włączyłam *cuisi-*

nière i przytknęłam zapałkę do palnika, zapalający się gaz wydał dramatyczne „puf!". Wszyscy się wystraszyli, a ja wybuchnęłam śmiechem. Potem przygotowałam *boeuf en daube à la provençale*, rewelacyjną wołowinę duszoną z winem, pomidorami i ziołami prowansalskimi. Mniam, mniam! Udany posiłek i stosowne pożegnanie przed spuszczeniem kurtyny.

Przed pójściem spać stanęłam na tarasie, upstrzonym cętkami cienia, który rzucała morwa. Na niebie, nad dachem krytym czerwoną dachówką, wisiał blady księżyc. Chłodny powiew muskał mi twarz i szeleścił liśćmi drzew na zboczu po drugiej stronie doliny. Upajałam się słodkim zapachem kwiatów, wsłuchiwałam w chór słowików i żab i czułam znajomą szorstkość kamyków pod bosymi stopami. Co za cudowne miejsce.

Następnego ranka przywitał nas klasyczny prowansalski dzień — słoneczny i chłodny, z przejmująco błękitnym niebem. Po śniadaniu przekazałam klucze do La Pitchoune siostrze Jeana. Potem wsiedliśmy do auta, które ostatni raz podskakiwało na zakurzonej, wyboistej drodze.

Próbowałam trzymać się wspomnień, ale było to równie beznadziejne jak chwytanie się snów. Trudno. Francja była moją duchową ojczyzną: stała się częścią mnie, a ja częścią jej, i tak już miało pozostać. Znowu szłam do przodu, ku nowym doświadczeniom, w nowych miejscach, z innymi ludźmi. Wciąż jeszcze tyle było do nauczenia i zrobienia — artykuły i książki do napisania, może jeszcze jeden czy dwa programy w te-

lewizji do zrealizowania. Chciałam nauczyć się łowić homary w Maine, odwiedzić rzeźnię w Chicago, uczyć dzieciaki gotować. Postrzegałam nasze przepisy jako swego rodzaju depozyt, święty zestaw zasad prawidłowego traktowania jedzenia, i czułam się w obowiązku przekazywać tę wiedzę dalej. Krótko mówiąc, apetyt wcale mi się nie zmniejszył!

Miałam niesłychane szczęście uczyć się pod kierunkiem wybitnych szefów kuchni w Paryżu. Od nich dowiedziałam się, dlaczego dobre francuskie jedzenie jest sztuką i tak wysublimowanym doświadczeniem smakowym, a także tego, że doskonały posiłek wart jest zachodu. Dobre rezultaty wymagają poświęcenia c z a s u i u w a g i. Jeśli nie użyjesz najświeższych składników albo nie przeczytasz najpierw całego przepisu i będziesz gotować na wyścigi, w efekcie otrzymasz pośledni smak i konsystencję — na przykład gumowy *beef wellington*. Pieczołowitość zaowocuje zaś wspaniałą feerią smaków, posiłkiem satysfakcjonującym pod każdym względem, a może nawet doświadczeniem, które zmieni twoje życie.

Dla mnie takim doświadczeniem była *sole meunière*, którą zjadłam w La Couronne w pierwszym dniu pobytu we Francji, w listopadzie 1948 roku. To było objawienie.

Przez wszystkie lata od tamtego soczystego posiłku nie zapomniałam zachwytu i emocji, które we mnie wzbudził. Wciąż jeszcze niemal czuję jego smak. I gdy sięgam wstecz pamięcią, on mi przypomina, że kuchnia — i życie — niesie nieskończone przyjemności — *toujours bon appétit*!

ZAMIAST DESERU,
CZYLI JAK POWSTAWAŁA TA KSIĄŻKA

W sierpniu 2004 roku usiadłem z Julią Child w jej
małym, kwitnącym ogrodzie w Montecito w Kalifornii,
żeby porozmawiać o jej życiu. Julia, chuda i lekko zgar-
biona, miała tego dnia więcej energii niż w ostatnich tygodniach. Byliśmy w trakcie wspólnego pisania niniejszej książki. Na moje pytanie, co pamięta z Paryża lat
pięćdziesiątych, odparła, że w Cordon Bleu nauczyła się
przyrządzać wszystko — od ślimaków aż po dziczyznę,
a dzięki zakupom we Francji poznała wartość *des relations humaines*. Ubolewała, że w jej czasach amerykańska gospodyni domowa musiała na przemian gotować
zupę i wygotowywać pieluchy. „Gdyby połączyła obie
te czynności, dopiero otrzymałaby wspaniałą mieszankę!" — dodała.

Koncepcja książki dojrzewała powoli od 1969 roku,
kiedy mąż Julii, Paul, zaczął przeglądać setki listów,
które z Julią pisywali do jego brata bliźniaka (a mojego dziadka), Charlesa Childa, z Francji w latach 1948–
1954. Paul wpadł na pomysł stworzenia z nich książki
o najlepszym dla obojga okresie ich życia. Książka jednak wówczas nie powstała, a Paul zmarł w 1994 roku
w wieku dziewięćdziesięciu dwóch lat. Julia nie zre-

zygnowała z pomysłu i często wspominała o zamiarze napisania „książki o Francji". Widziała to po części jako hołd dla męża — mężczyzny, który pierwszy porwał ją do Paryża.

Sam zawodowo zajmowałem się pisaniem i od dawna chciałem współpracować z Julią, ale ona, jako niezależny duch, przez lata uprzejmie się temu opierała. W grudniu 2003 roku ponownie wspomniała o „książce o Francji" z nostalgią w głosie, a ja jeszcze raz zaoferowałem jej pomoc. Miała dziewięćdziesiąt jeden lat i coraz bardziej podupadała na zdrowiu. „W porządku, skarbie, może rzeczywiście powinniśmy popracować nad tym razem" — powiedziała.

Moje zadanie było proste: pomóc Julii opowiedzieć jej własną historię. Nie zawsze przychodziło nam to łatwo. Choć miała wrodzony talent aktorski, była osobą skrytą. Powoli, krok po kroku, zaczęliśmy razem pracować, by w końcu znaleźć najbardziej efektywną metodę współpracy. Każdego miesiąca przez kilka dni siedziałem w jej salonie, zadawałem pytania, czytałem fragmenty listów i słuchałem jej opowieści. Z początku nagrywałem nasze rozmowy, ale kiedy Julia zaczęła stukać w magnetofon swoimi długimi palcami, zrozumiałem, że ją to rozprasza, i przerzuciłem się na notatnik. Im dłużej rozmawialiśmy o „staruszce Francji", tym więcej sobie przypominała, często z niezwykłą wyrazistością: „Ooch, te cudowne, pieczone maślane francuskie kurczaki, one były takie dobre — jak... kurczaki!".

Wiele naszych najwspanialszych rozmów odbyło się przy posiłku, w czasie przejażdżki samochodem albo odwiedzin na wiejskim targu. Coś budziło w niej wspomnienie i raptem opowiadała, jak nauczyła się piec bagietki w Paryżu albo gotować *bouillabaisse*, zupę rybną, w Marsylii, albo radzić sobie na francuskim przyjęciu: „Mów bardzo głośno i szybko i przedstawiaj swoje stanowisko z pełnym przekonaniem, jak robią to Francuzi, a będziesz miał prawdziwą frajdę!".

Niemal wszystkie słowa zapisane na tych stronach pochodzą od Julii lub Paula, jednak w związku z tym, że nie jest to praca naukowa, niekiedy łączyłem ze sobą ich głosy. Julia zachęcała mnie do tego, przypominając, że ona i Paul często podpisywali się pod listami jako „PJ" bądź też „Pulia", jakby byli dwiema połówkami tej samej osoby. Sam napisałem niektóre wstępy i łączniki, dbając o to, aby naśladować specyficzny dobór słów Julii — owe „Plask!", „Fuj!", „Rety!", „Hurra!". Gdy zebrałem wystarczająco dużo materiałów, pisałem kolejny fragment; ona go łapczywie czytała, poprawiała mój francuski i dopisywała drobnym, pochylonym w prawo pismem różne rzeczy, które przychodziły jej do głowy. Uwielbiała ten tryb pracy, a redaktorką była wymagającą. „Ta książka dodaje mi energii!" — mawiała.

Łączyło mnie z nią podobne poczucie humoru i apetyt. Julia twierdziła także, że wyglądam jak Paul, co przypuszczalnie ułatwiło nam współpracę. Sam byłem wdzięczny losowi za szansę odnowienia z nią znajomości i udziału w tak ciekawym projekcie. Niektórzy pisarze im więcej wiedzą o swoich współautorach, tym mniej ich lubią. Ja doświadczyłem czegoś wprost przeciwnego: im więcej dowiadywałem się o Julii Child,

tym większym darzyłem ją szacunkiem. Najbardziej imponowało mi to, jak ciężko pracowała i jak oddana była „zasadom" *la cuisine française*, pozostając przy tym otwarta na twórcze poszukiwania; jak wielką wreszcie miała w sobie determinację, by nie poddawać się przeciwnościom. Nigdy nie zatraciła umiejętności dziwienia się i ciekawości świata. Była i pozostaje wielką inspiracją.

Drugą z wielkich inspiracji była Judith Jones, nasza redaktorka, która pracowała z Julią ponad czterdzieści lat. Jej cierpliwość i głębokie zrozumienie tematu były niezbędne podczas powstawania tej książki. Wielką pomocą służył nam też Ken Schneider.

13 sierpnia 2004 roku — niedługo po naszej rozmowie w ogrodzie i zaledwie dwa dni przed swoimi dziewięćdziesiątymi drugimi urodzinami — Julia zmarła we śnie wskutek niewydolności nerek. Przez następny rok kończyłem *Moje życie we Francji*, ale nie było dnia, żebym nie chciał do niej zadzwonić, poprosić, żeby coś mi wyjaśniła, podzieliła się nowinami albo zwyczajnie ze mną porozmawiała. Tęsknię za nią. Jej głos, zapisany na tych stronach, pozostaje jednak tak samo żywy, mądry i pokrzepiający jak kiedyś. Jak by powiedziała Julia: „Świetnie się bawiliśmy!".

Alex Prud'homme
sierpień 2005

SPIS ROZDZIAŁÓW

Opieka redakcyjna
Dorota Wierzbicka

Redakcja
Sylwia Frołow

Adiustacja
Aleksandra Górska

Korekta
Ewa Kochanowicz, Urszula Srokosz-Martiuk, Małgorzata Wójcik

Projekt okładki i stron tytułowych
Marek Pawłowski

W projekcie okładki wykorzystano zdjęcie
© Corbis/Fotochannels

Redakcja techniczna
Bożena Korbut

Autorem większości fotografii wykorzystanych w książce jest Paul
Child. Zdjęcia wymienione poniżej zostały udostępnione dzięki uprzejmości następujących osób i instytucji:
Roberta K. Brighama, Fish & Wildlife Service, U.S. Department of In-
terior (str. 404); Jacka Case'a (str. 361); właścicieli kolekcji zdjęć Julii
Child (str. 6, 43, 119 i 470); rodziny Childów (str. 120 i 246–249); Dorothy
Cousins (str. 130); Marka Kauffmana, Time Life Pictures / Getty Images
(str. 135 i 156); Lee Lockwood (str. 406 — oba zdjęcia); Hansa Namutha
(str. 454); WGBH (str. 421).

Printed in Poland
Wydawnictwo Literackie Sp. z o.o., 2010
ul. Długa 1, 31-147 Kraków
bezpłatna linia telefoniczna 0-800 42 10 40
księgarnia internetowa:www.wydawnictwoliterackie.pl
e-mail: ksiegarnia@wydawnictwoliterackie.pl
fax: (+48-12) 430 00 96
tel.: (+48-12) 619 27 70
Skład i łamanie: Edycja
Druk i oprawa: POZKAL